P9-CRL-563
NOMADES
Les littératures du monde

DU MÊME AUTEUR

ROMANS, RÉCITS ET CONTES

Contes pour buveurs attardés, Éditions du Jour, 1966; BQ, 1996.
La cité dans l'œuf, Éditions du Jour, 1969; BQ, 1997.
C't'à ton tour, Laura Cadieux, Éditions du Jour, 1973; BQ, 1997.
Le cœur découvert, Leméac, 1986; Babel nº 167.
Les vues animées, Leméac, 1990; Babel nº 399.
Douze coups de théâtre, Leméac, 1992; Babel nº 254.
Le cœur éclaté, Leméac, 1993; Babel nº 168.
Un ange cornu avec des ailes de tôle, Leméac/Actes Sud, 1994 ; Nomades, 2015.
La nuit des princes charmants, Leméac/Actes Sud, 1995; Babel nº 415; Babel J, 2006.
Quarante-quatre minutes, quarante-quatre secondes, Leméac/Actes Sud, 1997.
Hotel Bristol, New York, N.Y., Leméac/Actes Sud, 1999.
L'homme qui entendait siffler une bouilloire, Leméac/Actes Sud, 2001.
Bonbons assortis, Leméac/Actes Sud, 2002.
Le cahier noir, Leméac/Actes Sud, 2003.
Le cahier rouge, Leméac/Actes Sud, 2004.
Le cahier bleu, Leméac/Actes Sud, 2005.
Le gay savoir, Leméac/Actes Sud, coll. « Thesaurus », 2005.
Le trou dans le mur, Leméac/Actes Sud, 2006.

LA DIASPORA DES DESROSIERS

La traversée du continent, Leméac/Actes Sud, 2007 ; Babel nº 1297.
La traversée de la ville, Leméac/Actes Sud, 2008.
La traversée des sentiments, Leméac/Actes Sud, 2009.
Le passage obligé, Leméac/Actes Sud, 2010.
La grande mêlée, Leméac/Actes Sud, 2011.
Au hasard la chance, Leméac/Actes Sud, 2012.
Les clefs du Paradise, Leméac/Actes Sud, 2013.
Survivre ! Survivre !, Leméac/Actes Sud, 2014.
La traversée du malheur, Leméac/Actes Sud, 2015.

CHRONIQUES DU PLATEAU-MONT-ROYAL

La Grosse Femme d'à côté est enceinte, Leméac, 1978.
Thérèse et Pierrette à l'école des Saints-Anges, Leméac, 1980 ; Grasset, 1983 ; Babel nº 180.
La duchesse et le roturier, Leméac, 1982 ; Grasset, 1984 ; BQ, 1992.
Des nouvelles d'Édouard, Leméac, 1984 ; Babel nº 284.
Le premier quartier de la lune, Leméac, 1989 ; Nomades, 2015.
Un objet de beauté, Leméac/Actes Sud, 1997.
Chroniques du Plateau-Mont-Royal, Leméac/Actes Sud, coll. « Thesaurus », 2000.

LA GROSSE FEMME
D'À CÔTÉ EST ENCEINTE

Photographie en couverture : Nana, la mère de Michel Tremblay, prise au cours des années 1940 (archives personnelles).

Leméac Éditeur remercie le Conseil des arts du Canada, la Société de développement des entreprises culturelles du Québec (SODEC) et le Programme de crédit d'impôt pour l'édition de livres du Québec (Gestion SODEC) du soutien accordé à son programme de publication.

Financé par le gouvernement du Canada
Funded by the government of Canada | Canada

ISBN 978-2-7609-3611-9

Imprimé au Canada

Michel Tremblay

La Grosse Femme d'à côté est enceinte

CHRONIQUES DU PLATEAU-MONT-ROYAL

roman

NOMADES

2 mai 1942

Rose, Violette et Mauve tricotaient. Parfois Rose (ou Violette, ou Mauve) posait son tricot sur ses genoux, jetait un coup d'œil mi-amusé mi-sévère sur le travail de ses sœurs et disait: « Tu tricotes trop lousse. » ou bien: Si moman m'avait donné d'la laine de c'te couleur-là, j'arais été ben désappointée ! » ou bien encore elle ne disait rien. Si elle restait inactive trop longtemps, l'une de ses sœurs tournait la tête vers elle: « Finis ta patte avant de jongler. » Et Rose (ou Violette, ou Mauve) reprenait son travail après un discret soupir. Le silence s'installait. Confortablement. Mais au bout de quelques minutes: « C'est rare qu'on peut s'assir dehors un 2 mai, hein ? » « Ouan... J'pense que c'est la première fois. » « Voyons donc, faut pas exagérer ! Depuis le temps... » « C'est vrai, t'as raison... j'me rappelle, l'année que Victoire a eu Gabriel... » « C'tait pas l'année de Gabriel, c'tait l'année d'Édouard, son deuxième... » « Comme tu veux. » « C'est pas comme j'veux, c'est de même. C'tait l'année d'Édouard. » Silence encore. Le triple cliquetis des broches. « En tout cas, c'tait un 2 mai. » Rose, Violette et Mauve étaient assises sur des chaises droites. Les chaises berçantes encouragent la paresse. Dos raide, coudes collés, yeux baissés sur la laine bleue. Ou rose. Ou jaune. Ou autre. Le matin, avant de sortir les chaises, elles avaient lavé le balcon. Comme chaque jour elles allaient le faire jusqu'au début de septembre. Un siau d'eau, beaucoup d'eau de Javel, trois brosses. Le chat tigré qui avait passé la nuit sous le balcon, épuisé après trois jours d'amours violentes et de jeûne, s'était réveillé en crachant des « pffft » rageurs et avait décampé, maudissant cette odeur de propreté maniaque. « Le chat, à matin, c'tait-tu le chat de Marie-Sylvia ? » « Oui. » La porte s'ouvrit doucement derrière elles. Elles continuèrent leur ouvrage sans broncher. Seules leurs mains bougeaient dans ce tableau immobile. Et la porte qui s'ouvrait. La maison d'en face glissa vers la gauche dans la vitre de la porte, puis celle qui la touchait, puis les autres. Et enfin le restaurant de Marie-Sylvia au coin de la ruelle. Avec, cette fois, un bout de ciel parce que le restaurant de Marie-Sylvia, pompeusement baptisé « Restaurant Arc-en-ciel », était situé au rez-de-chaussée d'une maison de deux étages, la seule de la rue, un luxe dans ce quartier où on n'avait construit que des maisons à trois étages, par économie. D'espace. Et d'argent. « Quand vous en aurez fini assez, rentrez-les au lieu d'les laisser traîner su'l'balcon. Ça fait malpropre. » Florence, leur mère, glissa hors de la maison et se pencha sur le travail d'une de ses trois filles. « Tu tricotes trop lousse. » « J'fais des pattes d'été ! » Les deux autres rirent. Florence sourit. « Y'a pas de saison pour les bébés ! » Florence se redressa, fit demi-tour et rentra dans la maison. La porte resta entrebâillée. « J'pense qu'a'va venir s'assir avec nous autres. » Rose, Violette et Mauve se levèrent, soulevèrent leurs chaises par le dossier et firent une place pour celle de leur mère. Avant qu'elles ne se rassoient, Florence parut dans la porte avec sa chaise berçante. Elle la déposa sur le plancher propre. Toutes s'assirent. Le craquement de la chaise de Florence se mêla au cliquetis des broches à tricoter de ses filles. Rose, Violette et Mauve tricotaient des pattes de bébés. Pour la grosse femme d'à côté qui était enceinte. « Demain, on va commencer celles de madame Jodoin. » Et Florence, leur mère, se berçait.

« Duplessis ! Duplessis ! » Déjà pomponnée comme pour sortir malgré l'heure matinale, Marie-Sylvia se tenait sur la première des trois marches de ciment qui menaient à son restaurant. « Duplessis ! » Été comme hiver, aussi bien à la Saint-Jean-Baptiste qu'aux Rois et même le Vendredi saint, Marie-Sylvia, dès sept heures du matin, portait pierres du Rhin aux oreilles et perles de verroterie au cou. Son rouge à lèvres qui tachait ses dents et lui donnait une haleine sucrée était célèbre dans toute la rue. Les enfants disaient que Marie-Sylvia sentait le bonbon. Les femmes disaient que Marie-Sylvia sentait. « Duplessis ! » Elle portait sa robe du samedi. Oui, elle possédait une robe pour chaque jour de la semaine. Une seule. Elle ne variait jamais. On pouvait baser son calendrier sur les robes de Marie-Sylvia. Et certains le faisaient. Si Marie-Sylvia s'était acheté une robe neuve, non seulement toute la rue aurait-elle été au courant, mais quelques-uns de ses habitants n'auraient plus su quel jour on était. Exaspérée, Marie-Sylvia rentra dans son restaurant, traînant ses savates à moitié défoncées sur le plancher de bois franc. Car Marie-Sylvia n'était coquette que jusqu'aux genoux. Elle n'avait jamais pu endurer de souliers qu'elle appelait d'ailleurs « des tue-pieds ». « Des suyers ? J'en ai pas de besoin en arrière de mon comptoir ! C'que le monde voyent pas leur fait pas mal ! Chus quand même pas pour endurer le martyre à l'année longue juste pour vendre des bonbons à'cenne à des enfants sales ! » Elle contourna le comptoir vitré qui faisait face à la porte et se glissa dans l'arrière-boutique. Son royaume. Un capharnaüm sans nom encombré jusqu'au plafond de caisses de bouteilles de liqueurs, de statues de plâtre ou de sel de toutes les grosseurs (phosphorescentes ou non, peinturlurées ou plain), représentant surtout la Sainte Vierge ou saint Joseph, les autres saints du calendrier n'étant pas très populaires dans le quartier ; un bric-à-brac débordant de cartons défoncés d'où s'échappaient des paquets de bobby pins et des enchevêtrements de lacets de bottines, et où traînait un fauteuil tellement vieux que Marie-Sylvia elle-même, qui connaissait pourtant par cœur la provenance de chaque article de son restaurant, même les plus insignifiants, l'appelait « le fauteuil mystérieux ». À vrai dire, ce fauteuil était déjà là quand, des années auparavant, elle avait loué le local, mais Marie-Sylvia prétendait qu'elle l'avait trouvé dans la ruelle avec une note qui lui était adressée. « C't'un cadeau que quequ'un m'a faite ! Un cadeau mystérieux. J'ai jamais su qui c'était. Peut-être que c'était un admirateur discret... » On ne connaissait à Marie-Sylvia aucun admirateur, discret ou non, aussi la laissait-on parler du fauteuil, de la note, de l'amoureux transi, en acquiesçant discrètement et en sortant son argent pour payer le cornet de crème glacée ou le sac de pinottes. Assise dans son fauteuil mystère, Marie-Sylvia voyait tout ce qui se passait dans le restaurant et, surtout, tous ceux qui passaient devant le restaurant. On ne l'avait jamais vue lire, ni tricoter, ni même dormir dans son fauteuil. Non. Le cou tendu, elle guettait. Elle voyait tout et, d'après les allées et venues des voisins, pouvait interpréter leurs humeurs, leurs journées, leurs vies. Cherchait-on quelqu'un dans le voisinage, un enfant perdu ou un mari paqueté, Marie-Sylvia disait: « Je l'ai vu à telle heure, il allait dans telle direction, portait tels vêtements et avait l'air de penser telle chose. » D'où ce surnom de « senteuse de caneçons » que la grosse femme lui avait donné. Elle passa près de son fauteuil sans même le regarder et s'engagea dans le court corridor qui menait à l'arrière de la maison. Elle déboucha dans la minuscule cuisine qui fleurait encore bon le café frais. « J'vas le tuer! Trois jours qu'y'est parti! Trois jours! » Elle ouvrit la porte qui donnait sur la ruelle. « Duplessis! Duplessis! » Elle tournait la tête de tous côtés, la langue voyageant sur ses dents du haut pour effacer les traces de rouge à lèvres. Et retrouver ce goût douceâtre qui la sécurisait tant. Elle referma la porte brusquement, soupira, se versa une tasse de café. « Jamais se fier à parsonne! Jamais! » Sa main tremblait un peu. Une larme brilla entre les cils de son œil gauche. « J'le sais, pourtant... » Elle revint vers le capharnaüm et se laissa tomber dans le fauteuil mystérieux. Sa tête tourna automatiquement dans la direction du restaurant. La porte. La vitrine toujours propre. Le fauteuil était placé de telle façon que Marie-Sylvia pouvait espionner à son aise sans être vue et se noyer complètement dans la vie des autres. Entre les deux comptoirs de bonbons, de chips, de petits gâteaux et de crème glacée, une trouée s'ouvrait sur le monde.

Son rêve était peuplé de cris et de coups de dents. Des images floues mais quand même juste assez précises pour l'exciter se présentaient à son esprit et tous ses muscles se bandaient pour lui permettre de sauter sur ces phantasmes, les lacérer, les déchirer, les labourer, en faire une charpie facile à mastiquer, à avaler, à digérer, à oublier. Mais il ne pouvait pas bouger. D'autres images, plus provocantes, se substituaient aux premières et il donnait des coups de mâchoire dans le vide. Cette voix, la sienne peut-être ou celle d'une de ces victimes gigotantes qu'il ne réussissait pas encore à assommer du premier coup, qui semblait fleurir de sa propre gorge mais qui s'éloignait tout à coup pour revenir en force et lui faire sauter le crâne, qu'il maudissait parce qu'elle l'empêchait de bondir et de maîtriser les chimères qui l'assaillaient, cette voix se tut soudain. Les fantômes s'évanouirent. Il ouvrit les yeux. Il vit la vieille femme refermer la porte. Il s'étira, bâilla, soupira, se repelotonna. Plus tard, les caresses. Il fallait d'abord détruire cette forme qui s'enfuyait, là-bas, rampante (rampante ? non, elle flottait, mais où était le ciel ? où était la terre ?), qu'il croyait reconnaître un instant mais elle se transformait devant ses yeux, la maudite, et chargeait, l'écrasant presque sous une énorme patte coussinée. « J'étouffe ! C'est la mort qui vient ! C'est ça. C'est ça, la mort. » Puis une pluie de têtes se mit à tomber. Des têtes identiques. « J'les connais toutes ! Toutes ces têtes-là me sont connues ! Pis y faut que j'les détruise toutes ! » Ce cri, encore. Cette voix. Une ombre approchait. Des mains l'agrippèrent. Il siffla, mordit, griffa. Plus fort, le cri. Son nom. Il décida alors de porter le grand coup et, plantant ses griffes dans cette matière pourtant impalpable, il donna une série de coups de reins obscènes en se frottant contre l'ombre qui aussitôt s'apprivoisa. Et le rêve se termina en deux soubresauts de délivrance. Duplessis se réveilla bel et bien, cette fois, et entreprit de faire sa toilette.

Béatrice se souvenait très bien de lui. « Le vieux soldat, là ? » Mercedes tira sur sa cigarette en fronçant les sourcils à cause de la fumée. « C'est rien que ça qu'on a eu, hier, des soldats, Betty ! » « J'sais qui pareil. C'est celui qui avait les cheveux teindus. C'est ça ? » « C'est ça. » « Ça me surprend qu'y se soye plaint, y'a rien faite ! » « C'est justement ! » Mercedes tenait sa cigarette entre ses dents, toute droite, et réussissait à parler sans presque bouger les lèvres. « Si y'avait faite quequ'chose, y se s'rait pas plaint ! » « Si y'avait demandé quequ'chose, y l'arait eu ! » « Peut-être qu'y voulait pas demander, Betty. Peut-être qu'y'arait aimé ça que tu prennes toé-même les initiatives... » « Sors pas tes mots à trente sous, là. Parle simple. » « Quand y font rien, des fois, c't'à toé de te débrouiller. » « Quand y font rien, y me tannent. » « T'es pas icitte pour être tannée ou non. » Le lit de Mercedes était profond. Chaud. Béatrice s'approcha de sa patronne qui ouvrit un bras pour qu'elle s'y réfugie. « T'as une maudite belle jaquette, Mercedes. » « J'ai travaillé pour. J'ai pris des initiatives. » « J'en reviens, des soldats, si tu savais. Rien que de savoir que ben vite y vont partir se faire tuer dans les vieux pays, ça m'écœure. J'ai l'impression qu'y sont déjà morts. » « Pense pas à ça. » « À part de t'ça, y font tellement dur avec leurs idées d'aller sauver la France. Pis l'Angleterre. Imagine ! Les deux en même temps! Avant, quand y voyaient un Français de France, y riaient de lui à cause de son accent pis y le traitaient de tapette, pis quand y voyaient un Anglais y'y criaient des bêtises par la tête parce que les Anglais sont toutes des écœurants, pis là... des vrais fous. Là, tout d'un coup, sont prêtes à se faire tuer, à se faire couper en petits morceaux, à pardre des bouttes de bras pis de jambes parce que la France pis l'Angleterre sont en danger... » « La France est occupée depuis deux ans... » « Ça va y faire du bien ! » « Tu dis n'importe quoi. » « Ça fait cent fois que t'essayes de m'expliquer c'qui se passe, Mercedes, pis j'comprends pas. Que c'est que tu veux, chus dumb. C'est pas de ma faute. J'comprends pas ça que les hommes d'icitte travarsent l'Aclantique pour aller défendre deux pays qu'y'haïssent depuis toujours ! » Mercedes sourit. « Y veulent pas toutes partir... » « Y'en a une maudite gang qui partent pareil ! » « Si tu veux pas comprendre, Betty, comprends pas. Mais crache pas sur les soldats, c't'eux autres qui te font gagner ta vie. » « Si y'étaient pas soldats, y viendraient pareil. » « Si y'étaient pas soldats, y'araient pas de quoi te payer. » « Que c'est que tu faisais, d'abord, toé, avant la guerre, avant qu'y'aye des soldats ? » « Y'a toujours eu des soldats, Betty. Pis y'en aura toujours. Avant la guerre j'faisais la même chose, mais dans une usine à cul. » « Que c'est que ça veut dire, encore, ça ? » Mercedes tourna la tête vers Béatrice. Elle retira sa cigarette de sa bouche, l'éteignit dans le fond du cendrier placé entre ses cuisses, toussa, prit une grande respiration. « Aimes-tu ça, icitte, Betty ? » « Non. » « Haïs-tu ça ? » « Non. » Béatrice se redressa, s'assit sur le bord du lit et regarda par la fenêtre à travers les rideaux de dentelle. De l'autre côté de la rue, le chat de Marie-Sylvia miaulait, le museau collé contre la porte du restaurant. « Duplessis veut rentrer dans le restaurant pis Marie-Sylvia le regarde sans bouger. Est deboutte en arrière de la porte, pis a'fait rien. Est folle. » Mercedes se redressa à son tour. « As-tu déjà remarqué qu'y se crisent des bêtises, des fois ? » Mercedes se leva. En deux enjambées elle fut dans la salle de bains. « Des fois, ça a l'air des chicanes sérieuses, t'sais. » Mercedes se regardait dans le miroir de la salle de bains. « Prends-tu un bain avec moé ? » « Okay ! » « Faudrait faire chauffer l'eau dans le chaudron... Va dans' cuisine, pis... » « J'sais quoi faire, Mercedes, j'ai déjà pris mon bain avant d'te connaître ! » Béatrice souriait. « Un bon bain ! Un bon bain ! » « Envoye, grouille ! » « Que c'est que tu y'as répond ? » « À qui ? » « Au soldat teindu. » Mercedes passa la tête dans l'entrebâillement de la porte. « J'y ai pas répond. J'y'ai faite c'que t'arais dû y faire. »

Lorsque Duplessis mangeait, tout s'arrêtait dans le restaurant. Quoi qu'elle y fît, Marie-Sylvia quittait le magasin et venait s'asseoir à côté du plat de foie que Duplessis, indifférent à la présence de sa maîtresse, dévorait, les yeux fermés, replié sur cette joie parfaite, ronde, où rien à l'extérieur de lui-même n'avait place : mastiquer, mastiquer et avaler ces choses molles, foncées, qui sentaient beaucoup, qui goûtaient encore plus, qui renouvelaient ses énergies en laissant dans sa bouche une trace de sang comme s'il avait tué un oiseau, un autre chat ou même la vieille femme qui le regardait. Oui, comme s'il dévorait cette femme à qui il fallait faire des bassesses, contre qui il fallait se frotter en redressant la queue pour manger. Si Marie-Sylvia avait le malheur de faire un geste dans sa direction pour le caresser ou seulement pour l'encourager, il se redressait tout d'un coup et crachait dans sa direction, griffes sorties. La haine redressait son poil comme une décharge électrique. « J'mange ! On verra après si j'ai envie de me tortiller au creux de ton tablier pour faire semblant que chus reconnaissant ! On verra ! » Il remettait la tête dans son bol comme si de rien n'était. « Ah ! y'en reste encore... Oh ! mais pas gros... » Marie-Sylvia attendait qu'il ait fini puis, immanquablement, elle disait : « L'a ben mangé, le gros minou à sa moman ? » Duplessis lui jetait un regard méprisant qu'elle prenait pour de la gratitude. Elle ramassait alors le bol vide pendant que le chat sortait de la cuisine et se dirigeait vers sa boîte de sable propre. Consciencieusement, elle lavait le bol de bois. « C'est propre, les chats, faut être propre avec eux autres. » Elle revenait ensuite vers ses clients qu'elle avait laissés en plan, ou son magasin vide. En passant à côté de la boîte de Duplessis, dans le corridor, elle entendait revoler le sable et souriait. « La santé. » Mais ce matin-là, pendant que Duplessis dévorait un plus gros plat de foie que d'habitude en faisant claquer sa langue et en se battant un peu avec les morceaux trop gros, Marie-Sylvia n'admira pas sa ligne élancée, son poil tigré, ses longues oreilles et son court museau. Elle lui fit une scène.

Mercedes avait rencontré Béatrice dans le tramway 52 qui partait du petit terminus au coin de Mont-Royal et Fullum pour descendre jusqu'à Atwater et Sainte-Catherine, en passant par la rue Saint-Laurent. C'était la plus longue ride en ville et les ménagères du Plateau Mont-Royal en profitaient largement. Elles partaient en groupe, le vendredi ou le samedi, bruyantes, rieuses, défonçant des sacs de bonbons à une cenne ou mâchant d'énormes chiques de gomme rose. Tant que le tramway longeait la rue Mont-Royal, elles étaient chez elles, elles faisaient tous les temps, se donnant parfois des claques dans le dos quand elles s'étouffaient, interpellaient d'autres femmes qu'elles connaissaient, elles allaient même parfois jusqu'à demander au conducteur comment il se faisait qu'il n'était pas encore parti pour la guerre. Mais quand le tramway tournait dans la rue Saint-Laurent vers le sud, elles se calmaient d'un coup et se renfonçaient dans leurs bancs de paille tressée: toutes, sans exception, elles devaient de l'argent aux Juifs de la rue Saint-Laurent, surtout aux marchands de meubles et de vêtements, et le long chemin qui séparait la rue Mont-Royal de la rue Sainte-Catherine était pour elles très délicat à parcourir. « Si Sam peut pas me voir ! Chus-t'en retard de deux mois dans mes payements. » Quand le tramway passait devant certains magasins, certaines têtes se détournaient brusquement ou plongeaient dans les sacs de magasinage. « Vous êtes ben tranquille, tout d'un coup, madame Jodoin ? Avez-vous peur de Sam Katz ? Tiens, le v'là, justement ! » L'interpellée blêmissait ou se pliait en deux en faisant semblant d'attacher ses lacets de souliers. Les autres femmes éclataient de rire. « Vous pognez encore à ça, madame Jodoin ? On vous la fait quasiment toutes les semaines ! » Mais en général, lorsqu'elles étaient vraiment trop en retard dans leurs paiements, elles se taisaient, songeuses. Elles n'osaient même pas regarder à l'extérieur, se disant qu'une tête vue de profil est plus difficile à reconnaître qu'une tête vue de face. Quelques-unes, mais vraiment juste quelques-unes, en profitaient même pour sortir leur chapelet. À peine faisaient-elles semblant de se boucher le nez quand une vieille Juive montait dans le tramway chargée de sacs à provisions d'où s'échappaient des queues de carottes ou de poireaux. « A's'en va faire sa salade de pissenlits ! » Elles pouffaient. « C'est-tu l'ail qu'al'a mangé hier ou ben donc son linge qu'a'va laver le mois prochain qui sent fort de même ? » Elles pinçaient les lèvres. « Y paraît qu'y gardent leurs transferts pour se faire du papier de toilette ! » Madame Jodoin, la plus ricaneuse du groupe, était prête à éclater et gémissait comme une chatte en chaleur. Mais aussitôt le coin des rues Saint-Laurent et Sainte-Catherine tourné vers l'ouest, la liesse reprenait de plus belle et emplissait le tramway de cris sonores et de rires pleins et sentis. « Vous avez failli me faire mourir, avec vos foleries, vous ! » « Vous étiez rouge comme une banane, j'veux dire comme une pivoine, madame Jodoin ! » « D'un coup qu'a'comprend le français, la Juive ! » « A'comprend pas le français, al'a rien à nous vendre ! » La vieille Juive, consciente qu'on parlait d'elle, baissait les yeux dans son sac. Tout le long de la rue Sainte-Catherine ouest, les nez se collaient aux vitres en hiver, les bras s'appuyaient sur le rebord des fenêtres en été. « R'gardez donc c'qui joue au Gaiety, madame Chose, vous êtes du bon bord... » « Woodhouse ! Mon Dieu, c't'icitte qu'y fallait que j'descende ! » « Restez donc avec nous autres jusque chez Eaton, madame Lemieux ! » « Jamais dans cent ans, sont assez voleurs ! » « Que c'est que ça change, vous achetez jamais rien ! » « Si les ceuses qui achètent jamais rien rentraient jamais chez Eaton, y'arait jamais parsonne pis y seraient obligés de farmer, les maudits voleurs ! » « Tant qu'à ça... » « V'nez donc avec moé chez Woodhouse, madame Guérin... » « Ah ben ! non, c't'assez plate ! J'aime mieux des voleurs le fun que du monde honnête plate ! » Les dernières descendaient chez Eaton, au coin d'University. Jamais personne du groupe n'allait plus loin que chez Eaton. À l'ouest de ce grand magasin c'était le grand inconnu : l'anglais, l'argent, Simpson's, Ogilvy's, la rue Peel, la rue Guy, jusqu'après Atwater, là où l'on recommençait à se sentir chez soi à cause du quartier Saint-Henri, tout proche, et de l'odeur du port. Mais jamais personne n'allait jusqu'à Saint-Henri et jamais personne de Saint-Henri ne venait jusqu'au Plateau Mont-Royal. On se rencontrait à mi-chemin, dans les allées d'Eaton, et on fraternisait au-dessus d'un sundae au chocolat ou d'un ice cream soda. Les femmes de Saint-Henri parlaient fièrement de la place Georges-Étienne-Cartier et celles du Plateau Mont-Royal du boulevard Saint-Joseph. Toujours est-il qu'un samedi matin, très tôt, Mercedes rentrait chez elle après une nuit mouvementée mais décevante chez un dentiste de la rue Sherbrooke et Béatrice revenait de chez une amie où elle avait dormi. Mercedes avait déjà remarqué cette jeune fille grassouillette, vendeuse dans un magasin de coupons, vraisemblablement orpheline, qui habitait le même immeuble qu'elle, au coin de Fabre et Gilford, qui la saluait toujours quand elles se rencontraient dans l'escalier ou sur le palier mais qui ne l'avait jamais regardée dans les yeux. « A'me juge. » Mais au contraire des autres locataires qui allaient jusqu'à frapper dans sa porte à grands coups de poing en lui criant des injures, la petite Béatrice restait très réservée. Et lui disait bonjour. Toujours. Elle avait même refusé de signer une certaine pétition... Mercedes avait donc abordé Béatrice dans le tramway 52. « T'es cernée. T'as pas dormi ? » « C'est pas parce que vous dormez pas, vous, que parsonne dort ! » Mercedes avait ri. « Tu travailles pas, aujourd'hui ? » « Oui, j'm'en vas travailler, là. » « Vendre ton matériel à' verge pis tes boutons de culottes ? » « Oui, pis ? » « Veux-tu faire ça toute ta vie ? » « J'vous vois v'nir avec vos gros sabots... » « T'aimes mieux vendre des boutons ? » « J'le sais pas. J'ai jamais essayé c'que vous faites. » Mercedes avait sorti son rouge à lèvres de sa sacoche. Un billet de vingt dollars était tombé sur ses genoux. « Y'a ben de l'ouvrage dans c'que j'fais, ces temps-citte, t'sais... » Béatrice regardait le billet de banque. « T'sais, les soldats... » « Vous le ramassez pas ? » « Quoi, donc ? Ah ! ça ? » Elle froissa négligemment le billet dans ses mains. « Combien tu fais par semaine, toé... ? » Béatrice avait détourné la tête. Elle regardait dehors et faisait comme si elle n'avait pas entendu la question de Mercedes. Le conducteur venait de descendre du tramway avec sa longue barre de fer pour aller tripoter les rails de façon à ce que sa machine puisse tourner dans la rue Mont-Royal, vers l'est. « Comment tu t'appelles ? » « Béatrice. » Mercedes continua à passer son tube de rouge sur ses lèvres. « Moé, c'est Mercedes. Mercedes Benz. » Béatrice l'avait regardée à la dérobée. « C'pas vot'vrai nom, ça ! Ça se peut pas, un nom de même ! » Mercedes avait fini par fourrer le billet de vingt dollars dans son sac. « Non, mon vrai nom, y'est trop niaiseux. » Béatrice avait regardé le conducteur remonter dans le tramway. Il s'était aperçu qu'elle le fixait et lui avait fait un clin d'œil complice. Le tramway avait tourné lentement vers la droite sous une pluie d'étincelles. Béatrice souriait, la tête appuyée contre la vitre. « Moé, j'm'appellerais Betty. Betty Bird. » « Pourquoi Bird ? » « À cause de mon pére. Pis à cause de vous, aussi. Mon pére, des billets de vingt piasses, y'appelait ça des birds. Peut-être parce que quand y'en voyait un, y'était toujours ben loin, comme un oiseau dans un arbre ou ben donc dans le ciel, mais toujours ben loin. » Les deux femmes s'étaient souri. « Betty Bird, c't'un maudit beau nom. C'est ben catchy. » « Oui. Ça fait longtemps que j'y pense. » Mercedes avait bâillé. Les cernes sous ses yeux s'étaient élargis. « Tu devrais v'nir parler de tout ça chez nous, une de ces bonnes fois... » « Tant qu'à faire, j'aimerais autant y aller tu-suite... » « T'es vite en affaires, toé ! » « Chus tannée des boutons de culottes ! » « Quand c'est que tu serais prête à commencer ? » Pour la première fois Béatrice avait regardé Mercedes droit dans les yeux, jusqu'au fond de l'âme. « Vous savez ben que chus prête depuis longtemps. Que c'est que vous voulez que j'fasse d'autre. » Et Mercedes avait eu peur. En frottant énergiquement le dos de Betty, dans la baignoire, elle repensait à tout cela et un large sourire illuminait son visage. « Pourquoi tu ris ? » « J'pense à comment c'que j'avais peur de toé, au commencement. De ta façon d'être défaitiste. » « À c't'heure, t'as pu peur ? » « Des fois. Des fois non. » « De toute façon, ça fait ben longtemps de ça... » « Ça fait pas longtemps, Betty, ça fait juste un an... » « Ça fait longtemps pareil. » Betty s'empara de l'éponge qui dégoulinait de mousse de savon. « Envoye, tourne, que je frotte ! »

Édouard et Thérèse s'étaient levés en même temps. Leurs chambres se faisaient face, aussi étaient-ils tombés nez à nez en ouvrant leur porte. « Vous vous levez ben de bonne heure, à matin, mon oncle Édouard? C'est pourtant samedi ! » « Les envies de pipi ont pas de jours, ma p'tite fille ! » Ils avaient tous deux couru jusqu'à la salle de bains qui se trouvait tout à fait à l'arrière de la maison, après la salle à manger et la cuisine. Thérèse était arrivée la première mais elle avait cédé la place au frère de sa mère. Marcel, le frère de Thérèse, tellement petit pour ses quatre ans qu'on lui en donnait à peine deux et demi ou trois, avait entendu la course et lorsque Thérèse et Édouard étaient passés près de lui il avait zézayé un timide bonjour mais les deux courseurs ne l'avaient pas entendu. Marcel couchait dans la salle à manger dans un lit qu'on déguisait le jour en sofa, beaucoup trop grand pour lui et qu'il détestait. Il était donc témoin de toutes les allées et venues de la maison et Dieu sait s'il y en avait. Quand son oncle Gabriel, qui travaillait le soir, arrivait vers les deux heures du matin, Marcel lui envoyait la main. Mais Gabriel, absorbé, fatigué, la tête basse, regardait rarement dans la direction de l'enfant. Il entrait en hâte dans sa chambre qui donnait sur la salle à manger, où l'attendait la grosse femme enceinte, sa femme. Quand Albertine, la mère de Marcel et de Thérèse, se levait la nuit pour se faire un thé pour calmer ses nerfs, Marcel se glissait hors de son lit et la suivait à la cuisine. Elle le prenait dans ses bras en attendant que l'eau bouille et Marcel, immanquablement, s'endormait, la tête appuyée contre l'épaule grasse de sa mère. Albertine berçait son petit dernier en fixant le canard d'eau chaude. Parfois elle s'endormait debout, appuyée contre le poêle, et se réveillait en sursaut au moment où elle allait échapper Marcel ou lorsque l'eau trop bouillante se mettait à se déverser sur le poêle à charbon en produisant des grésillements désagréables. Et quand la vieille Victoire, la mère d'Édouard, de Gabriel et d'Albertine, se levait, chaque nuit, pour aller à la salle de bains, Marcel se pelotonnait dans un coin de son lit et fermait les yeux. Marcel avait peur de Victoire. Non qu'elle fût méchante. Mais une étrange maladie à la jambe gauche la faisait boiter, la faisait souffrir terriblement et la rendait irritable. Aussi manquait-elle de patience avec ses petits-enfants. Victoire passait comme une ombre devant le lit de Marcel et se faufilait dans la cuisine, puis dans la pièce du fond où elle se mettait à produire des sons qui auraient fait rire Richard ou Philippe, les deux garçons de la grosse femme et de Gabriel, mais qui terrorisaient littéralement le petit garçon. Quand elle avait terminé, elle poussait comme un long gémissement et tirait énergiquement sur la chaîne. Le bruit de succion de la chasse d'eau rendait Marcel presque fou de peur parce qu'il savait que cela signifiait que la vieille boiteuse allait repasser devant son lit. Allait-elle sauter dans son lit, sauter sur lui à pieds joints comme le lui avait promis son cousin Philippe, de quatre ans son aîné et déjà baratineur et conteur d'histoires ? Allait-elle le battre, le tuer, le manger ? Mais Victoire passait sans même penser à lui. Marcel se rendormait en tremblant. « C'est ben long, mon oncle ! Laissez-moé faire mon pipi, pis vous y retournerez, après ! » Édouard sortit de la salle de bains en bougonnant. Aussitôt, Marcel traversa la salle à manger et la cuisine en flèche et se jeta dans les bras de son oncle qui le lança au plafond en riant et en hurlant. « Que c'est que tu veux pour déjeuner, mon Marcel? Des œufs? Deux douzaines? Avec du bacon? Deux livres? Avec des toasts? Deux pains complets? Avec du café? Deux cafetières?» Thérèse cria de la salle de bains. «Vous allez réveiller toute la maisonnée encore!» «Tais-toé pis pisse, toé!» «Vous savez ben qu'y mange rien de tout ça, de toute façon...» «Si y mange rien de tout ça, c'est parce que vous y'en donnez pas! Chus-t'assez tanné de le voir manger du pablum...» «Y'en mange pas parce que ça le rend malade...» «C'est ta mére qui a décidé ça, Thérèse, que ça le rendait malade.» Thérèse sortit de la salle de bains en attachant le cordon de son pyjama. «Vous pouvez y aller, là.» «Commencerais-tu le café, pendant ce temps-là, ma belle poulette?» Édouard s'engouffra dans la petite pièce pendant que Thérèse se penchait sur son frère. «As-tu faite ton pipi, toé?» «Non.» «As-tu envie?» «Voui.» Thérèse prit Marcel dans ses bras et le tint debout sur le bord de l'évier de la cuisine. «Envoye, avant qu'y soye trop tard...» Rose de plaisir, Marcel sortit son petit sexe et pencha la tête au-dessus de l'évier. «Tu regardes-tu toujours comme ça quand tu fais pipi?» «Voui.» «Pourquoi tu fais ça?» «Parce que z'aime ça.» «Cochon!» «Coçon? Pourquoi, coçon?» «Tu le sauras ben assez vite!» Thérèse avait onze ans. Le même âge que Richard, l'aîné de la grosse femme et de Gabriel. Thérèse et Richard étaient nés à deux jours d'intervalle: Thérèse, d'abord, un 31 octobre, puis Richard, deux jours après, un 2 novembre. Thérèse était farceuse, gaie, grimaceuse comme un party d'Halloween et Richard était sérieux, triste, pâle et ennuyeux comme une messe des morts. Mais ils étaient inséparables, Thérèse s'amusant d'un rien, Richard s'ennuyant partout. « Vous allez réveiller mon pére avec vos foleries, pis ça va faire toute une histoire, encore ! » Richard se tenait dans l'encadrement de la porte de la cuisine, grand pour son âge, les oreilles décollées, les yeux bouffis. « Ton pére se lève, d'habetude, le samedi, Coco, pis on peut faire tout le train qu'on veut... » « C'est pas nécessaire de commencer à huit heures du matin ! » « Bon, tu commences ta journée, là ? » Thérèse déposa son frère sur le plancher, s'approcha de son cousin et l'embrassa dans le cou. Richard s'essuya avec sa main. « Le déjeuner est-tu prête ? » Thérèse le foudroya du regard. « Non, j'ai juste eu le temps de faire du bruit ! » Édouard sortit de la salle de bains à ce moment-là. « Thérèse, va habiller ton frére, pis toé, Richard, va t'ennuyer ailleurs, c'est moé qui fais à déjeuner, à matin ! » La cuisine se vida en deux secondes et demie et Édouard se mit à la tâche. Il prit un des tabliers de la grosse femme (il était lui-même assez corpulent merci), se l'attacha bien comme il faut dans le dos, puis ouvrit la porte de la glacière.

Richard partageait une pièce double, à l'avant de la maison, avec Victoire, sa grand-mère, et son oncle Édouard. Il couchait dans un lit pliant sous la porte d'arche. Chaque soir il tirait de son coin sombre le lit de fer plié en deux d'où s'échappaient couvertures et draps, et se battait avec les deux crochets trop serrés qui refusaient de bouger. Évidemment, les crochets lâchaient tout d'un coup et le lit se dépliait dans un vacarme de springs usés et trop lousses. Et chaque matin, pour replier le lit, Richard suait à grosses gouttes en soufflant comme un bœuf: les crochets ne voulaient plus entrer dans leurs pattes, les pieds ne pliaient plus, le mince matelas était soudain trop épais... Sous l'œil placide de sa grand-mère qui ne semblait même pas s'amuser, le garçon finissait par refermer son lit, échevelé, rouge, à bout de souffle. En repoussant le tas de ferraille dans son coin, Richard maudissait le sort qui l'avait condamné à sortir de la chambre de ses parents pour aboutir dans ce trou qui fleurait les médicaments de sa grand-mère et l'eau de Cologne de son oncle Édouard: Lotus, de Yardley. Ce matin-là, comme sa grand-mère dormait encore, la bouche grande ouverte comme dans un dernier cri de désespoir, Richard ne s'attaqua pas à son lit. Il s'y étendit par désœuvrement et par désœuvrement aussi il tourna la tête en direction de la vieille femme. Il pouvait voir son visage entre deux barreaux du lit de bronze. Depuis cinq ans qu'il dormait dans la même chambre qu'elle, Richard avait passé un nombre incalculable d'heures à regarder sa grand-mère mourir. En effet, chaque fois qu'il l'examinait pendant son sommeil, respirant à peine, renâclant, bouche ouverte sur des gencives blanches, nues, coupantes comme des lames, Richard s'attendait à la voir s'éteindre. C'était une chandelle usée qui vacille, une horloge démontée qui hoquette, un moteur au bout de son rouleau, un chien trop vieux, une servante qui a fini de servir et qui se meurt d'ennui, une vieillarde inutile, un être humain battu, sa grand-mère. Quand elle voulait faire quelque chose dans la maison, sa bru, la grosse femme, ou sa fille, Albertine, allaient au-devant d'elle, pleines d'attentions: « Reposez-vous, là.. Vous avez assez travaillé dans vot'vie... assisez-vous, moman, vot'jambe... » La vieille déposait le linge à vaisselle ou la cuiller en bois en avalant sa salive pour ne pas exploser. Richard avait souvent vu sa grand-mère pleurer de rage, appuyée contre la vitre de la fenêtre de sa chambre qui donnait sur l'escalier extérieur. Il l'avait même entendue maudire les deux femmes, leur jeter des sorts impuissants, il l'avait vue leur tirer la langue et faire semblant de leur donner des coups de pied. Elle errait du matin au soir de sa chambre à la salle à manger et de la salle à manger à sa chambre, superfétatoire objet d'attention dans cette maison où tout et tous avaient des tâches assignées ou du moins une utilité quelconque, excepté elle. Elle aurait voulu descendre les vidanges, faire le souper, laver la grosse femme, faire tremper tous les rideaux de la maison dans la baignoire, rosser Philippe ou Thérèse, ou Richard, ou Marcel, mais rosser quelqu'un ; au lieu de quoi elle aboutissait infailliblement devant l'appareil de radio, l'oreille collée sur les confidences de Donalda ou les sautes d'humeur de la grosse Georgianna. Au beau milieu d'un ronflement Victoire ouvrit des yeux vitreux et sa main remonta une mèche blanche qui lui barrait le front. Aussitôt, Richard détourna la tête. « Quelle heure qu'il est ? » Richard ne répondit pas. « Quelle heure qu'il est ? Coco, j'sais que tu dors pas, t'es tout habillé ! » « Y'est huit heures, memére, un peu plus tard que huit heures. » Victoire se gourma, prit un petit mouchoir sous son oreiller, cracha. Généreusement. Richard ferma les yeux. Victoire s'assit péniblement dans son lit et regarda dans la direction de son petit-fils. « Vas-tu arrêter de m'espionner, un jour ? » Richard tourna vivement la tête vers sa grand-mère. « Non. » Long silence. Très myope, Victoire ne voyait pas son petit-fils. Mais elle sentait son regard. Elle sentait toujours son regard. C'était ce regard même qui venait de la tirer du sommeil. « Un jour, pendant que tu dors, memére va se lever pis a'va aller t'étrangler. Comme un poulet... » « Non. Vous m'aimez trop. » La femme sourit. « Tu penses ? » « Oui. » Richard sourit à son tour. « J'aime mieux quand vous êtes réveillée. » « Moé aussi ! »

Traînant Marcel derrière elle, Thérèse fit irruption dans l'autre pièce double de la maison qui comprenait la chambre de sa mère, Albertine, et le salon où son cousin Philippe et elle dormaient depuis quelques années. Thérèse et Philippe partageaient le même sofa dans une cavalcade de rires, de claques, de sauts, de chatouillements et de pudeurs mal cachées. Et d'impudeurs mal comprises. Philippe n'avait que huit ans mais déjà il savait où fouiller furtivement et comment éviter les claques en prenant des airs d'innocent ou en faisant des yeux candides. Le sofa de Thérèse et de Philippe était une incessante source de murmures amusés, oasis de gaieté au milieu du désert familier des passions éteintes et des désirs inassouvis qui peuplaient les quatre coins de la maison. Albertine, elle, couchait dans le fond de la pièce double dans une espèce de bateau, noir de couleur et de mine, que son mari, Paul, maintenant à la guerre Dieu merci, avait rapporté du fond de ses Laurentides natales en cadeau de noces, douze ans plus tôt. Albertine avait toujours haï cette boîte aux odeurs rances où les pires expériences de sa vie l'avaient surprise à peine adolescente, ignorante et pure au-delà de toute commune mesure. Elle avait subi et subissait encore ce lit comme une catastrophe inévitable qui, lorsqu'elle s'est produite après s'être longtemps annoncée, marque et mène toute une vie. Toute l'existence de cette femme un peu grasse mais très belle était résumée entre ces planches teintes, sur ce matelas usé, dans ces draps de toile fatigués, effrangés : la désillusion devant le peu de plaisir, là où on avait promis le ciel, s'y lisait en filigrane. Albertine venait justement de se réveiller quand ses enfants passèrent la porte en coup de vent. Elle se dressa aussitôt dans son lit, la tête hérissée de guenilles et les bras nus dans une robe de nuit de coton rose pâle. « Que c'est ça, tout c'te train-là, à matin ! Le p'tit est pas encore habillé ? Y'a-tu mangé ? Y'a-tu encore pissé au litte ? » Thérèse regarda sa mère avec un grand sourire pendant que Marcel se cachait derrière elle. Elle parla doucement, comme si elle réveillait sa mère au terme d'une nuit très calme. « Bonjour, moman. Comment ça va, à matin ? T'as-tu ben dormi ? » Visiblement décontenancée, Albertine regardait sa fille fixement, interdite, le bras toujours levé dans une accusation, mais déjà moins sûr de lui. « Bon, okay, j'ai compris. » Elle repoussa les couvertures, sortit les jambes du lit. « Emmène le p'tit. » Thérèse prit son frère dans ses bras et le porta à sa mère. Étonné de voir sa mère si douce tout à coup, Marcel la regardait comme s'il ne l'avait jamais vue, pris entre son envie de pleurer causée par la colère d'Albertine et le besoin de se blottir dans ses bras parce qu'il l'aimait au-delà de toute raison, au-delà même de la peur. Sentant l'hésitation de son bébé, Albertine prit le parti de sourire. Marcel ouvrit tout grands des yeux fous de bonheur et partit d'un rire incontrôlé qui lui brassait le ventre et lui faisait sauter les épaules. « On a même pas de besoin de le chatouiller, c't'enfant-là ! » Albertine jeta Marcel sur le dos dans le fond du lit. « Un chance que j't'ai, toé ! » Thérèse, qui ne pouvait pas s'expliquer le mélange de joie et de jalousie qui lui remuait les intérieurs, s'éloigna de l'énorme lit d'où les rires de Marcel fusaient en boules joyeuses. Thérèse et Albertine avaient eu une conversation sérieuse, la veille. Ou, plutôt, Thérèse avait essayé de parler avec sa mère, la veille. Folle de peur mais décidée à tout, elle avait carrément demandé à sa mère d'arrêter de crier tout le temps en présence de Marcel. La fillette n'avait reçu pour toute réponse qu'une claque derrière l'oreille mais elle avait quand même senti que le coup avait porté. Elle venait d'en avoir la preuve. Voir sa mère sourire à son réveil et jouer avec Marcel en lui caressant la plante des pieds et en le mordant était une denrée toute neuve, trop neuve peut-être pour que Thérèse puisse en savourer tout le goût. Et elle savait très bien que son frère, de toute façon, en serait le seul bénéficiaire. N'était-ce pas pour lui qu'elle avait fait tout cela ? Pour ne plus le voir passer du rire aux larmes quand les frustrations d'Albertine explosaient en mots gras et en cris hystériques ? Sa mère ne lui faisait plus peur depuis longtemps et ses sautes d'humeur la laissaient indifférente... non, pas tout à fait... les sautes d'humeur de sa mère commençaient à réveiller en elle un sentiment inconnu qu'elle ne comprenait pas encore mais qui la remplissait d'une joie morne, mal définie, presque malsaine : le mépris. Elle ne pouvait pas mettre un mot sur ce sentiment mais elle savait d'instinct qu'il fallait qu'elle l'enfouisse au plus profond d'elle, derrière des portes barricadées, là où on est seul, toujours seul, à savourer ce plat froid qui laisse dans la bouche un délicieux dégoût. Thérèse s'assit sur le bord du sofa. Philippe faisait semblant de dormir. Thérèse souleva les couvertures, se coucha à côté de son cousin et se blottit contre le corps grassouillet et doux du petit garçon. Elle colla sa bouche contre l'oreille de son cousin: «Si tu dors, ta p'tite affaire viendra pas raide!» Philippe rit tellement fort que tout le monde sursauta dans la maison.

«C'est pas une baie ouvarte. C'est pas une baie ouvarte sur l'océan, qui donne directement sur l'océan, non... c'est une baie farmée. Quand tu regardes en avant de toé, tu vois pas le large. Les deux bras de la baie se r'farment... y se touchent presque. Pour entrer en bateau y faut que tu passes entre les deux bras refarmés de la baie. C'est la baie la plus calme du monde parce que les vagues du large viennent pas tout brasser sur la plage. Les vagues sont tranquilles. Toujours. En arrière de toé, c'est les montagnes. Des montagnes tellement hautes que les nuages s'accrochent après pis viennent jamais au-dessus de la baie. Y'a jamais plu, en hiver, sur la baie parce que les montagnes empêchent les nuages de passer. Y'a jamais plu en hiver.» Les bras croisés sur sa gigantesque poitrine, la tête appuyée contre le dossier de son fauteuil qu'elle ne quittait plus depuis bientôt deux mois, la grosse femme enceinte parlait d'une voix douce, égale, sans intonations. Les intonations étaient dans ses yeux. Ses yeux voyaient la baie, les vagues, les rochers, devinaient les nuages accrochés aux montagnes comme des cheveux d'ange aux branches d'un arbre de Noël. Quand la vision était trop belle les yeux de la grosse femme enceinte s'emplissaient de larmes qu'elle laissait couler jusque sur son menton, jusque dans son cou. «J'pourrais m'assir dans l'eau, juste su' l'bord, pour me sentir renfoncer dans le sable. Parce que quand tu t'assis dans le sable su'l'bord de l'eau les vagues creusent un trou en dessous de toé ! J'mettrais une robe de maison toute en couleurs pis le monde diraient en me montrant: "R'gardez comme c'te grosse femme-là a l'air heureuse !" J'm'étendrais su'l'dos au bord de l'eau pis les vagues viendraient faire leur mousse autour de ma tête ! Tout le mois de janvier. Tout le mois de février. Tout le mois de mars. Les nouvelles de la guerre viendraient pas jusqu'à nous autres pis on sarait pas qui c'est qui est mort, qui c'est qui est disparu, qui c'est qui est extropié pour le restant de ses jours. Tu lirais *Notre-Dame de Paris* ou ben donc *Eugénie Grandette*, à voix haute, pis quand les vagues seraient pas dans mes oreilles j'écouterais... J'resterais là, clouée par le soleil pis caressée par l'océan. Pis j'pourrais mettre au monde tous les enfants que j'voudrais ! » Bercé par le son de la voix de sa femme, Gabriel s'était endormi depuis quelques minutes. Il se mit à ronfler doucement comme pour ne pas déranger la grosse femme. Celle-ci le regarda quelques secondes puis continua comme s'il était toujours réveillé. « Le midi, tu irais charcher des ananas pis des noix de coco. On mangerait aux pieds des palmiers en riant pis en s'embrassant. Tous les enfants que j'arais mis au monde seraient dans nos jambes, tout le temps, pis on aimerait ça ! » La porte de la chambre s'ouvrit brusquement et Albertine entra, la bassine à la main. « Avez-vous ben dormi ? » « J'ai pas dormi pantoute. » « Avez-vous envie ? » « Ben sûr... » Albertine glissa la bassine entre les jambes de la grosse femme. « C'est de plus en plus compliqué. On dirait que vous engraissez tout le temps. »

« J'engraisse tout le temps, aussi, c'est normal... J'en ai encore pour deux mois... » « Si vous aviez pas décidé d'avoir un bebé à votre âge, aussi ! » « Commence pas avec ça, Bartine ! » Marcel avait suivi sa mère dans la chambre mais il n'osait pas s'approcher du fauteuil. « Allô, Marcel... J't'ai entendu pleurer, c'te nuitte... As-tu faite un mauvais rêve ? » Le petit garçon détala comme un écureuil apeuré. « Ça sent le bon café. » « J'vas v'nir vous en porter, t'à l'heure, mais j'sais pas si y va être bon... c'est Édouard qui le fait ! » La grosse femme sourit. « Édouard ! Édouard qui daigne lever un doigt dans'maison, on aura tout vu ! » Albertine retira la bassine d'entre les jambes de la grosse femme enceinte. « J'vas venir vous changer après le déjeuner. Vous devez avoir chaud sans bon sens... » La grosse femme avait froncé les sourcils. « T'es ben fine, à matin, Bartine ? » « J'vous expliquerai tout ça... » Albertine s'éloigna du fauteuil. « Réveille donc mon mari. Faut qu'y mange. » Albertine se pencha sur son frère et le poussa doucement. Gabriel ouvrit les yeux. Albertine se retira sans ajouter un mot, refermant la porte derrière elle. « Excuse-moé. J'me sus-t'endormi pendant que tu me parlais. J'ai travaillé ben fort, hier soir... » « C'est pas grave. De toute façon, j'pense que j'rêve plus pour moé que pour toé. » « Non. J'aime ça t'écouter. C'est comme si on était là. » « Va manger. » Gabriel se leva et embrassa sa femme sur son front moite de sueurs. « Veux-tu essayer de te lever, à matin ? » « Tu sais ben qu'y faut pas. » Quand la porte se fut fermée sur son mari, la grosse femme tourna la tête vers la fenêtre de leur chambre. Elle pouvait voir le hangar au bout de la galerie de bois, une partie du troisième étage de la maison et un bout de ciel bleu grand comme un mouchoir. La révolte qu'elle retenait depuis si longtemps, qu'elle avait réussi à dompter au fond de son ventre, animal sauvage qui refusait de se laisser apprivoiser mais qu'elle avait nourri de rêves et de mensonges, se réveilla soudain dans sa gorge et la grosse femme enceinte ouvrit la bouche pour hurler. Un seul mot sortit, comme une constatation de défaite ou une accusation: « Acapulco ! »

Trois fois par jour on dressait la grande table dans la salle à manger: le repas du matin se déroulait dans un quasi-silence, seuls les cris d'Albertine traversant parfois la maison comme des couteaux à viande, mais personne ne l'écoutait, les nez restaient collés au fond des assiettes et la tête de Victoire continuait à dodeliner, échevelée, adoucie par le sommeil; le repas du midi, plus animé, était surtout le domaine des enfants de retour de l'école ou de leurs jeux bruyants d'enfants de la ville, une soupe vite faite, un sandwich vite fait et c'était fini; quant au repas du soir, c'était quelque chose entre le free for all et *Le Jardin des délices* de Jérôme Bosch, chaque famille y allant de ses cris, de ses protestations: « Encore du jambon ! », « Ouache, la soupe est pas salée ! », « Ouache, y'a trop de sel dans'soupe ! » et de sa grande indignation devant le manque de savoir-vivre des autres. Victoire trônait toujours à la même place, au beau milieu de la table, « sur la craque » comme disait Albertine, les bouts étant réservés aux deux pères de la maison: Gabriel et Paul. Depuis que Paul était parti à la guerre, Albertine, sa femme, s'était emparée de sa place d'une façon tellement impérative que Richard s'était mis à l'appeler « mon oncle Albertine». Les enfants étaient dispersés autour de la table selon le rang qu'ils tenaient dans leurs familles respectives: Richard et Thérèse, les deux plus vieux, de chaque côté de leur grand-mère «pour l'empêcher de se noyer dans le jus du roast beef», et Marcel et Philippe avec leurs mères, de l'autre côté. Quant à Édouard, sa place officielle se trouvait juste en face de sa mère mais il s'amusait souvent à changer, passant du camp d'Albertine à celui de la grosse femme, s'emparant même parfois de la place de Paul au grand désespoir de sa sœur qui lui criait: «Quand t'auras femme pis enfants, t'auras droit à un bout de table! En attendant, partage la craque avec moman!» Depuis que la grosse femme enceinte était condamnée à rester dans sa chambre, Édouard, peut-être pour rire d'Albertine qui se prenait pour son mari, avait pris la place de sa belle-sœur et s'amusait à l'imiter gentiment, exagérant ses soupirs de femme trop grasse et sa façon de menacer les enfants d'une voix douce et égale. Il disait lentement, sans regarder l'interpellé: «Richard, t'as peut-être des oreilles de singe, mais si tu continues à gigoter de même, j'vas m'en mêler pis tu pourrais ben te retrouver avec des oreilles d'âne dans pas longtemps!» L'imitation était tellement parfaite que toute la maisonnée éclatait de rire, même la grosse femme qui avait demandé qu'on laisse la porte de sa chambre ouverte et qui entendait tout du fond de sa prison. Mais quand il allait jusqu'à appeler Gabriel «mon homme» en posant doucement la main sur l'épaule de son frère comme le faisait toujours sa belle-sœur, Albertine fronçait les sourcils et jetait un regard réprobateur à sa mère qui, pour la faire chier encore plus, disait à Édouard: «Encore! Encore! On dirait que c'est elle, verrat!» À la fin du repas du soir, quand Jérôme Bosch s'emparait vraiment des enfants et qu'ils se mettaient à s'envoyer par la tête verres d'eau, morceaux de pain et bêtises, les adultes s'énervaient et, immanquablement, un drame se produisait. Tous les soirs. Les jours creux c'était Marcel qui prenait une claque en arrière de la tête et tout le monde était déçu; les soirs fastes, tout pouvait se produire: on avait déjà vu Édouard, paqueté aux as, jeter les restes de son steak à la figure de sa mère qui en était restée muette pendant trois bons jours, mais ça c'était avant la guerre quand « le steak poussait en abondance dans le jardin des vaches » comme disait Gabriel (aujourd'hui, quand on trouvait un morceau de bœuf bouilli dans sa soupe on croyait rêver); on avait aussi vu Paul prendre Marcel dans ses bras parce qu'il pleurait trop fort et l'asseoir dans l'assiette à spaghetti au milieu des pâtes figées et des côtes de porc refroidies; mais ça aussi c'était avant la guerre... ; on avait même vu, et c'était là le haut fait de l'histoire des trois familles, on avait même vu Victoire se lever, faire le tour de la table en boitant et verser une tasse de thé bouillant sur la tête gominée d'Édouard, son fils chéri, son petit dernier, sa joie, son orgueil et son âme damnée. Pourquoi? Nul ne l'avait jamais su. Était-ce à la suite d'une de leurs nombreuses engueulades dont ils sortaient toujours humiliés et heureux? Était-ce à cause d'une chose que l'un d'eux n'avait pas dite et qu'il aurait dû dire selon un plan établi d'avance? Ou était-ce seulement à la fin d'un repas trop tranquille au cours duquel personne ne s'était occupé de la vieille femme et qu'elle se sentait exclue, abandonnée? Toujours est-il que son fils ébouillanté avait osé riposter et que Victoire s'était retrouvée par terre, la jupe relevée au-dessus de la taille et un œil changeant de couleur et de superficie de seconde en seconde. On en parlait encore. On en parlerait jusqu'à la fin des temps. C'était la pierre précieuse dans la couronne des drames quotidiens et on y faisait allusion en s'agenouillant presque. De rire. Ce matin-là, donc, Édouard avait œuvré en vraie maîtresse de maison accomplie et heureuse, chantant à tue-tête *Heureux comme un roi* en imitant parfaitement la voix de Robert L'Herbier, l'idole de sa mère et donc son rival à lui, son ennemi juré, sa tête de Turc favorite, son cauchemar, sa mort. Quand Victoire parlait de Robert L'Herbier, Édouard s'enflait comme une balloune rouge et quand il éclatait le pauvre chanteur se voyait éclaboussé de merde, d'humeurs blanches et d'acide gastrique. Mais pour une fois Édouard n'avait pas changé les paroles de la chanson, il n'avait pas chanté *Heureuse comme un roi* en se déhanchant et en levant les bras au plafond comme une Mistinguett boursouflée descendant un escalier trop à pic sur des souliers trop hauts. Sa mère ne l'avait donc pas injurié, se contentant d'écouter la voix de son idole fleurir de la bouche de son dieu. Albertine, par le fait même qu'Édouard travaillait, s'était trouvée désœuvrée. Elle avait bien essayé de mettre le nez à la cuisine mais son frère avait fait le geste de déboutonner sa braguette et Albertine avait disparu comme par enchantement. Ce dont elle avait traité son frère n'était pas tout à fait enchanteur mais Édouard préférait l'absence d'Albertine avec le son de sa voix en arrière-plan à la présence de sa sœur avec de toute façon le son de sa voix en premier plan parce qu'Albertine ne se taisait jamais. Parfois Édouard disait: «T'entends Albertine parler même quand est partie magasiner à l'autre bout d'la ville ! » ou bien : « Albertine ? Al'a pas rien qu'été vaccinée avec une aiguille de gramophone, al'a aussi été engagée pour enregistrer « la voix de son maître », mais le chien a eu peur ! » Pendant une grosse demi-heure, la fébrilité n'avait pas cessé de grimper dans la maison : pour une fois les enfants s'étaient tous assis sur le sofa de Marcel, dans la salle à manger, silencieux, étirant le cou vers la cuisine, anxieux. Albertine avait fait les lits en brassant un peu plus les matelas que d'habitude. Et Victoire n'avait pas ouvert l'appareil de radio pour écouter « les nouvelles de l'aut'bord ». Richard avait murmuré à l'oreille de Thérèse : « Pour moé ça va être tellement méchant qu'on va toutes être malades ! » Richard n'aimait manifestement pas son oncle. Ne servait-il pas de tampon entre sa grand-mère et Édouard quand celui-ci rentrait trop tard, ce qui lui arrivait pas mal souvent, soûl et fleurant l'alcool cheap ? Et le parfum plus cheap encore ! Richard prétendait même que son oncle buvait du parfum parce que l'alcool n'était plus assez fort pour lui. Thérèse l'avait regardé pendant deux petites secondes avant de hausser les épaules. « Même si c'est méchant, au moins ça va faire changement ! » La surprise avait été totale. Jamais de mémoire d'homme n'avait-on si bien mangé en temps de guerre. Malgré le rationnement, le manque de sucre, « le manque de toute » comme disait Victoire, Édouard avait réussi à créer un petit déjeuner qui non seulement goûtait quelque chose mais qui en plus avait l'air de quelque chose : les oranges étaient coupées en quartiers, les toasts étaient belles, les œufs (tous les œufs de la semaine y avaient passé !) parfaits et le café... divin. Tout était tellement bon que personne n'avait dormi pendant le repas ce matin-là ! Et le silence qui s'était installé dans la salle à manger en était un d'appréciation. Seul Édouard se permettait quelques apartés. Par exemple, il faisait le tour de la table, la cafetière à la main, en déclarant avec un accent français affecté : « Je suis la Fée des Étoiles et le Père Noël est mon fournisseur ! » Victoire le couvait tendrement du regard, sa sœur le foudroyait, les enfants le contemplaient, éberlués. Il se démena tellement qu'à un moment donné Gabriel, son frère, lui demanda sournoisement : « T'es sûr qu'y t'ont refusé dans l'armée parce que t'as les pieds plats ? J'trouve que pour un pieds-plats, tu te fais aller en crisse ! » Édouard s'arrêta pile dans le cadre de porte et riposta sans se retourner : « T'es sûr, Gabriel, que t'as pas mis ta femme enceinte juste pour pas aller à la guerre ? » L'incident fut clos. Une fois de plus les deux frères avaient annoncé leurs couleurs et le reste de la maison avait fait semblant de ne rien entendre. Édouard avait ouvert la glacière en quête d'une pinte de lait neuve, en murmurant pour lui-même : « J'aime mieux avoir les pieds plats qu'un cerveau raboté ! » Il avait pris la pinte de lait, était revenu vers la table : « Je suis la Fée des Étoiles et le Père Noël est mon fournisseur en œufs, en crème, en pain, en sucre, et en viande. Mais demandez-moé pas c'qu'y faut que j'y fasse en retour, votre déjeuner passerait pas ! »

Édouard entra dans la chambre de la grosse femme sur le bout des pieds. Elle était assoupie ou, plutôt, elle faisait semblant de l'être, ne voulant pas que Richard et Philippe viennent la voir avant que sa toilette ne soit terminée. Édouard prit doucement le plateau où traînaient les reliefs du repas de sa belle-sœur. « Dormez-vous ? » Elle tourna vers lui une tête souriante où se lisait un certain soulagement. « Ah, c'est toé. » Reprenant son accent français, Édouard murmura sur un ton de conspirateur : « Vous crrroyiez que c'était la terrrible Alllberrtine ? » La grosse femme rit. Elle montra le plateau de la main. « C'tait bon. » « Merci. » Édouard regardait autour de lui. À part le fauteuil de la grosse femme, le mobilier de la chambre ne comportait qu'un lit et une commode, mais tellement gros qu'ils envahissaient la pièce et la faisaient paraître petite alors que c'était la plus grande chambre de la maison. La commode surtout, une espèce de dinosaure brun aux multiples tiroirs, aux pattes torses, massives, surmontée d'un miroir ovale qui déformait, semblait vouloir vous sauter dessus chaque fois qu'on entrait dans la pièce. Ce meuble fascinait les enfants à qui on avait raconté qu'on les avait trouvés dans les différents tiroirs le jour de leur naissance : il y avait, tout là-haut, les deux tiroirs jumeaux de Thérèse et de Richard, plus grands que les autres, plus noirs, aussi, puis venaient ceux de Philippe et de Marcel coincés dans les entrelacs de bois sculpté, et enfin, encore un peu plus bas, celui du bébé à venir, minuscule, en fait c'était un tiroir à gants, uni, un peu perdu. On trouvait souvent le petit Marcel en contemplation devant ce tiroir secret. Il n'osait pas y toucher et quand on lui demandait ce qu'il faisait là, il disait : « J'attends la malle ! » La grosse femme tira un peu sa jaquette qui avait tendance à remonter. « Assis-toé un peu, qu'on jase. » « J'ai pas tellement le temps... Albertine m'attend pour laver la vaisselle... J'ai voulu faire le repas, y faut que je l'assume jusqu'au boutte. » « T'as pas l'habitude d'avoir peur d'elle, pourtant. » « J'ai pas peur, mais est tellement fine, à matin, que j'veux rien faire pour l'écœurer. Faut en profiter pendant que ça passe ! » Édouard s'assit quand même sur le bord du lit de fer, le plateau sur les genoux. « Vous devez être tannée, hein ? » « Tannée, c'est pas le mot ! J'te dis qu'avoir su... J'dis ça, pis c'est pas vrai... J'le veux tellement, c't'enfant-là ! En tout cas, y'a besoin d'être beau, pis fin ! » Édouard sourit. « Ça, j'en doute pas. On va le gâter, pis on va y montrer à vivre ! » « C'est pourtant pas deux affaires qui vont ensemble. » Elle détourna son regard et le posa quelque part dans le petit mouchoir de ciel bleu. « T'es t'encore rentré à quatre heures, à matin... » « Vous m'avez entendu ! Excusez-moé, j'ai pourtant essayé de pas faire de train ! » « J'dormais pas. Pis c'est pas un reproche. C'est pas ça qui me dérange... J'veux pas te faire la morale, t'sais, Édouard, t'es-t'assez vieux pour mener la vie que tu veux... » « J'sens qu'y'a un « mais » qui s'en vient... » Cette fois elle le regarda droit dans les yeux. « J'pense toujours à Richard qui couche entre toé pis ta mére... Les chicanes que vous pognez tou'es deux quasiment tou'es nuittes sont pas bonnes pour lui... Y'entend des affaires qu'y devrait pas entendre, pis ça pourrait le troubler... T'sais, y'est ben... » La petite voix pas encore muée de Richard, mais où pointaient déjà la sévérité et l'intolérance qui allaient devenir les deux pôles de sa vie, s'éleva dans la chambre, faisant sursauter les deux adultes. « J'prends pus la peine de les écouter depuis longtemps, moman, inquiétez-vous pas... De toute façon, y répètent toujours les mêmes affaires ! » Il avait déjà disparu, frustré d'avoir trouvé sa mère qu'il vénérait comme une sainte en conversation avec cet oncle tant méprisé. La grosse femme et Édouard restèrent silencieux quelques secondes. Une grosse mouche bourdonnait autour de la tasse de café dans laquelle la grosse femme avait mis trop de sucre. Édouard la chassa de la main. « C'est ce qu'on appelle se faire pogner les culottes baissées, hein ? » « Y'est toujours après fouiner partout ! J'sais pus quoi faire avec lui... On dirait qu'y le sent quand quequ'chose se passe quequ'part pis y'est toujours là quand on a pas besoin de lui... C'est pas pour rien qu'y'a des grandes oreilles ! » Elle pinça les lèvres. « J'viens encore de parler de ses oreilles ! Une vraie maladie que j'ai ! Faut que j'arrête, ça a pas de bon sens. Y'est tellement compliqué, c't'enfant-là, que j'peux pas m'empêcher de parler de la seule affaire qu'y'a de simple ! » Elle se réfugia de nouveau dans la fenêtre. « Tu demanderas à Albertine de venir me voir, après la vaisselle. » Édouard se leva, se dirigea vers la porte, tête basse. « Édouard ! » Il s'arrêta pile, une jambe déjà en dehors de la chambre. « Que c'est qu'y'a ? » Elle lui fit signe de venir se rasseoir. « J'ai pas fini. » Il revint vers le lit mais resta debout. Elle prit une longue respiration avant de parler. « Des fois... Des fois quand t'as rien à faire... viens donc me conter tes sorties ! Viens me conter tes nuittes en ville. T'es le seul qui sort, qui voit du monde... J'sais pas comment c'est te dire ça... Chus toute mêlée... Tu comprends, chus pognée icitte, pis toé tu cours la galipote à l'année longue... Tu sais comment c'que j'aime le monde... Viens me conter les shows que tu vois, pis les gens que tu rencontres, pis c'que tu fais... si tu veux. J't'oblige pas. » Édouard lui prit une main. « Vous avez pas besoin d'en dire plus, j'ai compris. » La grosse femme enceinte était tellement émue qu'elle ne pouvait plus parler. « Vous auriez dû me le demander avant. J'pensais que ça vous intéressait pas. Albertine pis ma mére me font taire quand j'commence à en parler... » Juste avant de sortir Édouard dit sans se retourner: « Mais j'vas *toute* vous conter, par exemple ! J'vous cacherai rien de ma vie ! Si vous êtes choquée, ça s'ra de votre faute ! » Il traversa la salle à manger en souriant. La grosse femme ferma les yeux et repartit pour le Mexique.

« "Les Oreilles" a pas l'air de bonne humeur ! » Rose, Violette et Mauve, après cette réflexion de leur mère, Florence, déposèrent gâteaux et tasses de café en pouffant. Rose (ou Violette ou Mauve) échappa même sa petite cuiller en argent sur sa robe et la rattrapa de justesse avant qu'elle n'atteigne le plancher du balcon. « Vous parlez comme sa mére, moman ! » Florence dévisagea sa fille (Rose ou...) avant de répondre: « Dieu m'en garde ! Sa mére a été élevée dans le fin fond de la Saskatchewan par des Indiens Cris qui avaient jamais vu une montagne de leur vie pis qui pensaient que le monde se trouvait à quequ'part au creux de la main du Grand Manitou ! La propre mére de la grosse femme a même longtemps pensé que la rivière Saskatchewan était la ligne de vie du Grand Manitou, c'est pas des farces ! » « Moé, j'trouve ça beau. » « Moé, j'trouve ça ignorant, ma fille ! J'emploie peut-être des fois les mêmes expressions que c'te femme-là mais viens jamais me dire que j'parle comme elle ! » « C'est pourtant pour elle qu'on tricote... » « On est ben obligées, ça fait partie de... de nos arrangements ! » Inconscient de la présence des quatre tricoteuses, Richard s'était assis sur l'avant-dernière marche de l'escalier extérieur qui menait chez lui, au deuxième. Il avait croisé les bras et penchait le tronc par en avant comme quelqu'un qui a mal au ventre. Pendant tout le repas il avait pensé à la minute bienheureuse où il aurait enfin la permission d'aller embrasser sa mère avant qu'on le mette dehors (« Allez jouer dehors, là, les enfants, c'est samedi, y fait beau ! Richard, Thérèse, emmenez les petits au parc Lafontaine, ça va leur faire du bien ! ») pour le restant de la journée. Depuis qu'il voyait sa mère grossir presque à vue d'œil, ressemblant de moins en moins à cette femme si douce, si enveloppante qui avait enchanté sa tendre enfance et de plus en plus à un tas de graisses molles sans personnalité ni caractère, Richard, pour la première fois de sa vie, ressentait le besoin de lui parler, peut-être pour lui dire qu'il l'aimait malgré sa maladie, malgré ce qu'il entendait dire d'elle, malgré ce qu'il l'entendait dire de son état quand, le soir, à l'heure où tout le monde va se coucher, la grosse femme éclatait en sanglots en accusant tous et chacun de la détester, de la juger, de la condamner. Mais pas une seule fois depuis ces deux mois que sa mère était clouée à son fauteuil avait-il eu le courage de vraiment lui parler. Chaque matin il lui disait les généralités d'usage, usant de ce langage qu'on n'emploie qu'avec les malades chroniques, d'où certaines expressions et surtout tout sentiment sont exclus, comme on le lui avait demandé. Car on lui avait demandé d'être impersonnel avec sa mère : « Ta mère est ben malade, y faut pas l'achaler avec des becs pis des mots d'amour. A'se fatiquerait. Contente-toé d'y dire bonjour pis surtout parle pas de tes problèmes à l'école ni des siens icitte. » Que restait-il à un petit garçon de onze ans à dire à sa mère malade ? Parfois il sentait que la grosse femme aurait voulu jaser avec lui, rire et même peut-être pleurer en le tenant dans ses bras, mais Albertine ou Victoire arrivait toujours avec son sac d'école et lui poussait dans le dos pour qu'il parte plus vite. Mais aujourd'hui c'était samedi, il n'y avait pas d'école et aujourd'hui Richard avait quelque chose d'important à dire à sa mère. Au sujet de son oncle Édouard. Au sujet de ce qu'Édouard avait dit pendant la nuit. Et de ce qu'Édouard avait fait. Il était sûr que Victoire avait tout entendu et tout vu mais pouvait-on parler de ces choses avec cette grand-mère à moitié boiteuse et à moitié sorcière qu'on soupçonnait en plus de cultiver pour cet homme, son fils, des faiblesses infectieuses ? Son oncle lui avait parlé de choses qu'il ne connaissait pas, avait avoué des fautes qu'il ne comprenait pas et lui avait demandé l'absolution pour des péchés qu'il avait semblé inventer de toutes pièces juste pour troubler sa tête d'enfant. Mais n'était-ce pas uniquement du délire d'homme paqueté qui divague au petit jour pour exorciser des fantômes trop grands pour lui ? C'était là ce qu'il aurait voulu demander à sa mère : la confirmation que rien des propos d'Édouard n'existait et qu'il pouvait tout oublier comme d'habitude. Au lieu de quoi il avait trouvé le soûlon « guéri », frais comme une rose, amnésique de ses bévues comme toujours (mais Édouard avait-il vraiment oublié la nuit passée, n'avait-il pas préparé tout ce spectacle au petit déjeuner pour essayer de faire sourire Richard et peut-être même, oui, pourquoi pas, pour se faire pardonner ?) et de plus en grande conversation avec sa mère à qui il aurait voulu crier : « Bouchez-vous les oreilles, moman, y va recommencer ! » Et tout ce qu'il avait trouvé à dire c'est qu'il n'écoutait rien et qu'il ne savait rien.

Comme chaque fois qu'un drame se tramait ou explosait dans la maison, Richard s'était réfugié dehors. Dehors était le seul refuge où un des membres de ces trois familles qui n'avait pas envie de participer à la fête des cris et des coups pouvait s'abriter. Pour s'empêcher de pleurer le petit garçon serrait son ventre avec ses bras croisés et pinçait ses lèvres en les tenant prisonnières de ses dents. Voyant qu'il ne bougeait pas depuis cinq bonnes minutes, Rose, Violette et Mauve s'étaient levées, avaient descendu les deux marches du perron et s'étaient approchées de l'escalier mitoyen des deux maisons. Rose (ou Violette ou Mauve) dit: « Moman, j'pense qu'y'a une ben grosse peine ! » Florence avait déposé sa tasse en en faisant claquer le cul dans la soucoupe: « Vous savez ben qu'on peut rien faire pour eux autres. V'nez travailler, y sait même pas que vous êtes là. »

En traversant la rue Mont-Royal vers le sud, Thérèse, traînant Marcel par la main, pensait à la grande journée de liberté qui les attendait, elle, son frère et ses cousins, au parc Lafontaine. Sa mère lui avait dit: « Surtout, r'venez pas avant le souper, y faut que j'nettoye la chambre de ta tante, que j'la lave, elle, pis toute, ça fait que j'ai pas envie de vous avoir dans les jambes pantoute ! » Thérèse avait confectionné en vitesse quelques sandwiches au baloney et avait volé une grosse bouteille de Coke dans la glacière. Évidemment, Richard avait levé le nez sur les sandwiches. « Y paraît que c'est faite avec toutes sortes de cochonneries, ça, le baloney. Y'a du monde qui ont déjà trouvé des poils de rat dedans ! » « C'tait pas dans le baloney, c'tait dans les soucisses hot dogs, niaiseux ! pis de toute façon c'est des histoires de ma grand-mère, ça... Si t'es pas content, tu te rongeras les ongles d'orteils ! » Philippe, lui, était ravi : en autant qu'on lui donnait du pain à manger, peu lui importait ce qu'il y avait dessus. On l'avait d'ailleurs souvent vu vider un sandwich de son contenu et n'en manger que les deux tranches de pain beurré. À quelques pas derrière leur cousine, Philippe et Richard discutaient à savoir qui porterait le sac de provisions, ou, plutôt, qui ne le porterait pas. Pour le moment, Philippe faisait semblant d'avoir les bras fatigués et pleurait pour que son frère prenne le sac. « Si tu le prends pas tu-suite, j'vas le laisser tomber, pis la bouteille de Coke va se casser, pis les sandwiches vont toutes être mouillées, pis ça va-t-être de ta faute ! » « Ça me fait rien, j'haïs les sandwiches pis j'aime pas le Coke ! Échappe-lé, le sac, pis Thérèse va s'occuper de toé, tu vas voir ! » Ne pouvant pas intimider son frère parce qu'il savait très bien que celui-ci connaissait son horreur de la violence, Richard le menaçait toujours de se faire passer un savon par Thérèse mais Philippe connaissait trop bien sa cousine pour en avoir peur. Il n'avait qu'à faire les yeux doux ou à sortir son plus beau sourire pour voir les velléités de chicane de Thérèse s'effacer complètement et faire place à une espèce d'admiration incontrôlée qu'il s'expliquait mal mais dont il profitait largement. Aussi se contenta-t-il de faire une grimace à son frère tout en faisant semblant d'échapper le sac de victuailles. Richard cria. Thérèse se retourna. Philippe, aussitôt, prit un air coupable. « J'me sus-t'enfargé ! » Thérèse haussa les épaules et s'en prit à Richard. « Tu cries toujours pour rien ! Mon Dieu Seigneur que t'as donc pas de tête ! »

Elle se détourna et continua en pressant un peu le pas. Ils arrivaient au coin de Marie-Anne et Thérèse commençait déjà à sentir les odeurs de crottin provenant de l'écurie de l'épicerie située au coin de Fabre et Rachel. « Ça sent jusqu'icitte, aujourd'hui. » Elle rit. « Les voisins vont encore se plaindre, certain ! » « Ça sent la crotte de ceval ! » Chaque fois qu'il passait devant cette épicerie, Marcel en profitait pour dire cette phrase qu'il préparait depuis qu'il était sorti de la maison car c'était la seule occasion où on acceptait qu'il emploie le mot « crotte ». Et il le savourait plusieurs minutes à l'avance et plusieurs minutes après, le mot étant trop court pour qu'il le savoure en le disant. Parfois, avant de s'endormir dans la salle à manger envahie par la noirceur, il le répétait plusieurs fois en essayant d'en retrouver la joyeuse sensation au fond de sa bouche : « Crotte, crotte, crotte, crotte, crotte... » mais hors de tout contexte c'était un mot sans aucune espèce de goût, un bruit sans signification, et Marcel s'endormait sans en avoir joui. Mais ici, dans l'odeur même du « ceval » avec en plus la matière à l'appui, de grosses éclaboussures grasses ou des traînées de pâte séchée et jaunie disparaissant à peine sous les couches de paille, le mot « crotte » reprenait toute sa valeur de chose secrète, défendue, innommable et par le fait même fascinante et Marcel, tout excité, répétait sans se lasser : « Ça sent la crotte de ceval ! Ça sent la crotte de ceval ! » jusqu'à ce qu'on le fasse taire d'une claque derrière l'oreille ou d'un froncement de sourcils menaçant. Mais cette fois, la déception fut grande : l'odeur était bien là, persistante et généreuse, mais chevaux et crottin avaient disparu après le grand ménage du samedi matin, les premiers étant partis porter les commandes, le second croupissant au fond de l'égout d'où il continuait à sentir, mais invisible. Marcel n'en revenait pas. « L'a pas de ceval, l'a pas de crottes, pis ça sent pareil ! » Il regardait partout, il voulut même passer par-dessus la barrière pour aller vérifier sur place si les « cevals » ne lui faisaient pas la bonne farce de se cacher dans un hangar ou derrière les barils de cornichons salés, mais Thérèse le retint fermement. « Si jamais tu t'approches trop des chevaux, y vont te manger ! » Comme Marcel avait déjà vu un cheval manger une pomme et que cela l'avait effrayé au point de le faire rêver pendant toute une semaine, il se contenta de grimper sur la barrière en criant : « Ceval ! Ceval ! où t'as mis tes crottes ? » Au même moment un tramway Rachel traversa la rue Fabre en déversant sur l'asphalte sa pluie d'étincelles, ce qui eut pour effet de changer le cours des idées de Marcel qui s'écria sans transition : « Y pleut du feu ! » en battant des mains. Richard, malgré ses onze ans, avait encore peur des étincelles de tramway et il figea sur place sous le regard amusé de son frère qui en profita pour le traiter de pissous. Thérèse, Marcel et Philippe traversèrent la rue Rachel en courant et s'engouffrèrent dans le parc Lafontaine en hurlant de joie. Richard s'appuya contre la vitrine de l'épicerie. Son cœur battait comme une montre. « C'est vrai que chus-t'un pissous ! » La voix de son frère lui parvint affaiblie par le bruit d'un autre tramway qui arrivait en sens inverse : « Tu viendras nous rejoindre quand t'auras fini de brailler, grand niaiseux ! »

Mercedes lui avait dit : « R'viens pas plus tard qu'à deux heures, c'est samedi ! » Béatrice l'avait embrassée sur la tempe avant de partir. « T'es ben fine, Mercedes. J'travaillerai plus fort à soir. » En descendant l'escalier intérieur de l'immeuble, elle avait croisé les premiers clients de la journée : trois soldats éméchés, abrutis par l'alcool cheap et qui n'avaient visiblement pas dormi de la nuit. Ils avaient dû traîner de club en club, de barbote en barbote, dépensant sans vergogne leur mince salaire de soldats de deuxième classe, criant partout : « C'est betôt qu'on part à la conquête du monde ! » ou bien : « On va les avoir, les Allemands, on va leur montrer, aux Anglais ! » en levant les bras au ciel en signe de victoire sans penser que leurs braguettes étaient déboutonnées ou qu'un peu de vomissure tachait leurs pantalons. Ils se pointaient donc chez Mercedes à dix heures du matin, à moitié endormis, rongés par un désir que les danseuses du Casino Bellevue ou les filles de club n'avaient pas réussi à assouvir, pris entre leur envie de dormir et leur besoin de jouir, glabres, les yeux rouges, les mains froides, hilares pendant quelques secondes, intraitables et colériques le reste du temps. « Aïe, la belle pitoune, oùsque tu vas de même ? » Béatrice s'était frayé un chemin entre leurs bras qui voulaient la tâter et leurs jambes qui voulaient la retenir, en poussant des petits cris d'adolescente prude. Mais ils ne s'y trompèrent pas. « C't'un bordel, ou c'est pas un bordel, icitte, viarge ? » Béatrice donna quelques claques, mordit même une oreille et réussit à passer. « A'doit pas travailler icitte, certain, elle, al'abîmerait la clientèle ! » Les trois soldats riaient à s'en tordre le cou et Béatrice pensa : « Ça y est, les voisins vont encore se plaindre ! On va être obligées de déménager ben vite, certain, si ça continue de même ! » Elle laissa les soldats à leur joie et passa à toute vitesse devant l'appartement du concierge dont la porte était toujours entrebâillée, même la nuit, même l'hiver. Par chance il n'était pas là et Béatrice n'entendit pas, pour une fois, ses sarcasmes et son rire gras. Elle se glissa dans cette première grande journée de printemps le cœur léger, la tête haute, le buste bien droit et le sourire conquérant. Elle resta quelques secondes sur le pas de la porte à respirer à pleins poumons les odeurs du printemps qui s'installe dans une grande ville : le lilas pour une fois précoce à cause de la douceur exceptionnelle de la température, le muguet qui envahissait depuis quelques jours les parterres où pouvaient encore se lire les derniers dégâts de l'hiver, le froid, même, toujours présent au fond de l'air doux, qui devient senteur au mois de mai avant de disparaître définitivement. Les trois peupliers qui bordaient la rue étaient surchargés de bourgeons dodus et luisants mais pas une feuille n'avait encore réussi à crever sa prison. La pluie de la nuit précédente avait lavé les rues et ça sentait l'eau. Béatrice traversa la rue à petits pas en balançant son sac à main à bout de bras. Elle poussa la porte du restaurant de Marie-Sylvia en chantonnant un de ces cantiques du mois de mai qu'on apprend à l'école et qui deviennent pour le reste de nos jours symboles de printemps, de renouveau, de grâce enfin, même si on perd la foi et même si on oublie tout le reste de notre enfance. Marie-Sylvia était en train de servir un gros homme dans la trentaine que Béatrice voyait souvent se bercer sur le balcon de la deuxième maison sur la gauche, de l'autre côté de la ruelle, cette maison surpeuplée d'où sortaient souvent des cris de chicanes ou des hurlements de joie et que Mercedes appelait « la maison hantée » à cause de la vieille grand-mère aux yeux louches qui promenait sur tout un regard méchant de sorcière frustrée. « On dirait une sorciére enfarmée dans une bouteille ! J'te dis que j'voudrais pas être là quand le bouchon va sauter, moé ! » Béatrice s'accouda sur le comptoir de bonbons en lançant un joyeux « Salut ! Marie ». Le gros homme tourna la tête vers elle et lui dit à brûle-pourpoint : « Comment va le petit commerce, mam'zelle Betty ? » Aucune agressivité ne pointait dans sa voix, aucune critique ne se sentait ni même aucune ironie : il avait demandé cela comme on demanderait à un boucher comment vont les affaires ou à un cordonnier si ses clients usent bien leurs souliers. Habituée à faire rire d'elle et à se faire insulter, Béatrice resta figée, sans rien trouver à répondre. Les yeux ronds, elle regardait le gros homme sans pouvoir bouger un muscle. Le client ramassa sa monnaie sur le comptoir en faisant un clin d'œil à Marie-Sylvia. « Ça sait se servir de tout le reste, mais ça l'a pas encore appris à se servir de sa tête ! » L'homme salua les deux femmes et sortit du magasin sans faire un seul petit bruit, comme s'il patinait sur le plancher de bois franc. Marie-Sylvia fronça les sourcils sans parler à Béatrice. On l'avait souvent entendue dire : « Si c'tait pas de si bonnes clientes, ça fait longtemps que j'arais farmé ma porte à ces guidounes-là, moé ! » Elle parlait toujours à la jeune fille sans la regarder comme si sa seule vue avait été un péché. « Un ou deux, à matin, Betty ? » « J'en veux cinq, à matin, Marie, j'm'en vas voir ma tante ! » « C'est pas dimanche, pourtant... » « J'sais ben, mais j'ai congé jusqu'à après-midi. » Marie-Sylvia fronça encore plus les sourcils. Elle n'aimait pas que Béatrice fasse allusion à son métier, même de très loin. Elle détacha cinq « sacs de surprises » de leur support en métal et les déposa devant Béatrice. Celle-ci sortit un cinq cennes de son porte-monnaie et le fit claquer sur la vitre rayée. Les « sacs de surprises » de Marie-Sylvia étaient une véritable institution dans la rue Fabre. Tout le monde en achetait, plus par habitude que par envie, d'ailleurs. Une fois par mois, Marie-Sylvia grattait le fond de ses boîtes de bonbons, entassait devant elle les vestiges ainsi obtenus, bouts de réglisse trop durs ou trop courts pour être vendus, morceaux de suçons de toutes les couleurs, miettes de sucre détachées des cannes blanches et rouges, poussières de chocolat blanchi, et en emplissait des dizaines de petits sacs bruns auxquels elle ajoutait une « surprise », une quelconque babiole sans intérêt ou un bonbon complet et non endommagé, qu'elle vendait ensuite une cenne chacun. En fait on achetait ces sacs de surprises plus pour écouler son petit change que pour en savourer le contenu. Quelques adultes les jetaient même parfois sur le bord du trottoir sans les ouvrir. Par contre, les enfants, eux, montraient une véritable passion pour ces vieux bonbons qui goûtaient le fond de boîte de carton ou même, souvent, la poussière. Était-ce le mot « surprise » qui agaçait leur curiosité ou seulement le goût morbide pour le sucre que développent souvent les enfants pauvres ? Marie-Sylvia n'aurait pas su le dire et tout ce qui l'intéressait, de toute façon, c'était d'écouler ainsi ses déchets tout en réalisant au bout du mois un raisonnable profit. Tout l'argent qu'elle faisait avec ces restes, elle le mettait dans un bocal à côté de sa caisse : il servait à acheter la nourriture de Duplessis qui se trouvait par le fait même nourri directement par toute la rue. « Ta tante, a' reste toujours sur le boulevard Saint-Joseph ? » « Ben oui, c't'affaire, vous savez ben qu'a' peut pus déménager depuis qu'a'peut pus grouiller ! » « Dis-y bonjour de ma part... » « Certain. Bonjour, là. » « Bonjour. » Quand Béatrice fut sortie, Marie-Sylvia la suivit du regard jusqu'à ce qu'elle ait traversé la rue Gilford. « C'est ben de valeur. Une si belle fille. »

Ils dormaient tous les trois, avachis dans le grand lit double, ronflant, renâclant, cuvant enfin leur mauvais alcool qui distillait pour eux de mauvais rêves : le plus petit avait appuyé sa tête contre l'épaule du moustachu, abandonné, confiant, heureux ; le troisième, tête épaisse de brute congénitale, prenait la moitié du lit à lui tout seul, convaincu de sa supériorité physique, enveloppé dans le droit inconditionnel que donnent les muscles les plus développés dans un monde qui n'a pour horizon que galons de général ou médailles de guerre. C'est d'ailleurs lui qui avait dit à Mercedes : « On va commencer par piquer un p'tit somme, pis toé, attends-nous ! On passera à l'action après. Pis prépare-toé ben, tabarnac, parce que nous autres, on est des vraies machines à coudre ! » Mercedes s'était assise près de la fenêtre qu'elle venait d'ouvrir et elle regardait dehors, ou, plutôt, sa tête était tournée vers l'extérieur mais ses yeux ne voyaient rien, concentrée qu'elle était sur ses souvenirs de printemps campagnards où la nature change brusquement de visage du jour au lendemain, sans prévenir, passant du blanc immobile de la neige propre au noir grouillant et gras de la terre qui travaille. Elle revoyait les corneilles passer au-dessus du cimetière de son village en plein cœur d'avril en lançant leur éternelle question :

« Pourquoi ? Pourquoi ? Pourquoi ? » et sa mère qui leur répondait toujours : « Parce que l'hiver est fini, bonyenne ! » Elle se revoyait, elle, enfant ingrate aux nattes toujours sales, sortir de l'école en courant et se jeter dans le chemin de terre battue en poussant des cris d'animal qu'on délivre. Ça sentait le printemps et on entendait presque la sève monter dans les arbres et se laisser téter par les bourgeons prêts à éclater. La terre du chemin était humide et chacun de ses pas produisait un bruit de succion que sa mère appelait « les becs du mois d'avril ». Elle revoyait aussi la maison, toute de guingois, jamais peinturée, lépreuse, où sa mère élevait courageusement ses huit enfants entre les deux grandes bornes qui limitaient sa vie : la prière du matin et la prière du soir, religieuse à l'excès, soumise à son curé plus qu'à son mari, confiante en la religion catholique au point d'avoir réussi à effacer en elle toute trace de caractère personnel ou de trait propre. Elle était *la mère* comme l'entendait l'Église et poussait la naïveté jusqu'à s'en vanter. « J'ai jamais rien faite contre l'Église ni contre le bon Dieu, pis chus sûre que mon Ange Gardien époussette ma place au ciel tous les matins ! » Cette exécrable naïveté que Mercedes avait toujours rêvé de détruire, sa mère l'avait gardée jusqu'à la fin. Elle était morte en disant : « J'vois le bon Dieu ! J'vois la Sainte Vierge ! Pis j'vois mon Ange Gardien avec son plumeau ! » et Mercedes avait ri. Cinquante ans de misère, huit couches plus pénibles les unes que les autres, en plus. Sans repos. Jamais cette femme ne s'était reposée. Jamais. Mercedes sourit tristement. « C'est elle qui doit épousseter, à c't'heure. Mais certainement pas pour moé ! » Le gros épais rota et péta en même temps, délivrant du coup tous ses gaz éthyliques. Mercedes ferma les yeux. «J'arais jamais pensé qu'un jour j'envierais c'te femme-là ! » Le gros épais se retourna brusquement dans le lit. Mercedes se leva, s'approcha du lit, se pencha, ramassa les trois pantalons de soldat qui traînaient par terre et se mit à en explorer les poches méthodiquement.

« Si vous avez du savon dans les yeux, vous me le direz, hein, gênez-vous pas... » « Aie pas peur, frotte, chus-t'assez contente ! » Albertine avait attaché une nappe autour du cou de sa belle-sœur et avait déposé une bassine remplie d'eau tiède sur sa vaste poitrine en lui disant : « J'ai pas pu mettre de l'eau trop chaude, j'avais peur de vous ébouillanter. » Comme la grosse femme enceinte ne pouvait plus se pencher par en avant, il était devenu très difficile de lui laver les cheveux et Albertine avait eu tendance, ces derniers jours, à faire la sourde oreille lorsque sa belle-sœur lui disait : « Bartine, ça pique, maudit ! J'ai jamais eu les cheveux sales de ma vie, chus pas pour commencer à quarante-deux ans ! » Mais ce matin, Albertine, transformée mystérieusement (Victoire la regardait en plissant les yeux : « A'doit préparer que-qu'chose, je l'ai jamais vue fine de même ! »), pleine d'une bonne volonté un peu malhabile parce que trop neuve, était entrée dans la chambre en coup de vent. « Faudrait faire un grand ménage, ici-dedans ! Si y vient au monde dans c'te charivari-là, y va avoir peur, c't'enfant-là ! Préparez-vous, j'vous lave ! Des pieds à'tête ! Pis surtout la tête ! J'ai jamais vu ça, un voyage de foin pareil ! » Sa belle-sœur avait timidement glissé : « C'est ben de ta faute, aussi. Ça fait j'sais pus trop combien de temps que j'te le demande ! » Albertine avait brusquement arrêté de bardasser un oreiller. « C'est ça, traitez-moé de cochonne ! » Puis elle avait continué comme si de rien n'était. La grosse femme avait souri. Albertine avait trouvé un livre de la collection Nelson sous l'oreiller de son frère. « *Bug-Jargal*. Mon Dieu, v'là rendu qu'y parle chinois, à c't'heure ! » Elle avait esquissé le geste de poser sur la table de chevet le petit livre crème mais s'était immobilisée en voyant le nom de l'auteur. « Victor Hugo ! » Elle avait regardé sa belle-sœur, affolée. « Un livre à l'index ! » La grosse femme avait soupiré. « J'm'endormais pas, hier soir. J'ai demandé à Gabriel de me faire la lecture. Y'est bon, t'sais. » « Vous répondez pas à ma question ! C'est un livre à l'index ! » « Sais-tu, on achève de le lire, là, pis j'me demande que c'est qu'y peut ben y avoir dans c'te livre-là pour qu'y soye à l'index. » « Victor Hugo, y'est toute à l'index ! Toute au complet ! On a pas le droit de lire ça, vous le savez ben ! Commettre des péchés mortels de même dans votre condition, faut avoir du front ! » « Mais c'est tellement beau, Bartine, si tu savais ! » « Que c'est qu'y'a de si beau là-dedans ? » « Ça se passe loin. » Albertine frottait énergiquement le cuir chevelu de la grosse femme et la mousse tombait en longues coulisses sur la nappe blanche. « Hé, que ça fait du bien. Continue ! » Albertine laissa exploser allégrement toute l'agressivité qu'elle retenait depuis le matin : la chair ferme de ses bras et son double menton ballottaient en tous sens pendant que sa belle-sœur gémissait doucement de plaisir. « Vous pis mon frére, j'trouve que vous jouez pas mal avec le feu, des fois, avec vos lectures ! C'est pas bon, trop lire, on nous l'a assez dit ! » « Bartine, s'il vous plaît, tais-toé donc !

Si tu lirais un peu plus, tu comprendrais peut-être un peu plus la vie... » Albertine la coupa avec une telle énergie que la grosse femme faillit en échapper la bassine. « J'aime mieux être ignorante pis en état de grâce qu'être au courant de toute pis damnée ! » Édouard, qui lisait un journal dans la salle à manger toute proche, éclata de rire. « Ça va être répété, ça, ma p'tite sœur, ça va être répété ! » Rouge de colère, Albertine plongea les bras dans la bassine et arrosa généreusement sa belle-sœur qui se mit à rire à son tour. « Tu peux le répéter à tout le monde, si tu veux, Édouard, j'ai pas honte ! Quand vous serez après bouillir comme un stew dans le gros chaudron, en bas, pis que moé j'm'éventerai avec des plumes d'autruches, au ciel, en écoutant le concert, vous regretterez ben des affaires ! » « Albertine, noye-moé pas, chus pas en état de grâce ! »

Vu la proximité des bureaux du docteur Sanregret, l'appartement de la tante Ti-Lou sentait toujours les remèdes et on avait tendance à y chercher des seringues et des flacons, des armoires vitrées remplies de bocaux au contenu vaguement dégoûtant et même l'inévitable salle d'attente où s'entassaient à l'année longue tous les malheurs, toutes les maladies, toutes les déformations que traîne derrière lui un peuple tenu dans l'ignorance et la pauvreté : ces petites bosses décelées dès l'enfance à la base du cou et qu'on a laissées se développer s'avèrent être des tumeurs ; ces boutons qui apparaissent et qui disparaissent à intervalles réguliers, une syphilis presque trop grave pour être guérie ; ces hémorroïdes saignantes trop longtemps négligées, un début de cancer. Le docteur Sanregret traversait souvent chez la tante Ti-Lou pour lui porter ses calmants (seul un palier les séparait, ils partageaient la même entrée) et il restait parfois des heures à raconter à la vieille femme à quel point il était obligé d'engueuler ses clients qui avaient presque toujours attendu trop longtemps avant de venir le consulter et qui braillaient ensuite en exigeant, oui, en *exigeant* un miracle ! La tante Ti-Lou écoutait patiemment le docteur (c'était là le prix qu'elle devait payer pour ses calmants) en fermant à demi les yeux et en acquiesçant doucement. Puis le vieux docteur de famille repartait en boitant, courbé par la fatigue, et la tante Ti-Lou pouvait enfin ouvrir sa boîte, décacheter ses flacons, décapsuler ses bouteilles, s'emparer en tremblant d'un demi-verre d'eau dans lequel elle laissait tomber six, sept, huit gouttes d'un liquide sirupeux, jaunâtre : la paix, le grand étourdissement, l'apathie, l'insouciance, surtout l'insouciance. Béatrice revint vers le salon où sa tante l'attendait en portant un plateau dans lequel elle avait entassé des tranches de pain beurré (Ti-Lou avait du vrai beurre, si rare en temps de guerre, mais Ti-Lou avait des connections !), quelques bouts de jambon, un pot de café, des tasses et, comble de richesse, un restant de sucre à la crème que Ti-Lou avait gardé exprès pour elle. « Ça a dû vous en prendre des cartes de rationnement pour acheter tout ça, ma tante ! Aïe, du beurre, de la crème, du jambon ! » Ti-Lou lui répondit avec cet accent vaguement américain qu'elle s'était donné quand elle travaillait à Ottawa, au début du siècle, et qu'elle avait toujours gardé par la suite : « Depuis quand que Ti-Lou, la louve d'Ottawa, a de besoin de cartes de rationnement, veux-tu ben me dire ! C'est des cadeaux,

Béatrice, pis comme j'te l'ai toujours dit, c'est pas en restant su'a rue Fabre, au fond d'une maison de chambres, ou ben donc su'a rue Mont-Royal à vendre des boutons de culottes, que tu vas te rencontrer l'homme qui va te couvrir de beurre, de crème pis de jambon en temps de guerre ! » Béatrice déposa son plateau sur le pouf, devant le fauteuil de sa tante, en retenant un sourire. Elle n'avait pas encore avoué à Ti-Lou que l'époque des boutons de culottes et du tissu à la verge était révolue et qu'elle, la petite Béatrice, « le p'tit bébé à sa ma tante » comme l'appelait Ti-Lou, avait fait le grand saut qui fait d'une « putain en puissance, une putain puissante » toujours au dire de la louve d'Ottawa. Béatrice pensa : « C'est pas encore le beurre, la crème pis le jambon, mais c'est moins pire que de passer ses samedis soir à choisir entre une vue française au Passe-Temps ou ben donc un sundae au chocolat chez Larivière et Leblanc ! » L'ancienne louve d'Ottawa prit ses béquilles qui étaient appuyées contre le piano et se souleva de son fauteuil en sautillant sur son unique jambe. « On va manger à côté du châssis, chus tannée d'être effouèrée icitte, y'a pas de lumiére. » Béatrice reprit le plateau et le porta sur la petite table près de la fenêtre. Un autobus passait justement sur le boulevard Saint-Joseph et Ti-Lou soupira. « Y suffit que tu veules manger près du châssis pour qu'un étebus vienne te cracher son gaz dans'face ! » « On peut farmer le châssis... » « Non, y fait trop beau, crime, l'air est trop douce ! » De l'autre côté du boulevard Saint-Joseph s'élevait l'école Bruchési, quelconque et brune, que Béatrice se souvenait avoir fréquentée, au début des années trente. Les enfants de la paroisse y faisaient leurs deux premières années, les filles déménageaient à l'école des Saints-Anges, en face de l'église, que Béatrice avait quittée il y avait à peine cinq ans et les garçons étaient transférés à Saint-Stanislas, sur la rue Gilford. « Quand tu viens icitte, tu regardes toujours l'école... T'aimais ça, l'école, hein ? » Béatrice mordit dans un morceau de pain et mâcha longtemps, les yeux fixés sur l'école Bruchési. Soudain, Ti-Lou sembla impatiente, comme si elle avait attendu quelque chose qui ne se produisait pas. Au bout de quelques secondes, Béatrice ramena les yeux vers elle. « Pis vous, ma tante, êtes-vous allée à l'école à Ottawa ? » Et voilà, le mot était lâché. Ti-Lou sourit, se gourma un peu. « Jamais de la vie, chus venue au monde icitte, à Montréal ! Ottawa, c'est venu ben plus tard ! » Béatrice s'appuya contre le dossier de sa chaise. Elle ne mâchait plus. Une entente tacite existait entre Béatrice et Ti-Lou : quand cette dernière avait envie de parler d'Ottawa, elle envoyait quelqu'un, ordinairement un petit garçon du quartier, dire à Béatrice que sa tante l'invitait à dîner, le lendemain midi. Et pendant le repas Béatrice devait poser à sa tante une question sur Ottawa. C'était simple, c'était efficace et les deux femmes étaient heureuses, Ti-Lou de raconter son incroyable vie d'errances, de bombances et d'aventures scandaleuses ; et Béatrice d'écouter, le cœur battant et l'imagination en déroute. Parfois, des heures passaient avant que Ti-Lou ne sente la fatigue, qui se manifestait toujours par des élancements imaginaires dans la jambe qu'elle n'avait plus. Elle se redressait alors dans son fauteuil et disait à sa nièce : « T'es fatiquée, c't'assez pour aujourd'hui. » Béatrice ne répondait rien et partait après avoir embrassé sa tante sur les deux joues. Dans la maison de la rue Fabre, ses premiers clients la trouvaient toujours lointaine, froide: c'est que Béatrice se promenait en chaloupe sur la rivière Rideau, quelque part à l'été de 1910, avec un ministre fédéral ou un cardinal étranger en visite au Canada; sa robe était froissée par les caresses répétées et insistantes, sa bouche portait le goût de la moustache brûlée par le tabac. Béatrice fermait les yeux sous son ombrelle et tendait le cou pour laisser le vent lui frôler les joues. Mais elle se réveillait soudain trente ans plus tard sous un lieutenant ventripotent frisant l'apoplexie, qui lui criait à l'oreille: « Grouille, fais que-que'chose, j'ai l'impression de mettre un plat de spéghatti! » Ti-Lou essuya les coins de sa bouche avec sa serviette en coton sur laquelle on pouvait encore voir, brodé au fil de soie bleu, un loup. « Quand chus-t'arrivée à Ottawa, j'avais à peu près ton âge... dix-sept ans, pour être plus précise. C'était en 1898. Ottawa était quasiment un village dans c'temps-là: une église, une taverne, une guidoune. » Elle rit de son bon mot, se versa une tasse de café, laissa quelques instants son regard errer par la fenêtre. « Fais-toé-z'en pas, y'avait plus qu'une église. Mais c'est vrai qu'y'avait juste une guidoune, par exemple: moé! Quand chus-t'arrivée là en pleine hiver, les loups rôdaient autour de la ville... Y'en avaient même vu un dans une rue de Hull. Y s'était caché en dessous d'une galerie pis y'avaient été obligés d'y tirer une balle dans'tête. Quand j'me sus présentée au Château Laurier avec ma p'tite valise, ma p'tite robe noire de nouvelle orpheline pis ma p'tite vertu prête à être vendue au premier cochon venu, les femmes d'Ottawa m'ont tu-suite sizée pis la chicane a pogné dans le Parlement. Le premier soir, oui, le premier soir, dans ma chambre du Château Laurier, le 2732, j'm'en rappellerai toujours, trois ministres sont venus m'offrir leur cœur, leur vie, leur famille pis leur fortune en se traînant à genoux sur le tapis de Turquie, en faisant des grands gestes comme au théâtre pis en faisant vibrer leur voix comme en Chambre. Évidemment, tout ce qu'y voulaient c'était de pouvoir enfin violer une p'tite fille de dix-sept ans qui irait pas se plaindre à son père, après. Mais y savaient pas à qui y'avaient affaire ! C'te nuit-là, ma p'tite fille, j'ai pardu mon innocence trois fois ! Mais y l'ont payée cher, mon innocence, tou'es trois ! J'les ai eus par le bas-ventre, pis par le carnet de chèques ! Oui, ça s'appelle du chantage, pis ! » Elle avait semblé répondre à une réflexion, à une accusation même, mais Béatrice n'avait rien dit. « C'est de même que j'les ai eus, c'est de même que j'les ai tenus. Pis j'en suis fière. Chus la seule femme qui a jamais faite la loi à Ottawa ! Pendant vingt ans j'ai régné sur Ottawa comme la reine Victoria sur son empire, excepté que moé y me traitaient pas comme une grand-mére ! Quand chus déménagée du Château Laurier à la maison de la rue Roberts que six ministres s'étaient mis ensemble pour me payer, les femmes de la ville ont suivi mes charrettes à bagages en portant des pancartes oùsqu'y m'accusaient d'avoir introduit l'enfer dans le Parlement ! Un vrai triomphe ! J'm'étais jouquée sur la première charrette pis j'hurlais à'lune comme une louve en chaleur ! Ti-Lou prenait possession de son nouveau terrier ! Aussitôt rendue dans ma nouvelle maison, j'ai commencé à faire le ménage dans ma clientèle. J'étais tannée des p'tits ministres provinciaux en visite à Ottawa, qui sentaient presque toujours l'étable, le fond de cour ou ben donc la bière. J'étais pas de la viande de provincial, j'étais de la viande de fédéral ! Si j'arais voulu faire de l'argent avec des Beaucerons, j'me s'rais installée à Québec ! Okay, les p'tits ministres qui arrivaient du fin fond de la province de Québec étaient souvent plus généreux, mais y'étaient tellement moins raffinés que les grands Anglais propres pis polis qui descendaient du train de Toronto. J'ai écrémé ma clientèle, j'ai gardé juste c'qui flottait pis ça m'a permis de régner pendant vingt ans sur les plus grosses fortunes pis les plus beaux vices du Canada ! J'ai passé trois premiers ministres, deux solliciteurs générals, quequ'douzaines d'évêques, des cardinaux, pis même des simples curés quand j'me sentais généreuse... Ceux qui venaient pas me voir, c'était parce qu'y'étaient fifis ou ben donc trop vieux. J'ai donné des soupers de cinquante couverts oùsque j'étais la seule femme, pis personne s'ennuyait ! Quand la grande Sarah Bernhardt est venue jouer à Ottawa, c'est moé qu'y'y'ont présentée parce qu'y savaient qu'on se comprendrait ! Mais j'savais pas dans ce temps-là que moé aussi, un jour, j'perdrais une jambe... » Ti-Lou se tut. Lorsque, au milieu de son discours, alors que le réel et le rêvé se rejoignaient enfin et ne faisaient plus qu'un, la vision de sa jambe coupée s'imposait à elle comme une morsure du présent, pour lui rappeler le docteur Sanregret, les odeurs de remèdes et les clients qui toussaient de l'autre côté de la cloison, Ti-Lou se taisait d'un coup et Béatrice savait qu'il ne fallait pas insister. Le silence s'installa dans la pièce double comme un couvercle de plomb. Béatrice attendait que sa tante lui fasse signe de se retirer. Mais Ti-Lou était perdue dans son présent, les yeux fixés sur la petite bosse que faisait son moignon sous la robe longue : l'horreur parfaite, ronde, lisse comme un œuf qui était l'aboutissement de sa vie. Au bout de quelques minutes, Béatrice prit sur elle de bouger un peu pour rappeler sa présence à sa tante. Il était bientôt deux heures et elle avait promis à Mercedes de rentrer tôt. Ti-Lou, sans sortir de sa torpeur, prononça lentement la formule de désenchantement: « T'es fatiquée. C't'assez pour aujourd'hui. »

Duplessis se réveilla tout d'un coup: « J'ai faim! » s'étira, bâilla et vint sauter sur les genoux de Marie-Sylvia qui entreprit de le faire ronronner en fourrageant un peu partout dans son poil tigré. Moins pour faire plaisir à sa vieille maîtresse que pour l'inciter à le nourrir encore une fois malgré tout ce qu'il avait mangé quelques heures plus tôt, Duplessis fit partir son moteur en se frottant contre la poitrine de Marie-Sylvia qui prit encore cela pour une marque d'affection; il alla même jusqu'à se coucher sur le dos sur les genoux de la femme en offrant son ventre et ses puces à ses caresses expertes au seuil de la violence, pas désagréables du tout, d'ailleurs. « Profitons-en pendant que ça passe. » Mais sitôt que Marie-Sylvia ouvrit la bouche pour parler, l'appelant son « ti-melou d'amour », son « tit-tigre tout tigré » et son « démon découcheur », le charme fut rompu, le moteur de Duplessis s'enraya et le « tit-melou d'amour » resta immobile quelques secondes au creux de la jupe de sa maîtresse comme un cadavre de chat mort dans une position ridicule. Duplessis profita de ce répit pour se demander s'il allait sortir après son repas ou s'il retournerait se coucher sur la bavette du poêle. « On verra ben. Mangeons, pour le moment d'à c't'heure. » Il sauta prestement sur le plancher et se dirigea vers son plat de nourriture vide en poussant des miaulements impératifs: « Assez de folies, la viande ! » « Le pauv' tit-melou a faim ? Déjà ? Sa moman va d'y donner à manger. » Marie-Sylvia traîna ses savates jusqu'à la glacière, tendit le bras vers le plat de foie de bœuf puis s'arrêta au beau milieu de son geste : « Mon Dieu, moman a oublié d'aller t'en acheter ! T'as toute mangé, à matin, mon trésor ! » Duplessis eut comme un soubresaut. « Quoi ! J'ai-tu ben compris ! Y'a pus de foie ! » Il regardait sa maîtresse, les yeux ronds, fixes, méchants. « Tu veux-tu un peu de céréales avec du lait ? » « Des quoi ! » Duplessis partit comme une flèche et se jeta contre la porte. « Moman peut pas aller t'en acheter tu-suite, mon homme, faudrait qu'a'ferme le magasin ! » Le poil raide, le dos arqué, Duplessis griffait le bas de la porte. « Bon, okay, on va aller chez monsieur Soucy y demander des restants... » Marie-Sylvia laissa filer le chat par la porte d'en arrière, traversa la maison en maugréant et tomba nez à nez avec madame Lemieux, la p'tite femme de Saint-Eustache nouvellement arrivée, enceinte jusqu'aux yeux, la pauvre, qui venait acheter des pierres à briquet pour son mari trop paresseux pour quitter la chaise berçante de la cuisine. « Madame Lemieux ! J'vous avais pas entendue entrer ! » « Pourtant, ça fait quasiment cinq menutes que je tousse comme une pardue, une vraie poitrinaire ! » Elle tendait le cou vers l'arrière-boutique. « Vous avez quelqu'un avec vous ? » « C'est juste mon chat... » « Vous y parlez ? Vous y parlez comme à du vrai monde ? Vous l'appelez "mon trésor" ? Pis "mon homme" ? Vous êtes sûre que c'est ben un chat que vous cachez dans votre cuisine, Marie ? Ça serait pas plutôt un cavalier, un prétendant, un galant, un...?» Sincèrement offusquée, Marie-Sylvia leva le bras en signe de protestation. En cinq secondes elle était devenue rouge comme une tomate et elle cherchait sa respiration. « Mon Dieu, que c'est que vous avez, pour l'amour! On dirait que j'viens de vous annoncer la mort du pape! Prenez sur vous, Marie, Pie XII est toujours en santé!» Madame Lemieux riait sous cape: on lui avait dit que Marie-Sylvia était très chatouilleuse sur le chapitre des hommes et en tant que nouvelle arrivée dans le quartier, elle avait décidé de «gaffer», pour vérifier. Marie-Sylvia finit par retrouver son souffle. «Pie XII est peut-être en santé mais vous, ça marche pas rond dans vot'p'tite tête, certain!» «Fâchez-vous pas...» «C'est facile à dire, ça! Vous allez sortir d'icitte en criant partout que ma cuisine est pleine d'hommes, là...» «Voyons donc, Marie, j'ai jamais dit que vot'cuisine était pleine d'hommes... De toute façon, rien qu'un suffit pour faire pardre la réputation à une femme!» «C'était mon chat! Mon chat! Duplessis!» «Duplessis! L'ancien premier ministre de la province de Québec est dans vot'cuisine! Pis vous l'appelez "mon trésor"! J'savais qu'y'était vieux garçon, mais j'savais pas qu'y'était matou!» «Vous comprenez rien! Mon chat s'appelle Duplessis!» Madame Lemieux s'accouda sur le comptoir vitré. «Marie-Sylvia, j'vous fais marcher. J'sais tout ça. Donnez-moé donc des pierres à briquet Ronson pour mon mari.» La clenche bougea dans la serrure de la porte du magasin et les deux femmes se tournèrent pour voir qui entrait. Duplessis était étiré sur la dernière marche du court escalier et sa patte avant gauche battait furieusement le petit levier de métal. «T'nez, c'est lui, Duplessis.» «C'est vous qui y'as montré à faire ça?» «Non, y l'a appris tu-seul.» Madame Lemieux s'approcha de la porte en se tenant le ventre. «J'sais pas si le vrai Duplessis s'rait capable de faire ça!»

Le problème pour les quatre enfants lorsqu'ils allaient passer la journée au parc Lafontaine était de rester ensemble. Le parc était immense et tant que Thérèse, son frère et leurs deux cousins se contentaient de se promener autour des deux lacs, de visiter le minuscule zoo puant et sale ou de se poursuivre à travers talus et bosquets, tout allait bien: Thérèse dirigeait les jeux, Marcel accroché à sa jupe, et Richard et Philippe suivaient leur chef aveuglément, riant quand Thérèse riait, criant quand elle avait peur, applaudissant quand elle gagnait une partie de tag; mais lorsque Marcel, déjà barbouillé, la culotte souillée, les lacets de bottines détachés, les cheveux en bataille, s'arrêtait pile au beau milieu d'un chemin de terre et disait de sa voix flûtée: «Quand est-ce qu'on zoue?» la situation devenait plus délicate. Richard et Philippe s'asseyaient par terre, arrachaient un brin d'herbe avec lequel ils essayaient de fabriquer un gazou pendant que Thérèse tentait de dissuader son frère d'aller au terrain de jeux qu'ils avaient encerclé depuis leur arrivée mais qu'ils avaient soigneusement évité. Pour Marcel, salir sa culotte et jouer à la cachette en se promenant dans un parc, aussi beau et aussi grand fût-il, n'étaient pas des jeux: il pouvait tout aussi bien, et même mieux, salir sa culotte dans la ruelle derrière chez lui, avec en plus des amis de son âge qui ne se plaindraient pas de son odeur et dont les déplacements ne lanceraient pas d'incessants défis à ses courtes jambes. Non, pour lui, jouer, c'était se balancer dans les balançoires hautes, celles construites pour les tout-petits, où on vous emprisonnait entre quatre planches qui glissaient sur des chaînes en faisant un bruit de joyeux fantôme ; c'était éventrer le ciel avec ses pieds en criant : « J'ai les deux pieds dans le ventre du soleil ! » ; c'était être le poids léger à un bout de see-saw et avoir peur qu'on vous propulse dans les arbres, quoique cette idée n'était pas si bête, après tout ; c'était grimper au bout de l'échelle mobile pour sauver du feu grand-moman-la-boiteuse, se raviser, et crier à Thérèse : « On va la laisser toaster, on la mangera avec du beurre de pinotte ! » ; c'était avoir peur du gardien, sûrement un maniaque. (« Que c'est que ça veut dire, un maniaque ? » « Laisse faire, tu serais assez fou pour aller vérifier ! ») Et c'était surtout, ah ! oui, surtout ça : s'étourdir sur la tourniquette jusqu'à ce que le parc tourne dans tous les sens et que Thérèse se mette à hurler, affolée : « Ça y est, y'est encore vert ! Y va renvoyer partout ! J'vas encore me faire punir ! Y va puer tout le long du ch'min ! Que c'est que j'ai faite au bon Dieu pour avoir un frère simple de même ! » Mais pour « jouer », selon les critères de Marcel, il fallait entrer dans l'aire de verdure qui longeait la rue Calixa-Lavallée, en face de l'auditorium Le Plateau, là où se trouvaient tous les jeux, cette partie du parc Lafontaine qu'on appelait aussi « le parc » (quand on demandait à quelqu'un : « Viens-tu jouer au parc ? » il fallait appuyer sur le mot « parc » de façon à ce que l'autre comprenne si on l'invitait à une simple promenade bucolique ou à une partie de plaisir au milieu des barres parallèles, des balançoires et des glissades en bois), et pour y entrer, il fallait se séparer. En effet, seuls les garçonnets de moins de six ans et les fillettes de moins de douze ans étaient tolérés sur le terrain de jeux : on prétendait qu'il était malsain que garçons et filles s'amusent ensemble à des jeux où les jupes avaient un peu trop tendance à se relever au moindre caprice du vent. C'était là la seule et unique raison. La ville de Montréal en avait ainsi décidé et tous les enfants en souffraient. Quand on trouvait un petit garçon de dix ans en train de s'amuser avec ses sœurs ou ses frères cadets, leur donnant des poussées dans les balançoires ou tenant l'échelle dans laquelle ils essayaient de grimper, on le chassait comme un voyou, l'accusant de regarder sous les jupes de ses sœurs (ils prenaient probablement leur bain ensemble, à la maison) et on laissait le reste de la famille sans surveillance ou presque, les gardiens du parc étant toujours des vieux monsieurs un peu louches qui se faisaient un plaisir de remplacer les grands frères au pied des échelles ou derrière les balançoires. Ce qui signifiait que pour que Marcel s'amuse il fallait que Richard et Philippe partent de leur côté, le laissant avec Thérèse qui se retrouvait par le fait même gardienne et esclave de ses jeux enfantins. Thérèse adorait son frère mais elle détestait passer toute une journée à écouter son babillage quelque peu incohérent, où se mêlaient sans cesse les gestes les plus simples de la vie quotidienne et les phantasmes mal exprimés de son imagination trop active. Thérèse était d'une nature très terre à terre et les aventures fabuleuses de son frère dans un carré de sable la mettaient hors d'elle. Aussi, lorsque après les sandwiches au baloney du midi, alors que Richard et Philippe étaient partis faire leur pipi aux toilettes publiques, Marcel leva des yeux suppliants vers sa sœur en disant: « S'te promets que z'aurai pas mal au cœur si on va se bélancigner ! » Thérèse leva les bras au ciel après, toutefois, s'être fourré un morceau de gomme dans la bouche. « Joue dans'terre, un peu. Fais des trous. » « La police veut pas. » « On y dira pas. » Un peu trop facilement convaincu, Marcel s'assit sur son petit derrière et entreprit de creuser un trou sous la table de pique-nique. « C'est trop dur, z'ai pas de pelle ! » « Bon, y me semblait, aussi, que tu m'astinais pas assez longtemps... » Thérèse s'installa dans l'herbe à côté de son frère. « Y'est rien que midi pis t'es tellement sale qu'on dirait que t'as passé deux semaines dans une soie cochon ! » « C'est quoi, une soie coçon ? » « J'sais pas. C'est de la soie. Faite avec du poil de cochon, j'suppose. Mais c'est supposé d'être ben sale. » « Pis moé, z'ai l'air un coçon ? » « T'as l'air d'un cochon, tu sens comme un cochon, mais on t'aime pareil. » Marcel partit d'un grand éclat de rire qui fit sursauter un écureuil qui s'était approché de la table en faisant semblant de rien. « Mais on t'aime plus quand t'es propre, par exemple... Deux menutes avant de te coucher. » Thérèse s'étendit sur le dos. Elle pouvait voir le soleil jouer entre les branches des arbres encore nus, mal réveillés d'un trop rude hiver. « Ben vite, y va y avoir des feuilles. » « Quand ? » « Ben vite. » « Demain ? » « Ben vite. » « Quand, ben vite ? » « Marcel, t'as le don de poser des questions plates ! Oui, demain ! Demain, y va y avoir des graaandes feuilles dans les arbres ! » « Si z'dors pas, pendant la nuitte, z'vas-tu les voir pousser ? » Thérèse hésita un court moment. « Non, y va faire trop noir. » Marcel se leva et vint se planter à côté de sa sœur, en plein dans le soleil. « Z'peux-tu m'assir sur ton bédaine ? » « On dit une bédaine, Marcel, pas un bédaine.

Pis assis-toé pas dessus, j'vas toute renvoyer mon dîner.» Marcel se laissa quand même tomber sur le ventre de sa sœur qui se plia en deux sous la douleur. «Maudite marde, Marcel, tu peux pas rester tranquille deux menutes! J't'ai dit de pas t'assir su'moé, pis tu te garroches su'mon ventre comme une poche de pétates, c'est dangereux, ça, t'arais pu me tuer! Hé, que t'es niaiseux, des fois, ça se peut quasiment pas!» Après les claques sur les fesses et derrière la tête, Marcel se mit évidemment à hurler, assis par terre, les bras ballants. Plutôt que de le consoler, Thérèse, impatientée, se massant le ventre, s'éloigna de son frère et fit quelques pas dans l'allée. Elle s'appuya contre un arbre et regarda ses deux cousins revenir des toilettes, Philippe devant, courant, Richard derrière, marchant. Rendu à sa hauteur, Philippe pointa vers son cousin. «J'sens que ton frére veut aller se bélancigner! Y doivent l'entendre jusque sur la rue Sherbrooke!» «Laisse-lé brailler, ça va y faire du bien.» «Tu l'as-tu battu?» «Je l'ai pas battu, tu sauras, je l'ai puni parce qu'y le méritait!» Philippe courut vers Marcel et le souleva à bout de bras. «Comme ça tu veux aller te bélancigner?» Marcel pleurait tellement qu'il ne pouvait pas répondre mais il fit signe que oui. «Ben on va y aller, se bélancigner!» Thérèse était restée sous l'arbre et se frottait toujours le ventre. «C'est ça, fais-y des promesses, c'est pas toé qui vas être pogné tu-seul avec pour le restant de la journée, après!» Juste à ce moment-là, Richard arriva à côté de Thérèse, un pissenlit à la main qu'il lui tendit timidement: «C'est pas grand-chose, mais c'est mieux que rien. C'est tout c'que j'ai trouvé. Les autres fleurs sont pas encore arrivées.» Thérèse se détourna. «Ben attends-les! J'haïs ça, les pissenlits, ça salit ! » Thérèse courut vers Philippe et lui arracha Marcel des bras. « C't'à moé, c'te p'tit frére-là ! » Marcel, terrorisé, arrêta tout d'un coup de pleurer. « Tu vois, y pleure pus quand j'le prends ! » Un malicieux petit sourire apparut au coin de la bouche de Philippe. « Y pleure peut-être pus, mais y pisse ! » En effet, énervé par la chicane avec Thérèse, Marcel avait oublié de lui faire savoir qu'il avait envie de pipi et il se laissait maintenant aller dans les bras de sa sœur, le regard absent, l'air grave. Philippe attrapa son cousin au vol, juste avant que Thérèse ne le jette par terre. Elle était devenue blanche à faire peur et comme chaque fois que la colère s'emparait d'elle, elle resta raide au milieu de la route, muette, tremblant un peu, comme absente, retirée en elle-même, concentrée sur sa rage. Richard la prit dans ses bras et la serra très fort contre lui. « Fais pas de crise, Thérèse, fais pas de crise, ça vaut pas la peine ! » Les crises de Thérèse étaient presque aussi célèbres que celles de sa mère : elles avaient quelque chose de terrifiant, de définitif, de complet qui laissait les témoins abasourdis et horrifiés. Aussi, les engueulades de la mère et de la fille prenaient-elles parfois des proportions de catastrophes irréparables. Les deux femmes se jetaient tout à la figure, se battaient littéralement, Thérèse répondant aux claques de sa mère par des coups de poing, à ses cris par des hurlements, à ses reproches par des malédictions. Thérèse était minuscule à côté d'Albertine, mais on sentait que cette dernière avait quand même peur de sa fille. Personne n'essayait plus de les séparer lorsqu'elles se battaient, on savait que c'était inutile et que la chicane devait se consommer, se consumer, jusqu'à ce qu'Albertine et Thérèse se jettent dans les bras l'une de l'autre en se criant leur amour.

Richard berçait doucement Thérèse et Philippe faisait de même avec Marcel qui regardait tout, enregistrait tout, pour alimenter ses terreurs nocturnes. Et comme Thérèse n'avait pas sa mère pour lui donner la réplique, elle se calma peu à peu, se détendit dans les bras de son cousin rougissant et ému. « C'est pas grave, Thérèse, y'a juste fait un p'tit pipi. Ça l'a même pas coulé su'ta robe. Va te laver les bras pis ça va toute partir. »

Claire Lemieux avait laissé Marie-Sylvia et Duplessis sur le pas de la porte du restaurant. Elle restait un peu plus bas, dans la rue, au troisième étage d'une des maisons les plus misérables du quartier (on l'appelait « la baraque »), dans un logement de trois pièces en enfilade, un salon, une chambre, une cuisine, chaudes en été, froides en hiver, avec son mari, Hector, sorte de baleine blanchâtre et lente, peintre en bâtiments de son métier mais qui n'avait pas travaillé depuis des années, depuis, en fait, que Claire, fluette, gaie et active, s'était trouvé de l'ouvrage comme vendeuse de souliers chez Giroux et Deslauriers, au coin de Mont-Royal et Fabre. C'était là d'ailleurs pourquoi Hector et Claire venaient de déménager sur la rue Fabre : la jeune femme travaillait chez Giroux et Deslauriers depuis un peu plus de trois ans, ce qui l'obligeait à voyager de Saint-Eustache à Montréal deux fois par jour, une demi-heure de train de Saint-Eustache à la gare Windsor, une heure de tramway de la gare au magasin... Elle avait pourtant tout essayé, dans sa petite ville natale, pour se trouver un emploi pas trop éloigné de sa baleine de mari. Mais elle s'était vite rendu compte qu'on les aurait mal jugés dans ce patelin où tout le monde se connaissait, s'espionnait et se donnait des jambettes (« Un mari qui reste à la maison et une femme qui travaille, y pensez-vous ! »). Déjà qu'on avait commencé à appeler Hector « Lemieux-le-sans-cœur »... Sans-cœur, il l'était, Claire le savait très bien, mais elle aimait mieux en rire et se fendre en quatre pour les faire vivre tous les deux que de se gratter le bobo et crever de faim avec lui. Claire Lemieux gavait son cétacé, le regardait engraisser en y trouvant un étrange plaisir. Les appétits sexuels d'Hector (tellement ennuyeux et primaires) s'atténuaient à mesure que les couches de graisse se superposaient sur sa charpente déjà molle et Claire avait la paix ; elle n'avait plus à subir ses assauts minables et lorsqu'elle avait envie de faire l'amour, elle faisait les premiers pas et même le reste... Elle n'avait jamais pensé, toutefois, à tromper son Hector. Non qu'elle l'aimât particulièrement, mais c'était hors-jeu, ça ne se faisait pas et de plus elle ne tenait pas les autres hommes qu'elle connaissait en plus haute estime : son patron ne pensait qu'à l'argent (il regardait bien quelquefois sous les jupes des clientes pendant les essayages mais Claire s'imaginait à leur place et riait. « Un homme qui regarde pis qui touche pas, c'est pas plus drôle qu'un homme qui touche sans regarder où ! »), les deux vendeurs qui travaillaient avec elle vivaient ensemble (discrètement, mais le bottin téléphonique ne ment jamais) et les hommes qu'elle croisait dans la rue étaient tous trop vieux ou trop jeunes. La guerre avait kidnappé tous les mâles un tant soit peu en bonne santé, les avait ficelés, déguisés, endoctrinés, shippés de l'autre bord de la Grande Eau et les renvoyait au pays en morceaux ou dérangés ; elle n'avait laissé aux femmes du pays que leurs prêtres (qui en profitaient bien), leurs garçonnets trop jeunes pour donner leur viande, leurs pères qui racontaient les atrocités de l'autre guerre pour les encourager et, quelquefois, leurs maris quand ils étaient infirmes ou trop prolifiques. Car les pères de famille nombreuse n'étaient pas obligés d'aller à la guerre, sauf s'ils avaient envie de s'échapper ou s'ils étaient trop pauvres pour faire vivre leurs familles (la guerre souriait partout sur les affiches: « Tu me donnes ton mari, j'te donne quatre-vingts piasses par mois ! »). Aussi, Claire Lemieux avait-elle été très étonnée, quelques mois plus tôt, juste avant de partir de Saint-Eustache, lorsque son mari s'était approché d'elle, tout d'un coup, au beau milieu de la nuit, en lui murmurant: « J'aimerais ça qu'on aye un tit-bebé ! » Claire avait vite compris et avait éclaté de rire: « Aïe pas peur, maudit gnochon, y voudront jamais de toé dans l'armée, t'es tellement gros, pis t'es tellement lent que tu pourrais leur faire perdre la guerre ! » Mais Hector avait insisté (pour une fois), probablement par pure crainte de se faire appeler sous les drapeaux, et Claire avait pensé : « Vas-y, mon gros, mets-moé enceinte, c'est justement le temps... Quand j'aurai le p'tit tu s'ras ben obligé de te grouiller le cul pour nous faire vivre ! » Claire était maintenant enceinte de sept mois (le petit était dû pour la fin du mois de juin) et Hector ne semblait pas encore réaliser que sa femme serait très bientôt obligée de quitter son emploi pour s'occuper de leur enfant. Il mangeait de plus en plus en écoutant les émissions drôles à la radio, faisait quelquefois l'effort d'aller se promener sur la rue Mont-Royal. « J'vas aller me dégourdir les jambes. » Mais il revenait très vite, essoufflé, rouge, une main sur le cœur. Il avait de la difficulté à grimper les deux escaliers en colimaçon et arrivait au troisième palier à genoux, parfois, ses voies respiratoires sifflant comme des tuyaux d'orgue, les oreilles bourdonnantes et les yeux rouges. Claire croyait qu'il actait un peu et trouvait ça amusant. Elle lui disait même souvent: « Hector, t'es fou ! Tu fais trop d'exercice ! C'est pas bon pour ta santé. Viens t'étendre, là. » « Va donc chier, câlice ! » Mais il s'étendait quand même et les élancements dans son bras gauche reprenaient. Claire repartait pour le travail ou continuait son repas en chantonnant, ce qui avait l'heur de le mettre hors de lui : « J't'après mourir, pis tu chantes ! » « J'espère que tu m'entendras pas après que tu s'ras mort ! » En fin de compte, Claire était très heureuse d'être enceinte. Elle avait décidé de retourner à Saint-Eustache, chez sa mère, sitôt le petit arrivé, traînant son amas de graisses molles derrière elle. Elle dirait à sa mère : « Popa vous a laissé un peu d'argent, prenez-nous, tou'es trois, pis quand j'irai mieux, je r'tournerai travailler. » Elle n'en voulait pas à Hector d'être comme il était, elle ne pensait presque jamais à lui comme à un être humain mais plutôt comme à un chat ou un chien. Et c'est peut-être pour ça qu'elle aurait voulu que Marie-Sylvia entretienne non pas un Duplessis à poil, mais un vrai Hector, dans son arrière-boutique. Le bébé lui donna quelques petits coups de pied dans le ventre pour se rappeler à elle. Elle s'arrêta pile au milieu du trottoir. « Tiens, te v'là, toé... Ça faisait un bout de temps que j'avais pas entendu parler de toé... J'commençais à penser que t'étais parti faire un tour "te dégourdir les jambes", comme ton père. » Elle frotta doucement son ventre, cherchant les points où elle pouvait sentir bouger les pieds. « Hé, que c'est le fun ! Mon p'tit Claude ! ou ben ma p'tite Claudette ! Mais si j'sarais quelle sorte que t'es, aussi, j's'rais pas obligée de tout répéter deux fois ! » Hector était sorti sur le balcon et lui faisait de grands signes désespérés. « Ben oui, ben oui, gros épais, tu vas les avoir, tes pierres à lighter ! »

Victoire et Édouard mangeaient en tête à tête, Albertine ayant déclaré qu'elle n'avait pas faim après avoir bu les deux œufs qui restaient battus dans du lait et Gabriel s'étant endormi dans son lit au bout de deux pages de *Bug-Jargal*. Victoire avait toujours eu un appétit d'homme et des gestes d'homme en mangeant. Elle se coupait des tranches de pain épaisses comme la main et y étendait une couche de beurre qui aurait fait jaunir le foie le plus solide. Aujourd'hui, encore, à soixante-quinze ans, elle mangeait de tout : porc, tête en fromage, sandwiches au concombre avec un verre de lait, tourtière, gâteaux. Quand on lui disait de faire attention, elle répondait, la bouche pleine : « Laissez faire, mes nuittes sont à moé ! » Seuls Richard et Édouard étaient au courant de ces longues nuits où Victoire, livide, fantomatique, se levait péniblement de son lit et se promenait dans sa petite chambre en murmurant : « V'nez me charcher, mon Dieu, v'nez me charcher, ou bedon c'est moé qui va aller vous rejoindre, pis vous avez pas fini de m'entendre vous crier par la tête ! » Parfois, Édouard se levait pour offrir de l'aide à sa mère mais elle le recouchait d'une seule phrase : « Si tu sentirais moins la boisson, j's'rais peut-être capable de respirer ! » ou bien : « Dors en paix, j'paye pour tes péchés ! » Quand Richard, lui, demandait timidement à sa grand-mère si elle avait besoin de quelque chose, elle était moins bête mais tout aussi ferme: « Si j'me sus tenue deboutte jusqu'à aujourd'hui, c'est parce que chus-t'encore capable! » Richard se recouchait docilement mais pouvait rarement se rendormir. Si Victoire l'entendait soupirer, elle disait: « Dors, fais-toé accrère que chus des moutons pis que j'saute des clôtures! » Richard souriait et Victoire, au milieu d'une douleur au côté, faisait une grimace qui pouvait aussi bien passer pour un sourire. Et quand le grand rot libérateur venait enfin (théorie de Victoire: « Qui rote, qui trotte. »), la vieille femme s'assoyait dans sa couchette et invectivait le concombre qui avait eu du mal à passer ou le rôti de porc frais qu'elle avait dévoré avant de se coucher sous le regard d'Albertine et de la grosse femme qui, elles, sirotaient un très faible thé qu'elles avaient coupé de lait. Victoire mordit dans son sandwich ketchup-beurre-cassonade en poussant de petits grognements de satisfaction et Édouard détourna les yeux. Elle mâchait bruyamment, sans se rendre compte qu'une goutte de ketchup décorait le bout de son nez. « Essuyez-vous, pour l'amour, moman, on dirait que vous saignez du nez! » « T'aimerais trop ça, hein? » Elle passa une manche de sa robe sur le bout de son nez. « T'as jamais voulu essayer ça, toé, c'te sandwich-là, hein? T'as jamais voulu. C'est bon, pourtant! C'est ben bon! Le ketchup, pis la cassonade, ensemble, là, c'est ben ben bon... » « Moman, arrêtez, vous me donnez mal au cœur! Ça fait trente-cinq ans que vous me répétez la même affaire! » « Pis ça te fait encore mal au cœur? T'es ben femmelette! Moé, ça ferait longtemps que ça me ferait pus rien! Ça fait ben trente-cinq ans que j'te vois, moé, pis j'ai pus mal au cœur! » Elle éclata de rire sans avaler sa nourriture, s'étouffa un peu, donna quelques coups de poing sur la table, toussa, éructa, s'épongea les yeux avec la même manche qui avait servi plus tôt à essuyer le ketchup. « Torieux que chus drôle, des fois ! » Édouard pouvait entendre la grosse femme qui riait, elle aussi, dans la pièce voisine. « C'est ça, mettez-vous à deux pour faire un fou de moé ! » La grosse femme se moucha. « C'est pas de toé qu'on rit, Édouard, c'est de la farce. » Édouard se leva brusquement de table en bardassant son couvert. Sa mère mordit encore dans son sandwich. « C'est bon, t'sais, tu devrais essayer... Le ketchup, pis la... » « Aïe, s'il vous plaît, farmez-vous-la, là, okay ! On s'est ben chicanés dans not'vie, pis j'ai jamais été jusqu'à vous assommer à grands coups d'assiette, mais y'est pas dit que j'commencerai pas à midi ! » Édouard s'en fut dans la cuisine et garrocha presque son couvert dans l'évier. Victoire avala sa bouchée de ketchup et de pain. « Fiou ! Chus sauvée, c'est le lavier qui a toute pris ! » Édouard passa à nouveau près d'elle en se dirigeant vers sa chambre, mais Victoire l'arrêta : « Sauve-toé pas, j'avais quequ'chose à te demander. » « Si c'est de l'argent, j'en ai pas. » « J'le sais, c'est moé qui t'en a donné, hier ! Assis-toé, là, qu'on jase. » « Avez-vous fini vot'sandwich sanglante ? » « Non, pis tu vas me regarder la finir, pis tu vas l'endurer, chus ta mére, pis t'as pas d'affaire à venir me dire quoi c'est manger pis quand c'est le manger ! » « Aïe, savez-vous ça que j'vas finir par vous étouffer, un de ces bons jours ? » « Ben oui, j'disais ça, justement, à Bartine, l'aut'jour : "Pour moé, Édouard va finir par m'étouffer ! J'ai assez hâte ! Pour une fois qu'y va se décider à faire quequ'chose dans sa vie !" Envoye, assis-toé pis écoute. » Édouard s'assit et se mit à émietter une tranche de pain par nervosité. Il savait pertinemment que lorsque sa mère demandait quelque chose il n'existait aucun moyen d'y échapper. Tous les moyens lui étaient bons pour obtenir ce qu'elle voulait : elle avait déjà caché les trois seules paires de pantalons que Gabriel possédait pour l'empêcher d'aller courtiser une jeune fille qu'elle ne voulait pas comme bru ; elle avait déjà fait semblant de mourir parce qu'Albertine refusait d'ouvrir la radio au poste qu'elle voulait entendre ; elle avait déjà crié « Au feu ! » sur le balcon d'en avant parce qu'elle avait trop froid dans sa chambre et que Gabriel, qui était préposé au chauffage, refusait d'arrêter d'alimenter la fournaise au charbon en plein mois de janvier ; elle avait même un jour (mais ça c'était une chose qu'elle n'avouerait jamais, dont elle avait vraiment honte) volé un cornet de crème glacée à Marcel qui ne voulait pas lui en céder une lichée. « Édouard, j'ai décidé que tu me sortais, après-midi. » Édouard la regarda, étonné, presque soulagé. « Ça fait un bout de temps que chus pas descendue c'te maudite escalier-là, pis si j'le fais pas aujourd'hui j'vas mettre la hache dedans, ça fait que j'ai décidé d'aller faire un tour sur la rue Mont-Royal, montrer mon fils obèse pis le chapeau de paille si laitte que tu m'as donné à Pâques ! Un vrai chapeau de vieille memére ! Mets-toé beau, j'vas faire de mon mieux ! » Elle fourra le dernier morceau de pain dans sa bouche et adressa un grand sourire à son fils.

En sortant de chez Ti-Lou, Betty s'attarda quelques minutes sur les marches de l'école Bruchési malgré la promesse qu'elle avait faite à Mercedes de rentrer tôt à l'appartement. Accotée contre l'appui en ciment du court escalier qui menait à la porte principale, elle regardait dans la direction des quatre grandes fenêtres de gauche du deuxième étage, là où elle avait passé la plus belle année de sa vie, sa deuxième année d'école, sous l'aile protectrice, dans les plis creux de la robe de sœur Marie-de-Fatima, qu'on disait folle mais qu'elle, Béatrice, vénérait, lui consacrant tout son amour de fillette élevée par une mère négligente et un père aux rêves trop grands pour lui, qui ne parlait que d'argent et d'évasion (« Des birds, donnez-moé des birds pis j'vas vous rebâtir la ville ailleurs, là ousqu'y neige pas ! »). On disait (on, c'était les autres fillettes de sa classe et les plus grandes, celles qui étaient déjà rendues à l'école des Saints-Anges et qui passaient souvent devant « la p'tite école » par grappes de cinq ou de six en chuchotant, en riant, ignorant les petites de première année mais prévenant celles de deuxième contre la folle, la lunatique, la niaiseuse sœur « Fatimette » qui finirait bien un jour par se faire enfermer la cornette derrière les barreaux d'un asile d'aliénés) que sœur Marie-de-Fatima était folle parce que parfois, au beau milieu d'un cours (surtout celui de calcul), elle s'arrêtait, se précipitait vers la fenêtre et s'envolait en murmurant : « Vous m'avez mise en prison ! » ou bien : « J'accepte que mon corps reste ici mais au moins ouvrez une porte à mon âme ! » Elle restait debout sur la pointe des pieds pendant de longues minutes, à regarder le ciel, et Béatrice, malgré ses sept ans et son ignorance des troubles de l'âme, sentait que sœur Marie-de-Fatima était partie survoler les toits des alentours pour ne pas exploser. Pendant tout le temps que durait la crise du professeur, les filles en profitaient pour chahuter, se tirer les nattes, se faire des grimaces, se traiter de niaiseuses ou taper du pied en épelant « FOLLE, fol-fol, le-le, FOLLE ! », mais Béatrice restait clouée à sa place, concentrée sur cet oiseau en cage qui se mourait doucement sous les quolibets et les rires d'enfants insensibles et méchantes. Quand sœur Marie-de-Fatima revenait dans la classe, repliant ses ailes, essoufflée, les yeux remplis de pans de ciel, tout était à l'envers dans la pièce, des bouts de craie traînaient partout, quelques filles étaient à quatre pattes, d'autres debout sur leurs sièges, mais elle ne disait rien. Elle retournait à son tableau noir et reprenait la leçon exactement où elle l'avait laissée, comme si rien ne s'était passé. Et ses yeux tombaient toujours sur Béatrice, figée, qui semblait lui demander : « C'tait-tu beau, ma sœur ? » Et la sœur lui répondait : « Si vous saviez ! » Béatrice se leva et longea la clôture en fer forgé jusque sous la troisième fenêtre. Elle s'appuya de face contre les piquets de fer et sentit le métal entre ses cuisses. C'était du haut de cette fenêtre que sœur Marie-de-Fatima s'était envolée pour la dernière fois. Béatrice l'avait vue. Elle avait vu l'oiseau s'envoler. Ce jour-là, c'était au début de mai, comme aujourd'hui, Béatrice avait de la difficulté à écrire le mot « ange » qu'elle persistait à épeler « anje » et elle avait demandé à la religieuse de venir l'aider. « J'comprends pas, ma sœur, pourquoi ça s'écrit avec un g. C'est plus beau avec un j ! » Sœur Marie-de-Fatima s'était penchée sur elle et avait tracé le mot de sa « belle » écriture de sœur, aux lettres parfaitement formées, sans personnalité, moulées à jamais par les règles religieuses et communautaires : la chasteté, la pauvreté, l'obéissance. En remerciement, Béatrice avait enfoui sa tête dans les replis de la robe de la religieuse. Elle avait pris cette habitude depuis le début de l'année scolaire et sœur Marie-de-Fatima la laissait faire, allant parfois jusqu'à déposer délicatement sa main sur la tête négligée de la fillette qu'elle entendait soupirer et geindre comme un enfant qu'on console. Elles ne s'étaient jamais parlé mais une brûlante affection s'était installée entre elles, qui les liait par le regard et les laissait éblouies par ce qu'elles n'avaient pas à se dire et cependant comprenaient parfaitement : sœur Marie-de-Fatima trouvant dans les yeux de Béatrice le courage de continuer son calvaire et la fillette dans ceux de la religieuse le goût d'apprendre à voler. Soudain, la religieuse s'était mise à trembler. Béatrice avait retiré sa tête des plis de la vieille robe. Le regard de la religieuse était posé sur le cahier. Dans son geste maladroit d'affection, Béatrice avait renversé son encrier qui s'était vidé sur sa feuille, noyant le mot « ange » sous une mer d'un noir total. Sœur Marie-de-Fatima avait poussé un cri, avait rejeté Béatrice loin d'elle et couru vers la troisième fenêtre qu'elle avait ouverte avec une telle force que deux carreaux s'étaient brisés. Et Béatrice, les mains et le visage noirs du sang de l'ange, avait vu l'oiseau déployer ses grandes ailes de corbeau et tenter maladroitement de s'envoler dans un cri d'horreur. Appuyée contre la clôture, Béatrice entendit encore une fois la chute de l'ange, ce bruit mat d'os qui se brisent sous des couches et des couches de tissu épais, qui l'avait poursuivie pendant toute son enfance et qu'elle retrouvait encore parfois quand quelqu'un (Mercedes ou un client) ouvrait une fenêtre pour respirer ou pour chasser les odeurs d'amours mal vécues et mal exécutées. Béatrice s'éloigna de la bâtisse de briques rouges, témoin indigne de ce premier grand amour barbouillé de sang et d'encre, traversa la rue de Lanaudière et passa devant l'église Saint-Stanislas sans y jeter un seul regard.

Violette retira les aiguilles de la patte de laine qu'elle venait de terminer. Elle tourna la petite boule poilue et douce pendant quelques secondes entre ses mains puis, faisant la grimace, entreprit de la défaire en tirant sur le brin de laine verte. Florence, sa mère, arrêta son geste en posant sa main sur la patte de bébé. « Défais-la pas, est belle. » Violette haussa les épaules. « Est plus petite que l'autre. R'gardez, celle que j'ai faite t'à l'heure est plus grosse... Ça prendrait un enfant infirme pour porter ça ! » Rose et Mauve regardèrent leur sœur, étonnées de ses propos. Mauve fronça même les sourcils et parla tout bas. « Tu sais ben que ces pattes-là serviront jamais... » Rose prit la patte des mains de Violette. « J'vas la refaire. Commences-en une autre. » Florence passa doucement la main sur le front de sa fille et lissa ses cheveux vers l'arrière en les coulant derrière ses oreilles. « As-tu mal à'tête ? » « Non. J'avais juste oublié. Comme d'habitude. » Violette reprit ses aiguilles à tricoter, choisit une balle de laine verte, reprit silencieusement son ouvrage. Florence attendit que Rose ait fini de retricoter la patte jaune avant de parler. « Faut jamais défaire ce qui est faite, Violette. » « J'le sais, moman. J'étais dans'lune. » « Si t'es fatiquée, tu peux rentrer dans'maison te reposer un peu... » « J'le sais, moman. Chus pas si fatiquée que ça. » Florence avait posé ses mains à plat sur ses genoux. « Faut jamais retourner en arrière. On est là pour que toute aille vers l'avant. Ce qui est tricoté est tricoté même si c'est mal tricoté. » « Oui, moman. » Rose, Violette et Mauve regardèrent leur mère pendant un court instant puis, au même moment, comme à un signal, elles baissèrent les yeux sur leur ouvrage. « C'est-tu la première fois, aujourd'hui ? » Florence avait posé sa question d'une voix inquiète, presque tremblante. « Oui, moman. Inquiétez-vous pas. J'ai rien défaite. » Florence ferma les yeux et recommença à se bercer. Le craquement familier de la chaise de leur mère dissipa la gêne qui commençait à s'installer entre les trois sœurs. Et le cliquetis des broches se fit plus régulier. Seule Violette restait un peu en retrait du mouvement cadencé des coudes et des mains, comme une fausse note ou une mesure mal exécutée reste longtemps dans l'esprit après que l'ordre est revenu dans l'orchestre. Et Violette brisa le silence avec une question défendue qui claqua sur le balcon comme un coup de fouet, faisant sursauter ses deux sœurs : « Moman, ça fait combien de temps qu'on est icitte ? » Florence, elle, ne bougea pas. Seuls ses yeux s'emplirent de crainte, d'incertitude plutôt, comme si Violette avait prononcé une parole tellement impensable, formulé un propos tellement absurde qu'aucune réponse ne pouvait se présenter à son esprit, laissant sa tête vide, en proie à l'inquiétude. Violette pinça les lèvres, baissa la tête. « Moman, j'veux savoir. J'ai l'impression que j'oublie toute au fur et à mesure que j'finis de tricoter mes pattes de bébés, pis ça me fait peur ! » Florence ne bougeait toujours pas. « J'me rappelle pas d'hier, moman ! Ou, plutôt, c'est comme si y'avait juste un hier, dans ma tête ! Comme si on était arrivées icitte hier, pis que c'était notre première journée dans le boutte... » Violette parlait de plus en plus vite. « Moman, j'ai l'impression d'être arrivée icitte hier, pis pourtant j'me sus rappelé tout d'un coup, t'à l'heure, qu'on a vu Gabriel, pis Édouard, pis Albertine venir au monde... pis... » Elle se tourna brusquement vers sa mère, laissant échapper la balle de laine verte qui roula en bas du balcon en laissant traîner son brin derrière elle. « Moman, j'me rappelle même quand Victoire est venue au monde ! C'est la première fois que ça m'arrive, mais j'm'en rappelle ! On vivait à'campagne, dans ce temps-là, on restait à côté de chez sa mére, comme aujourd'hui on reste à côté de chez eux... Moman... Moman, j'me rappelle d'avoir vu la mère de Victoire venir au monde ! » Elle avait crié ce dernier aveu en se levant brusquement, tremblante, les mains nouées sur son cœur, des larmes plein les yeux. Florence se redressa à son tour et la prit dans ses bras. « Viens te reposer dans'maison... » « Moman, j'veux une réponse ! » Florence tirait doucement sa fille vers la porte vitrée. « Viens, on va se parler. Pis toute va revenir comme avant. Tu vas te rappeler juste de l'essentiel... » Elle poussa la porte et se tourna vers Rose et Mauve qui avaient toutes deux pâli tout en continuant de travailler. « Si vous vous sentez fatiquées, rentrez, vous autres aussi. » Quand la porte se fut fermée avec un petit claquement sec, Rose leva les yeux vers sa sœur : « T'en rappelles-tu de tout ça, toé ? » Mauve la regarda à la dérobée sans arrêter le mouvement de ses mains. « Oui. On a toujours été là, Rose. Pis on s'ra toujours là. Tricote. Arrête pas. On est là pour ça. »

Son deuxième plat de foie de la journée terminé, léché, lavé, Duplessis demanda la porte sans même passer par son plat de sable. Marie-Sylvia eut beau le supplier, le cajoler, le menacer (« Trois jours ! T'es parti pendant trois jours pis tu veux encore te sauver ! J'ai même pas eu le temps de te voir, t'as dormi toute l'avant-midi ! Reste au moins jusqu'à à soir... J'vas te flatter, tu vas ronronner... J'bougerai pas, tu vas pouvoir dormir sur mes genoux... »), rien n'y fit : Duplessis griffait le bas de la porte en miaulant comme en plein cœur de juillet quand la lune est rouge de désir et que les passions explosent au fond des ruelles. Blanche de colère, Marie-Sylvia ouvrit la porte en hurlant : « Okay, sors, mais r'viens pas ! Jamais ! J'veux pus te voir ! Pis viens pas miauler dans mon châssis, à soir, ça servira à rien, tu vas rester dewors ! » Duplessis était déjà loin. Il avait sauté la clôture des Ouimet, de l'autre côté de la ruelle, et se cachait dans les pissenlits, épiant déjà un oiseau juché sur une branche basse du lilas (le seul du quartier), excité à la perspective d'une chasse bien rangée, couronnée par l'apothéose habituelle : la victime qui gigote entre les pattes de son bourreau, l'aile brisée ou le cou cassé, et le cœur qui s'arrête de battre tout d'un coup pendant que les canines farfouillent dans les plumes trempées à la recherche d'un endroit tendre où se planter en signe de triomphe. Mais l'oiseau (un vulgaire moineau, à vrai dire, difficile à attraper et bien piètre trophée) devina sa présence parmi les fleurs jaunes et s'envola sans demander son reste, même pas fasciné par les yeux du chat qui se voulaient charmeurs, endormeurs, autoritaires, dominateurs. Duplessis se désintéressa aussitôt du lilas (pourquoi s'attarder sur ses échecs ?) et se faufila sous la galerie des Ouimet pour aller y faire ses besoins. Au même moment, une souris glissa entre les brins d'herbe naissants et gagna la ruelle le cœur battant. Duplessis, occupé à une tâche plus importante, fit semblant de ne pas la voir passer. Il entendit la porte de la maison des Ouimet s'ouvrir au-dessus de lui et des pas pesants firent craquer les planches de la galerie. Il enterra soigneusement ses excréments et s'approcha prudemment de l'escalier de quatre marches. Il s'étira pour voir passer deux pieds de femme chaussés de mocassins usés mais propres. Une femme, grande, sèche, au ventre proéminent, traversa la cour d'un pas saccadé et sortit dans la ruelle sans refermer la porte de bois derrière elle. Duplessis la suivit. Il connaissait bien cette odeur: la femme aimait les chats et Duplessis était son favori (elle l'appelait « le premier ministre vicieux » en promenant ses mains un peu partout dans son poil, ce qui avait l'heur d'exciter agréablement Duplessis). Il la dépassa par petits bonds et s'assit devant elle en la regardant droit dans les yeux. La femme s'arrêta et sourit. « Ça sert à rien de me faire les beaux yeux, aujourd'hui, Duplessis-le-vicieux, j'ai rien à te donner. » Elle contourna le chat qui courut se fourrer dans ses jambes en ronronnant. « J'ai pas le temps, Duplessis, j'm'en vas travailler ! » Ils arrivaient juste au coin de la ruelle et de la rue Fabre, devant le restaurant de Marie-Sylvia. « Ta mère doit te charcher, encore ! » La femme se pencha, ramassa le chat, ouvrit la porte du restaurant et jeta littéralement l'animal au milieu de la pièce en criant: « Marie, j'ai trouvé vot'maudit chat ! Y'a l'air d'avoir faim ! » La femme referma la porte avant que Duplessis ait le temps de réagir. Il se mit à sacrer comme un démon. Marie-Sylvia se leva de son fauteuil. « T'es revenu, mon trésor ! Viens sur les genoux de moman ! » Quelques secondes plus tard, Marie-Sylvia, la main ensanglantée, ouvrit la porte du restaurant et on l'entendit presque jusqu'à la rue Mont-Royal : « Dewors ! Dewors, maudit chat sale ! Pis fais-toé ramasser, fais-toé gazer que j'entende pus jamais parler de toé ! » Duplessis traversa la rue Fabre d'une seule traite. Aussitôt, l'odeur le frappa et il se rappela pourquoi il avait voulu sortir en premier lieu. Quelque part, au deuxième étage de la deuxième maison, un petit bout d'homme avec qui il conversait souvent, qui semblait le comprendre et que lui, Duplessis-le-vicieux, comprenait très bien, habitait avec une gang de fous plus hystériques les uns que les autres et c'est ce petit bout d'homme que Duplessis avait soudain eu envie de voir. C'est l'odeur très particulière de cette maison (toutes les maisons et tous les humains étaient des odeurs pour Duplessis, mais quelque chose d'unique, une senteur entêtante et tenace, se dégageait des occupants de cet appartement où il n'entrait jamais mais dont il chérissait un des habitants, ce qui faisait que Duplessis, très souvent, venait dormir sur le pas de la porte, le nez dans la craque du bas, se délectant, heureux, des émanations magiques, lénifiantes, génitrices de ce petit bout d'homme à qui il pouvait parler, qui l'écoutait calmement et qui, ô miracle, lui répondait dans sa propre langue de chat errant) qui rappelait à Duplessis qu'il n'avait pas vu Marcel depuis trois ou quatre jours et que le petit garçon devait s'ennuyer de lui. Il traversa la ruelle, dépassa la maison du docteur Laporte qui, elle, dégageait une écœurante senteur de propreté entretenue à force de désinfectants trop forts et de parfums qui ne voulaient plus décoller une fois installés. Duplessis avait l'intention de grimper les marches de l'escalier sans s'attarder, de se glisser le museau dans la fente du bas de la porte qui servait de boîte aux lettres et de miauler jusqu'à ce que Marcel vienne lui ouvrir, pâmé d'aise, fleurant fort et bien le pipi séché, zozotant en chat ce qu'il pensait en humain, mais quelque chose attira son attention, juste au pied du perron de la maison d'à côté où deux femmes sans âge tricotaient : une balle de laine verte (une balle de laine, quelle joie !) trônait au milieu du ciment, prometteuse en acrobaties de toutes sortes, en courses folles et en jeux excitants pour un chat qui n'avait de jouet que Marie-Sylvia, bien grosse, bien encombrante et parfois bien difficile à faire bouger. Duplessis se jeta littéralement sur la balle de laine et se mit à se battre avec elle, prétendant qu'elle était l'oiseau qu'il avait raté, plus tôt, ou la souris qu'il avait dédaignée, ou tout autre animal difficile à attraper, dont il serait enfin venu à bout et qu'il se faisait maintenant un plaisir de déchirer, de mordre, s'étouffant presque avec la laine et s'emprisonnant les pattes dans les brins rebelles. Au beau milieu de la bataille, alors que Duplessis, au comble de la joie, criait à la balle de laine : « Ça sert à rien de résister, maudite folle, tu sais ben que ta fin est proche ! Rends-toé ! Rends-toé, pis j'te f'rai pus de mal ! » Florence sortit de la maison et s'assit dans sa chaise berçante. Aussitôt, comme assommé, Duplessis se calma, s'écrasa sur le ciment et regarda la femme avec des yeux deux fois plus grands que d'habitude. « A's'est endormie. Dans une demi-heure, toute va être correct. Continuez à travailler. » Rose pencha un peu la tête sur son épaule gauche et dit très bas : « Moman, comment ça se fait que le chat de Marie-Sylvia est après jouer avec la laine de Violette... ? » Sa mère la coupa sur un ton neutre mais ferme : « Les chats peuvent nous voir. Les chats, pis, des fois, les fous. » Duplessis s'assit sur son derrière, commença à se nettoyer le museau avec sa patte, puis dévisagea Florence encore une fois. Ses yeux clignèrent. « You bet, que j'peux vous voir ! »

Quand madame Ouimet arriva chez Ti-Lou (elle avait la clef et ne sonnait jamais, Ti-Lou détestant se traîner avec ses béquilles le long du corridor : « J'le sais que le monde qui viennent sonner à ma porte me voyent avec mes trois pattes pis ça m'humilie »), cette dernière était toujours assise à la place où Béatrice l'avait laissée, près de la fenêtre. Elle avait fermé les yeux et penché la tête, aussi madame Ouimet la crut-elle endormie. La jeune femme débarrassa la petite table avec mille précautions, évitant de frapper les assiettes les unes contre les autres, enveloppant les cuillers en argent dans une des deux serviettes de coton, déposant les tasses délicates et fragiles bien au centre de leurs soucoupes pour éviter toute vibration malencontreuse. Elle allait sortir de la pièce, les bras chargés du plateau du déjeuner, lorsque Ti-Lou dit brusquement : « C'est toé, Rose ? » L'interpellée sursauta et faillit échapper le plateau : « Hé, que vous m'avez fait peur ! » Ti-Lou n'avait pas bougé, sa tête était toujours penchée, ses yeux fermés. « J'tais sûre que vous dormiez. » « J'dors pas, le jour, jamais. J'te l'ai pourtant dit ben des fois. » « J'sais ben, mais pour une fois, j'pensais... » « Jamais, tu m'entends ? J'dors jamais, le jour ! J'ai déjà assez de misère à m'endormir la nuitte ! » Rose

Ouimet s'en fut vers la cuisine en pensant: « A'dort jamais le jour ! Que c'est qu'a'fait, d'abord, quand a'reste des grandes après-midi de temps étendue dans son lit, les yeux farmés, sans grouiller ? A'médite ? » Rose poussa la porte de la cuisine en maugréant. « J'haïs ça quand le monde me prennent pour une valise ! » Elle déposa le plateau sur la table et ouvrit la glacière pour vider le reste du lait contenu dans le pot en argent dans la bouteille presque vide. Elle cria aussitôt: « Vous avez pus de glace ! Quand c'est que le vendeur de glace passe ? » La réponse vint comme de très loin, comme si le salon avait été de l'autre côté du boulevard Saint-Joseph, dans le parterre de l'école Bruchési. « Y passe après-midi, vers quatre heures. Y'est quelle heure, là ? » Rose Ouimet prit la carte sur laquelle on pouvait lire en grosses lettres noires: « 50 lbs. S.V.P. » et la glissa sur le clou que sa propre mère avait planté bien des années auparavant au-dessus du dernier carreau de la fenêtre de la cuisine. Rose Ouimet ne faisait le ménage de Ti-Lou que depuis trois ans, remplaçant sa mère, Rita Guérin, désormais trop malade pour continuer à « faire des maisons » comme elle disait. « Y'est deux heures passé. Pis vous avez pus de lait ! » Ti-Lou et Rose Ouimet ne s'aimaient pas beaucoup mais Rose faisait bien son ouvrage et Ti-Lou payait bien, aussi les deux femmes s'enduraient-elles sans chaleur, sans contact, ce qui désolait quand même beaucoup l'infirme qui avait tant aimé la figure joyeuse de Rita Guérin et les airs du Bas-du-Fleuve que la maîtresse femme chantait à la journée longue, chassant pour quelques heures le présent insupportable de la vieille louve pour le remplacer par un passé imaginaire sentant bon la campagne et le pain de ménage. Mais Rose

Ouimet, femme trop sérieuse pour son âge au goût de Ti-Lou, ne chantait pas comme sa mère et parfois la louve d'Ottawa croyait même apercevoir la marque du malheur, un malheur trop grand, une souffrance trop vaste pour ce corps sec et étroit, traverser le regard de Rose, soulignant de violet ses paupières et le dessous de ses yeux lorsque, comme cela lui arrivait souvent, la jeune femme s'arrêtait tout d'un coup au milieu d'une tâche et plongeait son regard dans le vide, le front plissé, la bouche dure, comme si elle contemplait une vision d'horreur et la subissait silencieusement, fatalement. Ti-Lou avait supplié Rita Guérin de revenir, allant même jusqu'à lui offrir de doubler son salaire, mais la mère de Rose avait résisté, criant dans le téléphone en femme peu habituée à ces engins électriques : « À quoi ça me servirait de me tuer pour quequ'piasses de plus par semaine ? J'veux profiter du peu de temps qu'y me reste à vivre ! » (Rita Guérin avait à peine quarante-cinq ans et Ti-Lou avait levé les yeux au ciel en frappant le mur avec son poing.) « Chus fatiquée de torcher les autres, j'me repose ! J'vas vous envoyer ma fille Rose. Est plate, mais a'travaille ben. » Rose Ouimet était effectivement très efficace mais sa compagnie déprimait Ti-Lou qui avait souvent envie de la prendre par les épaules et de la secouer en lui criant : « T'as vingt-deux ans, viarge, prends pas ces airs de martyre-là ! Déplisse ton front, déplisse ta bouche, tu vas avoir des rides à trente ans ! Si ta vie te fait chier, envoye-la promener pis change ! » Mais quand on marche sur trois jambes dont deux sont en bois il est bien difficile de prendre qui que ce soit par les épaules et de le secouer en essayant de le réveiller, question d'équilibre. Ti-Lou préférait prendre une dose plus forte des gouttes du docteur Sanregret et plonger dans cette bienheureuse léthargie, si dangereuse mais si gratifiante, qu'elle appelait son « divin coma » plutôt que d'endurer de voir le malheur de Rose Ouimet fureter dans l'appartement, rasant les murs, se cachant dans les coins, prêt à bondir sur sa victime à tout moment, la paralysant au milieu du corridor, le balai à la main, ou la surprenant à quatre pattes dans la salle de bains, la tête dans la cuvette. Rose Ouimet n'ignorait rien du passé de Ti-Lou et cette dernière se demandait parfois si ce n'était pas là la vraie raison de sa froideur à son égard. Rose Ouimet savait tout de Ti-Lou parce que sa mère lui avait répété tout ce que la louve d'Ottawa lui avait raconté, mais elle n'endurait pas que sa patronne lui parle de son passé. Lorsque Ti-Lou, par désœuvrement, ou plus simplement parce qu'elle avait eu envie de le faire, avait essayé, pendant la première année, de raconter son incroyable vie à Rose, celle-ci avait toujours réussi à s'esquiver en murmurant des « Chus pas icitte pour ça. » ou des « J'ai pas le temps, là. » ou encore des « Si c'est une dame de compagnie que vous voulez, j'vas vous envoyer ma sœur Gabrielle, a'parle comme douze, mais moé chus-t'icitte pour torcher, pis je torche ! » Ti-Lou avait vite compris que Rose, pourtant si jeune, condamnait son passé alors que sa mère s'en était amusée et même l'avait un peu jalousé, déclarant parfois entre deux coups de moppe : « Vous, vous avez connu Ottawa en 1900, moé, j'ai connu Montréal en 1920. Vous avez eu du fun dans un trou que tout le monde trouve plate, j'me sus-t'ennuyée à mourir dans une ville que tout le monde aime », reprenant ensuite sa chanson sans plus d'explications. Ti-Lou possédait plusieurs portraits d'hommes montés dans des cadres de bois sculpté, prétentieux et laids, que Rose Ouimet répugnait à toucher. Une seule fois elle avait demandé à sa patronne : « Vous les avez toutes connus ? » faisant la grimace sur la réponse affirmative de Ti-Lou. Et Ti-Lou lui avait demandé : « T'aimes pas les hommes ? » ce à quoi Rose avait répondu : « Y'a rien que les guidounes qui peuvent les aimer, nous autres, on les endure. » Rose Ouimet passa sa main sur son ventre rebondi. « Maudite balloune ! » Elle attendait son premier enfant sans joie, froide, distante, résignée. Elle sortit de la cuisine, traversa la maison en se tenant le ventre et fit irruption dans le salon en demandant : « Par quoi que je commence, là ? Par la maison ou ben donc par vous ? »

Béatrice monta très lentement le premier des deux escaliers intérieurs qui menaient à l'appartement de Mercedes. Elle s'arrêtait à toutes les quatre ou cinq marches, s'appuyait contre le mur ou la main courante, soupirait. « Y fait si beau ! » Elle s'arrêta au haut du premier escalier et s'assit sur le pas de sa propre chambre qu'elle n'habitait presque plus mais qu'elle gardait « au cas où la chicane pognerait ». C'était son refuge, le seul endroit au monde où elle pouvait être seule. Parfois Béatrice, fatiguée des caresses maladroites de soldats éméchés et inexpérimentés, descendait à sa chambre, s'y enfermait et pleurait silencieusement dans son lit ou assise près de la fenêtre qui donnait sur la ruelle. Il lui arrivait même de s'ennuyer de son ancienne vie : les boutons de culottes, le tissu à la verge, les barrettes en corne, aucune responsabilité et des nuits innocentes où l'on ne fait que dormir ; la paye au bout de la semaine, chiche mais régulière, dans une enveloppe de papier brun qu'on n'ouvrait pas tout de suite quand il restait de l'argent de la semaine précédente pour voir jusqu'où on pourrait toffer; le cinéma Passe-Temps, le samedi soir, trois films, quatre heures et demie de projection, dans une salle étouffante, une ancienne allée de bowling, toute en longueur, aux bancs sales souvent défoncés, aux odeurs fortes d'ouvriers mal lavés et de femmes trop parfumées; les longues heures creuses du dimanche après-midi où l'on se dit: « Vite, que demain arrive! N'importe quoi plutôt que les maudits dimanches! » Mais ces petites crises ne duraient jamais bien longtemps, Béatrice savait que Mercedes l'attendait, qu'elle se fiait à elle et que l'ouvrage devait se faire. Lorsque Béatrice revenait à l'appartement de son amie, éclairé de rouge et de jaune, les cernes sous ses yeux s'étaient un peu élargis et les soldats aimaient ça. Des bras s'emparaient d'elle, des lèvres écrasaient les siennes et Béatrice oubliait vite séances de cinéma et heures creuses du dimanche. Béatrice décida de se changer avant de monter chez Mercedes. En entrant dans sa chambre, elle aperçut tout de suite le papier blanc, plié en quatre, que quelqu'un avait glissé sous sa porte. Elle se pencha, le ramassa. « J'espère que c'est pas quelqu'un de par chez nous qui est passé... Y manquerait pus rien que ça! » On avait griffonné à la hâte une phrase quelque peu sibylline que Béatrice ne comprit pas tout de suite: « Vient me rejoinde au parc La Fontaine. » Pas de signature. « C'est ben niaiseux de laisser des messages sans signer! Mais peut-être que la signature m'aurait rien dit. C'est peut-être un client qui a envie de faire ça dans les buissons! » Béatrice sourit. « J'haïrais pas ça. Pour une fois. En plein air. Mais la terre doit être encore humide. » Elle se changea rapidement, se coulant dans la robe qu'elle gardait habituellement pour les grandes occasions, quand elle allait à la messe ou pour sortir, le samedi soir, mais elle ne sortait plus depuis belle lurette, le samedi soir, c'était un soir « fort », une robe de coton jaune éclatant qui la rajeunissait et faisait ressortir le brun de sa peau et son velouté, ce qui faisait dire à Mercedes : « D'habitude, j'ai l'air de ta mére mais quand tu mets ça, j'ai l'air de la mére de ta mére. J'ai beau essayer de me rajeunir, j'ai toujours un bon douze ans d'avance su'toé ! » Béatrice sifflotait en se brossant les cheveux. « J'vas dire à Mercedes qu'on devrait prendre une après-midi de congé, pis j'vas l'attirer au parc Lafontaine sans y parler du message. On verra ben ce qui va se passer. » Satisfaite de ce qu'elle apercevait dans le petit miroir rond au-dessus de l'évier, Béatrice s'adressa un large sourire. « J'ai l'air d'un vrai calendrier ! » Elle fit quelques pas de danse en se dirigeant vers la porte. « J'aimerais ça, sortir, à soir ! » Elle ramassa le billet plié en quatre, le glissa dans son sac. Elle grimpa le second escalier en chantonnant : « Ramona, tu pues des pieds, tu sens l'tabac », joyeuse, le cœur battant. « Aïe, un message ! Mon premier message ! » Elle s'arrêta pile devant l'appartement de Mercedes et un horrible pressentiment lui glaça le cœur : la porte était entrouverte, chose impensable chez Mercedes qui criait vingt fois par jour : « As-tu ben farmé la porte ? Est-tu barrée ? Avec la gang de snoreaux qui passent icitte, on s'ra jamais trop prudentes ! » et une odeur de vomi se répandait jusque sur le palier. Sans réfléchir, Béatrice poussa brusquement la porte, sûre de trouver Mercedes baignant dans son sang ou battue à mort, traînant dans ses propres déchets, mais la grande chambre était déserte. Cependant, un désordre inouï régnait dans la pièce: tout avait été défoncé, renversé, fouillé, brisé, piétiné. Le matelas traînait par terre, éventré, les tiroirs du bureau avaient été lancés un peu partout sur les murs et gisaient, déboîtés, la porte de la salle de bains avait été arrachée. Béatrice courait partout dans le minuscule appartement, criant: «Mercedes! Mercedes!» comme une folle, trébuchant sur les objets qui jonchaient le sol, se cognant contre les meubles qui avaient été changés de place. Quelqu'un avait un peu vomi dans la baignoire et beaucoup à côté. «Gang de cochons! Gang de maudits cochons d'écœurants!» Elle revoyait les trois subtils soldats qui avaient essayé de l'arrêter dans l'escalier, le matin, et elle sentait la colère lui monter le long de la colonne vertébrale. «Si j'les tiendrais! Si j'les tiendrais! J'sais pas c'que j'leur f'rais, mais ça f'rait mal!» Elle fut un peu rassurée quand elle fut certaine que Mercedes n'était pas dans l'appartement. Elle revint dans la chambre, s'assit sur les springs du lit et se laissa aller à sangloter à gros bouillons, frappant le pied du lit de ses deux poings, trépignant, criant: «Maudite gang d'écœurants!» vingt, trente fois, sans que cela lui fasse aucun bien. Elle commençait à peine à s'apaiser lorsque la silhouette de monsieur Soucy, le concierge, s'encadra dans la porte, les bras chargés de paquets que le gros homme n'avait même pas pensé à poser par terre quand il avait entendu la voix de Béatrice, en entrant dans l'immeuble. «Que c'est qui se passe icitte, on vous entend crier jusque dans'rue! Que c'est qui s'est passé? Avez-vous été battue? Oùsqu'est votre amie? J'savais que ça finirait par arriver, j'le savais! J'peux jamais mettre les pieds dehors pendant deux heures qu'y faut toujours qu'un plafond tombe su'a tête de quelqu'un ou ben donc qu'un épais oublie de fermer sa champlure ! J'vas aller appeler la police ! » Monsieur Soucy avait disparu avant que Béatrice ait eu le temps de réagir. Le mot la frappa de plein fouet et elle se redressa comme si l'on avait giflée. La police ! Elle ramassa son sac qu'elle avait laissé tomber près de la porte et sortit de l'appartement en courant. Elle se jeta dans l'escalier, dépassa monsieur Soucy qui lui cria : « Oùsque vous allez, de même, mademoiselle Béatrice ? La police va avoir de besoin de vous ! » Béatrice sortit de l'immeuble sans ralentir son allure et se mit à descendre la rue Fabre en direction du parc Lafontaine. « C'est Mercedes qui a laissé le message ! A's'est sauvée au parc Lafontaine ! Mercedes m'attend ! » Rose, Mauve et leur mère Florence la regardèrent passer sans sourciller. Florence dit, cependant : « C'te fille-là court à son malheur ! » Mais Florence se trompait. Béatrice ne courait pas vers son malheur. Béatrice courait vers vingt années de gloire, de faste et de puissance.

Philippe avait trouvé un subterfuge qui lui permettrait à coup sûr de pénétrer sur le terrain de jeux au vu et au su du gardien sans que celui-ci ait quoi que ce soit à dire, mais ce moyen demandait que Thérèse et Marcel jouent des rôles et Philippe s'inquiétait un peu pour son cousin (sa cousine, elle, était, à son dire, « une actrice-née » et pourrait éventuellement faire croire à n'importe qui qu'elle était « une mère de quarante ans qui a gardé des airs de jeunesse » ou « un bébé de quatre mois avancé pour son âge »). Quant à Richard, son aîné... Philippe avait une façon d'exclure complètement son frère de ses jeux et même de sa vie quand il n'en avait plus besoin, de le laisser tomber du moment qu'il ne lui était plus utile, qui confondait Richard, lui coupant toute réplique et le laissant bras ballants et bouche ouverte, blessé, consterné et habituellement dans une position délicate sinon impossible. À l'école, quand on voulait le battre dans la cour parce qu'il venait de jouer un tour pendable, Philippe courait vers son frère, pourtant pacifique et faible, le ramenait avec lui au cœur de la chicane et l'oubliait là sans même se rappeler par la suite ni la bataille, ni surtout ses propres méfaits. Quand il avait besoin d'argent, il venait brailler dans la chemise de Richard mais aussitôt que celui-ci lui avait donné une partie ou même la totalité de son avoir, Philippe disparaissait sans remerciements et repassait quelques minutes plus tard, un cornet de crème glacée ou de frites dans les mains, sans regarder son frère, « oubliant » de lui offrir une lichée ou une patate graisseuse. Philippe tournait autour de Richard comme un parasite tant que son frère pouvait lui servir à quelque chose mais disparaissait sans rémission aussitôt que Richard avait besoin de lui. Aussi, lorsque le plan de Philippe fut adopté par celui-ci, Thérèse et Marcel (qui ne comprenait rien mais était prêt à tout accepter pour aller se « bélancigner »), Richard se retrouva-t-il seul au bout de l'allée où les quatre enfants s'étaient réfugiés après être allés nettoyer Marcel et son dégât. Il lança un timide : « Pis moé ? » que ni Thérèse ni Philippe ne relevèrent. Seul Marcel se pencha par-dessus sa sœur pour demander : « Coco, y va-tu venir avec nous autres, lui ? » Ce à quoi Thérèse répondit stoïquement: «Coco, y'est trop sérieux pour venir jouer avec nous autres dans les glissoires pis les carrés de sable, y va aller lire à la bibliothèque municipale, hein, mon Coco?» pendant que Philippe regardait dans une autre direction. Richard se leva aussitôt, murmurant un «j'ai compris» bien soumis qui sembla soulager son frère et sa cousine. Il s'éloigna sans rien ajouter, ne se retournant pas, les épaules basses, mais pas trop: il attendrait d'être bien seul pour se laisser aller à haïr sa faiblesse, à mépriser son manque de courage, au milieu des coups de pied aux arbres et des larmes de rage. «C'est vrai que chus-t'un maudit pissous!» Aussitôt Richard disparu derrière l'énorme édifice qui abritait à la fois «Les Amis de l'Art» et les toilettes publiques (édifice que Gabriel, le père de Richard et de Philippe, appelait d'ailleurs «Les Toilettes de l'Art»), Philippe partit d'un grand éclat de rire qui gêna un peu sa cousine. «Philippe, fais attention, y pourrait encore t'entendre!» «Tant mieux, ça y'apprendra à coller comme une sangsue!» Marcel leva des yeux interrogateurs sur son cousin: «C'est quoi, ça?» «C'est quoi, quoi?» «C'que tu viens de dire, là?» «Une sangsue?» Philippe lança à sa cousine un regard suppliant mais Thérèse haussa les épaules. «Tu poses trop de questions, Marcel, on va finir par croire que t'es t'un ignorant!» Thérèse se leva, prit son frère dans ses bras. «Si tu pisses encore une fois dans tes culottes, Thérèse va te laisser tu-seul au milieu du parc!» Marcel jeta les bras autour du cou de sa sœur et serra très fort. Thérèse pouvait sentir le petit cœur de Marcel battre contre sa poitrine. «Pis les bilous vont te manger!» Marcel desserra son étreinte et regarda sa sœur, incrédule: «L'a pas de bilous icitte, l'a pas de litte ! » Thérèse déposa son frère par terre. « T'sais, Marcel, y'a des bilous de maisons, mais y'a aussi des bilous de parc ! » (Les bilous, c'était les tas de poussière qui s'amassaient sous les lits quand Albertine ou la grosse femme se trouvaient trop occupées pour passer la vadrouille tous les jours. Et les bilous étaient bien commodes quand on voulait faire peur aux enfants, le soir, pour les empêcher de sortir du lit : « Si tu sors les pieds du litte, les bilous vont te mordre ! » Thérèse avait eu peur des bilous, Richard avait eu peur des bilous, Marcel était littéralement terrorisé par eux. Quant à Philippe, à huit ans, s'il n'était pas encore tout à fait sûr qu'ils n'existaient pas et s'il fanfaronnait, prétendant qu'il n'y avait jamais cru, qu'il avait toujours fait semblant d'y croire pour satisfaire ses parents qui se donnaient tant de mal pour le terroriser, c'est qu'un soir, par bravade, il était descendu du sofa qu'il partageait avec Thérèse pour aller vérifier et qu'il avait vu, il en était sûr et quand il y pensait il sentait ses cheveux se dresser sur sa nuque, il avait vu quelque chose bouger (dans le noir tout bouge) et était resté cloué sur place, blême de peur, le souffle court, un filet de merde liquide lui coulant entre les jambes.) Thérèse espérait trouver quelque tache de mousse au pied d'un arbre pour appuyer ses dires et condamner son frère à rester tranquille pour le reste de l'après-midi. Elle lui dirait : « R'garde, les bilous de parc sont pas gris, sont verts, c'est pire ! » En s'éloignant du banc, Thérèse prit son cousin par le cou. « Au moins, Richard, lui, y'arait su c'est quoi, une sangsue ! » Les trois enfants se dirigèrent donc vers le terrain de jeux, sûrs d'avance de leur victoire. Thérèse avait dit à Marcel : « Quand on va arriver près des jeux, dis pus rien, laisse-nous faire, sans ça on te laisse là pis on va rejoindre Coco à la bibliothèque ! » Marcel avait juré qu'il ne dirait rien quoi qu'il arrive. Dès que la grosse clôture de fer tricoté qui entourait le terrain de jeux, soi-disant pour « protéger » les enfants, fut traversée, Philippe, sans crier gare, sans dire : « Attention, je commence », presque au milieu d'une phrase, se mit à se contorsionner, à se crochir les yeux, à sortir la langue, à boiter d'une façon tellement grotesque qu'on aurait dit une marionnette embrouillée dans ses fils, ce qui fit dire à Thérèse : « Philippe, mets-en pas trop, y vont avoir peur de toé, pis ça va être pire ! » Marcel demanda timidement : « Flip, y'est manade ? On va-tu être oblizés de s'en aller cé nous ? » Thérèse s'accroupit à côté de lui « Non, Marcel, Flip est pas malade, ça fait partie d'un jeu. Tu vas voir, y va pouvoir entrer avec nous autres pis on va avoir ben du fun... Tais-toé, à c't'heure... » Elle se releva et se tourna vers son cousin. « Boite un peu, mais juste un peu, Philippe. Mets-toé un bras croche, mais juste un. Bon... c'est ça... Crochis pas trop la tête, là, on est pas dans une vue de peur ! » Philippe tempéra donc les efforts qu'il faisait dans le but d'avoir l'air d'un paraplégique (il avait en tête un compagnon de classe atteint de dystrophie musculaire dont il se moquait toujours et qu'il exaspérait avec ses sarcasmes et ses imitations) et le trio s'approcha bravement de la première série de balançoires, Philippe clopinant à côté de Thérèse qui se retenait pour ne pas rire et de Marcel qui le regardait, ébahi. Thérèse sortit un mouchoir de la poche de sa robe et y réfugia son fou rire. Quand elle eut terminé de faire semblant de se moucher, elle se rendit compte que Marcel, emporté par le jeu de Philippe, s'était mis à son tour à se contorsionner, copiant chaque geste et chaque expression de son cousin avec un plaisir évident. Sur les entrefaites, elle aperçut le gardien du parc qui s'approchait d'eux, l'air inquiet, et elle prit le parti de se lancer sur son petit frère en criant: « Marcel, vas-tu arrêter de te moquer de ton grand frère? C'est pas beau, ça! Ça fait cent fois que j'te le dis! » Elle prit Marcel par le bras et se mit à le secouer, espérant le faire pleurer pour l'empêcher de dire des bêtises. Mais Marcel criait de sa voix pointue: « C'est zuste un zeu! C'est zuste un zeu! » Arrivé à leur hauteur, le gardien lança un: « Que c'est qui se passe, icitte? » sur un ton qui en disait long sur son intelligence étroite et sa subtilité approximative. Mais en levant les yeux sur lui Thérèse fut frappée par sa beauté et resta un peu interdite. Le gardien du terrain de jeux n'était pas le vieil homme gâteux et malpropre qu'elle s'attendait à trouver, mais un jeune homme dans le début de la vingtaine, aux traits fins et aux yeux superbes sinon intelligents. Au lieu de lui répondre bêtement comme elle s'était préparée à le faire, elle se mit à bégayer, baissant les yeux, rougissant, se mêlant dans ses mots, ce qui eut en fin de compte pour effet d'aider l'histoire invraisemblable que Philippe et elle avaient préparée: la mère fatiguée de toujours prendre soin de son fils paraplégique demandant à sa fille si raisonnable et si responsable malgré son jeune âge d'aller faire un tour au parc avec lui et leur frère cadet pour lui permettre à elle de se reposer quelques heures... Au fur et à mesure que Thérèse s'expliquait, Philippe, qui guettait le gardien du coin de l'œil, voyait les réticences de ce dernier fondre pour faire place à une espèce de grosse pitié épaisse qu'il trouvait comique et qu'il avait hâte de parodier. Mais

Marcel, qui avait pourtant juré de se taire, faillit tout gâcher. Quand Thérèse eut fini ses explications et qu'elle releva enfin la tête vers le gardien qu'elle trouvait décidément très beau, le petit garçon dit candidement et très fort, probablement pour se rendre intéressant: « C'est pas mon frére, c'est mon cousin ! » Il y eut comme un moment de flottement. Philippe aurait sauté volontiers sur son cousin mais il était prisonnier de son personnage et Thérèse, de son côté, était trop épuisée par son histoire idiote et trop excitée par les yeux du gardien pour trouver rapidement une réponse quelque peu vraisemblable. En fin de compte, ce fut le gardien lui-même, dans sa grande naïveté, qui les sortit du trou en disant à Marcel sur un ton de reproche: « C'est pas beau d'avoir honte de son grand frére comme ça ! Câline ! Si j'arais un frére de même, moé, j'en prendrais soin ! » Marcel se cacha dans les jupes de sa sœur en trouvant le monsieur franchement pas mal niaiseux. Le gardien adressa à Thérèse un sourire qui la fit presque défaillir. « Amuse-toé ben avec tes frères, tite-fille... Si t'as de besoin de moé, appelle-moé... J'm'appelle monsieur Bleau... Gérard Bleau. » Il s'éloigna après avoir ébouriffé les cheveux de Philippe en signe d'amitié et de protection. Aussitôt qu'il eut le dos tourné, Philippe cessa ses grimaces. « C'est fatiquant, ça ! » C'est alors que Marcel, encore une fois dans sa grande candeur, poussa une réflexion qui déprima profondément sa sœur et surtout son cousin, soulevant un problème auquel ni l'un ni l'autre n'avaient pensé: « Flip, y va-tu être oblizé de faire des foleries de même toute la zournée ? Comment y va faire pour zouer, tout croce ? »

«Que c'est que t'en penses?» Victoire, déguisée, fardée, ridicule, se tenait devant la grosse femme, le chapeau de paille mauve mal posé sur le côté de la tête, son corps maigrichon enveloppé dans une robe de crêpe brune qui pendait inégalement sur ses jambes tordues, le visage effacé sous une couche de maquillage trop criard qu'elle avait emprunté à Albertine. La grosse femme avait toujours été franche avec sa belle-mère et cette dernière appréciait cette franchise, disant souvent de sa bru: «Est bête, mais est bête correct. Est pas comme ma fille Albertine qui a tellement peur de moé qu'al' aimerait mieux mourir plutôt que de m'avouer qu'a'vient de casser une de mes assiettes.» Ce qui était d'ailleurs faux, Albertine brisant régulièrement des morceaux de vaisselle appartenant à sa mère, par exprès, pour la faire chier, et hurlant chaque fois: «Une tasse de moins! Vot'héritage s'en va su'l'yable, moman!» ou: «J'espère que vous teniez pas trop à vot'maudite assiette chinoise laide, hein, moman, sinon, préparez-vous à brailler un bon coup!» La grosse femme était un peu interdite. Elle n'avait jamais vu sa belle-mère aussi mal arrangée et elle se demandait comment le lui dire. La totale honnêteté dont elle usait d'habitude demandait qu'elle dise à sa belle-mère quelque chose comme: «Allez vous cacher, vous faites peur!» ou bien: «Savez-vous, recommencez donc toute...» en atténuant ses dires par un sourire complice ou un grand éclat de rire. Mais la grosse femme savait que Victoire était décidée à sortir coûte que coûte et que retarder son plaisir serait cruel et inutile, aussi se contenta-t-elle de parler du chapeau que sa belle-mère détestait de toute façon. «C'est vrai qu'y'est laid, c'te chapeau-là. Quand Édouard vous l'a donné, à Pâques, j'comprenais pas pourquoi vous le trouviez si laid, mais là... » Victoire s'approcha un peu plus du fauteuil de sa bru et, se penchant sur elle, dit avec une mauvaise foi évidente : « Parle-moé z'en pas ! Tu comprends, j'sors avec Édouard, chus ben obligée de le mettre ! » Elle avait baissé le ton mais elle chuchotait tellement fort (quand elle allait à confesse, tout le monde l'entendait et les prêtres étaient obligés de lui dire : « Parlez avec votre voix ordinaire, vous faites moins de bruit ! ») qu'elle réveilla Gabriel qui dormait dans le lit à côté du fauteuil de sa femme. En ouvrant les yeux il aperçut sa mère et eut un sursaut qui fit sourire sa femme. « Calvaire, moman, que c'est que vous faites amanchée de même ! On est pas à l'Halloween ! » Victoire ne bougea pas. Elle se contenta de dévisager sa bru avec plus d'insistance. « Chus-tu si effrayante que ça à voir ? » La grosse femme haussa les épaules. « Réponds ! » « Vous comprenez... C'est un peu trop. Mauve et brun, ç'a jamais été ben ben beau... » Victoire se redressa et coupa sa bru d'un claquement de langue satisfait. « Tant mieux ! J'ai décidé de faire honte à Édouard, j'pense que j'commence ben ! » Elle se tourna enfin vers son fils et lui dit doucement : « Dors, Gabriel, dors, t'es fatiqué. Ta mére pis ton frére s'en vont faire rire d'eux autres sur la rue Mont-Royal pour passer le temps ! Dors, tu vas en entendre parler assez vite ! » Elle se détourna et sortit dignement de la chambre. La grosse femme souriait en secouant la tête. Son mari la regarda. « Tu comprends quequ'chose ? » Elle lui prit la main et la tapota doucement. « Ta mére doit avoir une vengeance à assouvir ou ben donc al'a décidé de transporter sa grande bataille avec son fils sur un autre terrain. » Gabriel aperçut le livre posé sur les genoux de sa femme. « V'la rendu que tu parles comme dans *Bug-Jargal*! Ben vite on comprendra pus c'que tu dis ! » Il se dressa dans le lit, s'appuya contre l'accoudoir de la chaise de sa femme et embrassa longuement la grosse femme sur la bouche. « L'as-tu senti bouger, aujourd'hui ? » « J'comprends ! J'ai l'impression qu'y'a hâte de sortir de d'là ! » « T'es-tu décidée pour un nom ? » « Oui. Si c'est un garçon, y va s'appeler Jean-Marc. Si c'est une fille... Denise. » « T'es ben sûre, pour Denise ? » « Oui. » Gabriel et sa femme avaient perdu une fille, Denise, leur aînée, deux ans auparavant et le soir où ils avaient décidé de faire un autre enfant, la grosse femme avait dit : « Si c'est une fille qui remplace celle qu'on a pardue, on va l'appeler Denise, comme l'autre. » Ils n'en avaient jamais reparlé mais Gabriel espérait que sa femme change d'avis. La grosse femme passa sa main dans les cheveux et sur le front moite de Gabriel. « Si tu veux vraiment pas, on cherchera un autre nom. Mais moé... j'aimerais ça. » Gabriel posa sa tête sur la vaste poitrine de sa femme. Ils restèrent ainsi assez longtemps, Gabriel à genoux dans le lit, la tête appuyée contre les seins de sa femme qui lui caressait les cheveux, le cou, le visage. « J't'aime, t'sais. » Les mots étaient sortis difficilement, la grosse femme le savait. Son mari, orateur de taverne émérite, pourtant, et pilier de party, se retrouvait étonnamment dépourvu et impuissant devant les mots d'amour. Une pudeur presque maladive l'empêchait de parler « de ces choses-là », comme il les appelait, et quand venait le temps de prouver son amour à sa femme, une claque sur les fesses ou un clin d'œil complice devaient être interprétés comme des déclarations enflammées, remplaçant les lettres qu'il n'avait jamais écrites, les fleurs qu'il n'avait jamais eu les moyens d'apporter et les mots qui restaient presque toujours bloqués dans sa gorge. « Tu sens bonne. » Après une longue caresse, la grosse femme murmura : « Va farmer la porte. »

La bouilloire sifflait depuis quelques minutes déjà quand Ti-Lou l'entendit. Rose Ouimet était à quatre pattes dans la garde-robe de la chambre de Ti-Lou, un siau d'eau posé à côté d'elle, et on l'entendait frotter et sacrer. « On dirait que c'te plancher-là a pas été nettoyé depuis le père Adam, verrat de torieux ! » Rose avait aidé Ti-Lou à s'étendre dans son lit et celle-ci trônait maintenant au milieu des oreillers et des boîtes de chocolat. « Rose, l'eau est prête pour mon bain... » Rose ne l'entendit pas ou fit comme si. La bouilloire continua à siffler. Ti-Lou choisit un des gros chocolats aux cerises, ses préférés, le posa sur sa langue et le fit éclater contre son palais. Le jus de cerises coula jusque dans sa gorge. Ti-Lou ferma les yeux. Elle mâchait lentement, avalant par petits coups, gardant la pulpe de chocolat et de jus de cerises prisonnière entre sa langue et son palais. Quand il ne restait plus rien dans sa bouche, elle ne bougeait pas, savourant l'arrière-goût qui lui picotait les papilles gustatives. « Rose, quand y'aura pus d'eau dans le canard, tu vas être obligée d'aller en mettre d'autre parce qu'y faut que j'prenne mon bain ! » Rose Ouimet s'assit sur ses talons, passa son bras sur son front en sueurs. « Que c'est que vous avez faite dans c'te garde-robe-là, pour l'amour, c'est toute collant ! » « Si j'te le dirais, tu serais choquée... » « Okay ! Okay ! ça fera, les farces plates, j'vas aller préparer vot'bain. » Elle jeta sa brosse à plancher dans le siau d'eau et sortit de la chambre en maugréant. Ti-Lou se choisit un autre chocolat, à l'érable celui-là, et se concentra sur le goût de l'érable qui se mariait si bien à celui du chocolat. Pour nettoyer le plancher de la garde-robe, Rose avait été obligée de sortir l'invraisemblable collection de souliers du pied gauche que Ti-Lou traînait avec elle depuis des années, qui avait été son orgueil mais était vite devenue, après l'ablation de sa jambe droite, l'objet de ses malédictions et de sa haine. Ti-Lou, à l'époque où elle était encore puissante et louve, se vantait à qui voulait l'entendre de posséder cent huit paires de souliers (elle n'en possédait vraiment que cinquante-quatre mais la louve d'Ottawa multipliait toujours tout par deux) et autant de paires de gants (on la voyait pourtant toujours avec les mêmes gants longs en soie noire, mais peut-être toutes ses paires de gants étaient-elles pareilles), et quand un client un peu plus sceptique que les autres osait douter de sa puissance et de son emprise sur Ottawa, Ti-Lou sortait du lit comme s'il avait été un bénitier et elle un démon, se précipitait vers l'armoire en bois qui occupait un coin de sa chambre, en ouvrait toutes grandes les portes, disant : « R'gardez, cent huit paires ! Connaissez-vous une femme qui a cent huit paires de suyers pis qui est pas puissante ? » Comme le client récalcitrant ne connaissait de toute façon personne qui était même intéressé à posséder plus de quatre ou cinq paires de souliers, il s'excusait poliment, amusé de la naïveté de Ti-Lou... Certains allaient même jusqu'à lui en offrir une cent neuvième paire, ce à quoi Ti-Lou répondait invariablement : « Me prenez-vous pour une folle ? Cent huit, c'est assez. Passé cent huit, ça pourrait commencer à ressembler à de la complaisance ! » Elle avait appris la signification du mot « complaisance » un soir où, recevant des personnalités de France, un ambassadeur, deux attachés culturels, et l'inévitable évêque de service, Mgr Brunet, qui passait ses journées à hanter les corridors du Parlement à la recherche de « personnes intéressées à rencontrer une dame de la société d'Ottawa, la plus belle et la mieux tournée... » (Ti-Lou soupçonnait quelques ministres d'avoir engagé Mgr Brunet pour faire de la publicité à sa maison et ces mêmes ministres la soupçonnaient, elle, de la même chose mais l'évêque était tout simplement fou de Ti-Lou et tous les moyens lui étaient bons pour se trouver des raisons de venir chez elle), elle était montée trois fois à sa chambre pour se changer, paradant devant ses invités de marque d'abord dans une robe fuchsia « pour rappeler à mes invités que l'été existe encore même si on est en plein cœur de février », avait-elle dit, puis dans une robe vert émeraude d'une laideur repoussante mais qu'elle aimait particulièrement, puis successivement dans une robe blanche, « la pureté de mon âme », et une noire, « la pureté de vos intentions », époustouflante de mauvais goût, colorée comme un clown, mais beaucoup plus amusante, généreuse à l'excès en clins d'œil et en coups de hanche. Mgr Brunet s'était donc approché d'elle au milieu de la nuit et lui avait glissé à l'oreille : « Tout cet étalage que vous faites de vos toilettes, mais ça frise la complaisance ! » Ti-Lou avait pris cette remarque pour un compliment à la limite du reproche, elle avait trouvé que cela sonnait bien et le mot « complaisance » était entré dans son vocabulaire. En ouvrant les yeux après avoir épuisé le goût du chocolat et de l'érable, elle vit l'amoncellement de souliers du pied gauche (après son opération, elle avait jeté tous les souliers du pied droit, insistant pour les mettre elle-même à la poubelle même si ses nouvelles béquilles compliquaient ses allées et venues) qui trônait à côté de son lit et elle se mit à rire amèrement. « Des fois, tu penses avoir enfin oublié tes malheurs, pis la chienne de vie vient toujours te les rappeler en les multipliant par cent huit ! » « Vous parlez tu-seule, à c't'heure ? » Rose se tenait dans la porte, la bouilloire à la main. « J'ai toujours parlé tu-seule parce que j'ai jamais rencontré parsonne d'assez intéressant pour y parler vraiment ! » Étonnée par la prétention de ce qu'elle venait de dire et surtout par l'inexactitude de ses propos, elle qui avait passé sa vie à se raconter en long et en large, en en remettant toujours, n'omettant que les détails vraiment sans intérêt, et même là, pas toujours, Ti-Lou baissa un peu les yeux et se râcla la gorge « C'est prête, là ? » « Oui, voulez-vous que j'vous transporte ? » « Chus capable de marcher tu-seule ! » Rose Ouimet lui tourna le dos, espérant qu'elle aurait toutes les difficultés du monde à s'extraire de son lit. Ti-Lou s'empara de ses béquilles, posa son pied gauche par terre et, se donnant un élan, réussit à se mettre debout sans trop d'efforts. « Pendant que j'vas être dans le bain, quand t'auras fini de me frotter le dos, tu viendras cacher les maudites bottines qui traînent partout, ici-dedans ! Parsonne t'a jamais appris la délicatesse, verrat ? » Pas de réponse. « M'entends-tu ? » Ti-Lou longeait maintenant le corridor. « Si la chambre de bains était pas si loin, aussi ! As-tu entendu c'que j't'ai dit, Rose, oui ou non ? » Rose Ouimet sortit de la salle de bains et, pour la première fois, Ti-Lou s'aperçut à quel point la grossesse lui allait mal. « C't'enfant-là doit le sentir que sa mére est pas ben dans sa peau... » « J'vous ai entendue, vous criez assez fort ! Si vous aviez pas cent huit suyers, ça ferait pas un si gros paquet ! » « J'en ai pas cent huit, j'en ai juste cinquante-quatre ! » « Pourquoi que vous dites toujours que vous en avez cent huit, d'abord? « J'comptais les suyers par paires ! cinquante-quatre paires, ça fait cent huit suyers ! » « Mais vous dites jamais cinquante-quatre paires, vous dites toujours cent huit ! » « Oui, mais parce que j'ai rien qu'un suyer par paire ! T'as pas encore vu que j'ai rien qu'une jambe, tornon? » « Ben oui, mais c'est justement ! Vous avez jeté la moitié de vos suyers, pis au lieu de diviser par deux, vous multipliez toute par deux ! Cent huit paires de suyers, ça fait deux cent seize suyers, ça fait pas cinquante-quatre ! » « Aïe, qui c'est qui est le boss, icitte ? » Rose Ouimet ouvrit de grands yeux. « C'est pas parce que vous êtes le boss que ça vous donne raison ! » « Oui, ça me donne raison, pis achale-moé pus avec ça ! » Une douleur lancinante au bout de son moignon la fit sursauter. Elle perdit l'équilibre, laissa glisser une béquille, s'appuya contre le mur. « Que c'est que vous avez ! » Ti-Lou avait pâli affreusement. Elle tremblait comme une feuille. « Ça m'a faite mal ! Mon Dieu que ça m'a faite mal ! » « Où, ça ? » « J'veux pas que ça recommence à me faire mal ! » Ti-Lou regardait Rose avec des yeux suppliants. « Si ça recommence, ça veut dire que c'est la fin ! » « Ben non, ben non, ça va passer... Appuyez-vous de contre moé, là, pis rentrez dans l'eau. » Ti-Lou avait laissé glisser sa robe de chambre par terre. Rose Ouimet l'aida à entrer dans l'eau. « C'est pas trop chaud ? » « Non, non, c'est correct, ça fait du bien... » Rose Ouimet, la main recouverte d'un gant de ratine, entreprit de frotter les épaules et le cou de Ti-Lou avec de l'eau savonneuse mais quelque chose attira son attention: le bout de jambe droit de Ti-Lou flottait et une tache noire soulignait la cicatrice à l'extrémité du moignon. « C'est drôle, le boutte de vot'jambe droite est tout noir ! » Ti-Lou hurla comme si on lui avait arraché le cœur.

Habituellement, l'odeur était tellement forte que les rares visiteurs qui s'aventuraient jusque-là précipitaient presque tous leur visite, se bouchant le nez, pouffant, les parents quelquefois gênés, les enfants toujours hilares. Richard, lui, trouvait un refuge dans ces remugles pour lui sécurisants et chaque fois qu'une peine trop grosse pour son corps frêle s'abattait sur lui, il courait jusqu'ici, parfois d'une traite, et venait s'appuyer contre la clôture circulaire qui empêchait les tortues, pourtant à moitié mortes de chaleur et de malnutrition, séchées, plissées, malades, leur carapace grise et molle, de s'échapper. Il ne s'arrêtait jamais devant les deux ours depuis le jour où il s'était rendu compte que les pauvres bêtes avaient la pelade et que la maladie empirait de semaine en semaine; il ignorait les singes qui le faisaïent rougir avec leurs gestes obscènes, se masturbant à la journée longue au grand amusement des adolescents boutonneux qui venaient là uniquement pour les voir se soulager; parfois il jetait un coup d'œil, mais très rapide, au renard solitaire qui hurlait de frustration en courant de long en large quand venait le temps des amours, mais les tortues... Il pouvait passer des heures à regarder ces choses hideuses essayer de se rafraîchir dans une eau tiède et croupissante, leurs têtes pointées vers le ciel dans un geste de supplication, la bouche ouverte, édentée, immobiles comme une tragédie. C'était cette immobilité qui fascinait le plus Richard, ce tableau que les tortues offraient du malheur immuable, à la fois conquérant et résigné, figé une fois pour toutes dans l'espace et le temps, niant le passé, déjà maître de l'avenir, coulé dans la défaite et s'en repaissant. Richard aurait voulu être une de ces tortues, il était une de ces tortues, quand les angoisses de l'âme empêchaient son corps de réagir : il avait choisi l'immobilité des tortues plutôt que d'essayer de résister à ses penchants morbides naturels et vivre. Il était une victime-née et les tortues du parc Lafontaine un reflet de l'image qu'il se faisait du monde à l'intérieur duquel il évoluait, ou, plutôt, il n'évoluait pas. Mais en ce superbe début de mai, aussi beau, aussi clément fût-il, il était trop tôt dans la saison et le petit zoo du parc Lafontaine était encore fermé. Richard se promenait au milieu des cages désertes à la recherche de relents d'animaux malades qui auraient pu rester accrochés aux branches des arbres ou au grillage des prisons, mais l'hiver avait depuis longtemps chassé tous ces vestiges du malheur et une bonne odeur de printemps régnait sur tout. La senteur forte et insistante de ces animaux pourrissant sur pieds ne reviendrait sécuriser son âme qu'au début des vacances d'été. Richard s'était toujours demandé où on cachait les animaux, l'hiver. Il se plaisait à imaginer qu'on les enfermait dans une cave profonde et humide, sous le parc, sans air, sans eau, sans nourriture, pour qu'ils acceptent leur prison de l'été comme une récompense. Il s'accroupit dans la terre encore saturée d'eau à côté de la cage aux tortues et laissa sa haine déferler tel un torrent gorgé par les eaux du printemps, fracassant tout sur son passage, emportant des pans de terre entiers, charriant des billots qui se brisaient comme des allumettes sur les rochers pointus et coupants, envahissant tout d'un seul coup, submergeant tout avant même qu'on pense à réagir : un jour, il sauterait sur son frère Philippe, l'attacherait à un arbre comme les Indiens avaient fait des missionnaires blancs, il s'installerait par terre devant lui et l'abreuverait d'injures, hurlant et gesticulant, appelant sur lui la colère de Dieu, le seul châtiment digne de lui ; ensuite, il le frapperait à la figure, au corps, avec ses poings, jouissant de lui voir le visage bleuir et d'entendre sa voix devenir enfin suppliante, suppliante, suppliante ! puis il l'écorcherait vif, petit morceau par petit morceau, crevant ses yeux fouineurs, lui arrachant sa langue de vipère, décortiquant, épluchant ses membres de singe obscène, enfin il lui donnerait son coup de grâce, l'étranglant de ses propres mains, en hurlant dans ses oreilles : « Meurs, chien sale ! Descends en enfer rejoindre tes semblables ! Pis laisse-moé tranquille une fois pour toutes ! » Une douce chaleur s'était emparée de lui pendant qu'il rêvait, heureux, vengeur, pourfendeur du Mal, réceptacle du Bien, digne des Saints les plus Méritants et des Soldats les plus Braves, mais il se rendit compte à sa grande honte qu'une érection l'avait surpris au milieu de ses élucubrations et qu'un liquide chaud et collant mouillait sa culotte. Sa première éjaculation. Et il comprit enfin ce que l'immobilité des tortues pouvait avoir de gratifiant.

Victoire n'était pas sortie de la maison depuis plus de deux ans. La dernière fois, elle s'en souvenait trop bien, c'était au tout début de la guerre, à Noël 1939, ce fameux soir où Paul, le mari d'Albertine, avait annoncé qu'il venait de s'enrôler et qu'il risquait de partir pour l'Europe d'un jour à l'autre. La nouvelle avait quelque peu refroidi le réveillon qui avait lieu chez la sœur de Victoire, Ozéa, qui habitait rue des Érables près de Marie-Anne depuis quarante ans et qui s'imaginait que c'était encore un quartier chic même si elle voyait de plus en plus de familles pauvres du quartier Hochelaga venir s'installer dans les maisons voisines de la sienne. (Ozéa disait souvent à Victoire : « J'sais pas comment c'est que vous faisez pour rester oùsque vous restez. Y'a à peu près un million d'enfants sur c'te rue-là, y'a pas moyen de se reposer cinq menutes ! » Ce à quoi Victoire répondait : « Ma grand'foi du bon Dieu, t'es sourde, ma pauvre Ozéa ! Ouvre ton châssis, pis écoute ! Y'a autant d'enfants sur la rue des Érables que par chez nous, à c't'heure ! » Ozéa se contentait de sourire. « T'es jalouse. T'as toujours été jalouse parce que t'as marié un tout-nu pis que mon Gaspar en a de collé ! » « Les enfants du boutte viendraient te voler ton argent dans ton propre tablier pis t'avouerais pas encore qu'y sont là, hein ? ») Toujours est-il que le réveillon d'Ozéa s'était terminé dans le charivari le plus complet, Paul ayant décidé de se paqueter une dernière fois en famille et s'étant mis à dire à tous et à chacun ce qu'il pensait d'eux : il avait insulté Gabriel, son beau-frère, le traitant de mou, de sans-cœur et de téteux de petit-lait ; il avait copieusement injurié Édouard qu'il appelait toujours sa belle-sœur manquée, il était même allé jusqu'à le frapper au visage en le qualifiant de « tapette à sa moman », ce qui avait fait rire Édouard mais pas Victoire ; enfin, aux petites heures du matin, il avait pris sa femme et sa belle-mère à part pour leur mettre sur le dos sa vie manquée, son malheur en ménage, son début d'alcoolisme, sa calvitie naissante, ses dents cariées, ses chevilles faibles et même les trous dans ses bas et les cernes de sueur sous les aisselles. Et tout cela à haute voix, devant toute la famille réunie, devant Ozéa, surtout, qui avait pincé la bouche et mis la main sur son cœur. Depuis cette nuit-là, Victoire avait toujours refusé de sortir, même pour aller à la messe. Elle n'avait jamais plus adressé la parole à Paul qui avait d'ailleurs disparu assez rapidement de la circulation, les clous aux bottines de soldat sonnant fort sur le trottoir de ciment et le béret bien droit, fier, content, s'imaginant qu'il allait enfin réussir sa vie. Victoire n'avait pas non plus revu sa sœur Ozéa qui, d'ailleurs, n'avait jamais essayé de la contacter. Cette nuit de Noël avait été l'événement ridicule, la brisure grotesque qui sépare quelquefois à jamais les membres d'une même famille. Victoire avait eu honte de son gendre, elle avait aussi eu honte de sa fille qui en avait profité pour faire une crise d'hystérie très laide et trop longue, et rien ne pourrait jamais raccommoder cette honte. Elle s'était donc enfermée dans la maison et n'en était plus jamais ressortie. Seul Josaphat-le-Violon, le frère aîné de Victoire, venait encore régulièrement faire son tour mais la vieille femme était restée mal à l'aise assez longtemps avec lui. « Si Josaphat a pas de mémoire, moé j'en ai ! » Mais en ce glorieux jour de printemps, sans trop comprendre pourquoi, Victoire avait soudain ressenti le besoin de sortir, de changer d'air, d'emplir ses poumons et ses yeux d'une vie nouvelle, d'une sève neuve, régénératrice, peut-être pour se donner le courage d'affronter les grandes chaleurs qui approchaient à grands pas et qu'elle détestait tant. Victoire était une femme d'hiver et les étés la déprimaient. Mais lorsqu'elle se vit toute habillée et prête à partir, elle eut un moment d'hésitation. Elle tenait le bras d'Édouard et allait poser le pied sur la première marche au bout de l'escalier lorsqu'elle s'arrêta soudain, se raidit, s'appuya contre la main courante. Avait-elle vraiment envie d'aller parader rue Mont-Royal au bras de cet énorme bébé qu'elle adorait mais qu'elle savait ridicule et même risible ? « Êtes-vous malade ? » Édouard avait sauté sur le mot « malade » que sa mère employait si souvent et qui semblait cimenter toute sa vie, dans l'espoir qu'elle déciderait à la dernière minute de ne pas mettre son projet à exécution. Mais Édouard commit la grande erreur de laisser paraître cet espoir et sa mère sourit. « Moé, malade ? Depuis quand ? Non, non, non, j'ai juste eu un petit vartige. Quiens-moé ben, pis y'aura pas de danger. » Elle reprit le bras de son fils. « Envoye, marche ! » Rose, Mauve et leur mère Florence entendirent la courte conversation entre Édouard et Victoire, et Mauve murmura, surprise : « Moman, Victoire sort... » Rose se leva, descendit les marches du perron, effrayant Duplessis qui jouait toujours avec la balle de laine verte. Elle vint se planter contre la clôture, les yeux levés vers Victoire et Édouard qui descendaient lentement. Mauve vint la rejoindre. « Comme al'a vieilli... » Florence restait immobile, les mains sagement posées sur les genoux. « V'nez voir, moman, comment c'est qu'al'a de la misère à descendre ! » « J'le sais qu'al'a de la misère, j'ai pas de besoin d'aller voir. » À chaque marche, Victoire poussait un soupir. À la huitième, elle dit: « Ouf, la moitié de faite ! » Elle s'arrêta un peu pour souffler. « Que c'est que ça va être quand on va revenir ! » Elle aperçut Duplessis qui s'était rejeté sur la balle de laine sans plus s'occuper de Rose et de Mauve. « Gard, le maudit chat à Marie-Sylvia qui joue avec rien, un vrai fou, j'te dis, c'te chat-là, c't'un vrai fou ! » Elle se mit à faire des tchttt ! tchttt ! pour faire peur à l'animal mais Duplessis décida qu'il ne l'entendait pas. « Moman, vous allez tomber ! » « Ben non, j'tomberai pas ! J'ai déjà descendu un escalier, bonyeu ! » « Mais pas en essayant de faire peur à un chat ! Faites donc une chose à'fois, vous y ferez peur quand vous serez rendue en bas. » Victoire et Édouard reprirent leur descente, lentement, marche par marche. « Rose, Mauve, v'nez vous assir. » Florence n'avait pas levé la tête. Rose et Mauve lui obéirent à contrecœur. Elles s'assirent sur leurs chaises droites, sans quitter Victoire des yeux. « Travaillez, un peu. » Arrivée au bas de l'escalier, Victoire redressa un peu son affreux chapeau. « Le pire est faite ! J'ai toujours trouvé c't'escalier-là trop à pic ! » Elle fit quelques pas au bras d'Édouard puis s'arrêta pile devant le perron de Florence comme si elle avait senti qu'on l'observait, tout d'un coup. Florence venait de lever les yeux sur elle. Rose et Mauve virent une infinie tendresse envahir le regard de leur mère. Un vague sourire apparut même sur ses lèvres. Victoire tourna brusquement la tête vers la maison des tricoteuses. « Que c'est que vous avez, encore, moman ! » Victoire laissa le bras d'Édouard et s'approcha à petits pas de la clôture que Rose et Mauve venaient de quitter. « Laissez-lé donc faire, c'te chat-là, y va finir par s'en aller tu-seul... » Sans le savoir, mais peut-être le sentait-elle, au fond, Victoire regardait Florence droit dans les yeux. Rose et Mauve retenaient leur souffle. Victoire déposa son sac sur un des piquets de clôture. « C'est drôle, hein, Édouard, c'te maison-là a toujours été vide. Quand on est arrivés icitte, y'a quarante ans, c'tait vide, pis c'est encore vide. » Elle regardait maintenant la porte, les fenêtres, le perron. « Pis c'est toujours propre. » Elle enleva un gant, passa sa main sur quelques piquets. « C'est frais peint, comme chaque année. » Elle releva les yeux vers Florence. « C'est drôle, partout oùsque j'ai été, partout oùsque chus restée, y'a toujours eu une maison vide à côté d'oùsque j'étais. Quand j'étais petite, à Duhamel, la maison à côté de chez nous était abandonnée pis mon pére voulait pas qu'on y alle. È'tait abandonnée, mais è'tait toujours propre comme une pognée de porte frottée avec du Brasso. Comme si quelqu'un en avait pris soin. En hiver y'avait des châssis doubles, en été y'avait des screens. En automne ça sentait le ketchup rouge. Au printemps y'avait d'la peinture fraîche partout. Mais on a jamais vu personne là. Jamais. Comme icitte. » Au même moment la porte s'ouvrit derrière Florence et Violette sortit sur le perron. De la fenêtre du salon où elle se reposait, elle avait vu Victoire s'arrêter devant leur maison. « Moman, a'vous regarde ! A'vous voit ! » « Non, Violette. Est pas assez folle. Est pas encore assez folle. » En voyant la porte s'ouvrir, Victoire avait eu un haut-le-corps. Elle avait reculé de quelques pas. « La porte s'est ouvarte tu-seule ! C'est pas barré ? » Édouard la prit par le bras. « Ces vieilles maisons-là... Toute s'ouvre tu-seul... Ça doit être les enfants qui sont allés jouer là, encore... » « Va fermer la porte, Édouard ! » « Moman, y'est passé trois heures pis on est pas encore partis ! » « Va fermer la porte ! »

Édouard poussa la barrière de la clôture et s'engagea dans la petite allée de ciment qui traversait le parterre. Il grimpa les trois marches du perron, passa à côté de Florence qui n'avait pas bougé, à côté de Violette qui s'était tassée de quelques pas, et ferma la porte brusquement. « Bon, ben là, on y va... » Quand Victoire et Édouard se furent éloignés, Florence éclata de rire sous le regard horrifié de ses trois filles. « J'espère que la porte est pas barrée ! »

Albertine passait et repassait devant la porte fermée de la chambre de Gabriel et de la grosse femme. « À leur âge, franchement ! Pis elle qui est enceinte de quasiment huit mois ! Des fois, j'me d'mande si chus pas entourée par une gang de cochons... » Maintenant qu'elle se retrouvait seule, elle pouvait se laisser aller à sa mauvaise humeur coutumière, sa promesse à Thérèse d'avoir l'air moins bête ne la concernant pas elle-même personnellement... « J'ai promis d'essayer d'être de bonne humeur avec les autres pour pas faire peur à Marcel, mais j'ai rien promis pour moé ! » Lorsque Thérèse et Marcel étaient partis pour le parc Lafontaine, un peu avant midi, Albertine, se sentant un peu délestée de sa promesse, avait failli éclater en cris et en blasphèmes, elle avait senti des mots brûlants de rage lui monter à la gorge, prêts à sortir en jets bilieux, éclaboussant tout le monde, clouant sa mère au mur, aspergeant de mépris son frère Édouard, mais elle s'était retenue, se disant qu'il valait peut-être la peine d'essayer de terminer la journée comme elle l'avait commencée, que cela n'avait pas été si difficile, en fin de compte, d'être gentille et douce extérieurement depuis le matin alors que ses intérieurs se nouaient et se dénouaient au gré de sa colère, que c'était un apprentissage et, qui sait, qu'à force de travailler à son nouveau personnage, elle finirait peut-être par se faire croire à elle-même que la vie n'est pas si mauvaise et qu'un sourire finit toujours par annuler les irritations, les emportements, les bourrasques qui fatiguent tout le monde, surtout ceux qui y sont sujets. « Prends une grande respiration, compte jusqu'à dix, pis souris... » Mais déjà elle avait failli perdre patience, un peu plus tôt, alors qu'elle lavait la tête de sa belle-sœur et elle avait dû se contrôler pour ne pas laisser la grosse femme en plan, la tête pleine de savon et le cou mouillé, lui criant : « Avant d'être de même, vous étiez capable de vous laver tu-seule, tornon ! Ben vous vous laverez quand le p'tit s'ra arrivé ! Vous avez voulu avoir un bebé à l'âge oùsque les autres femmes commencent à être grands-méres, ben tant pire pour vous ! » Là encore elle avait réussi à se contrôler, cependant, mais à quel prix ! En sortant de la chambre de sa belle-sœur, son ouvrage fini, la bassine savonneuse lui glissant entre les bras, elle avait senti le premier avertissement : cet anneau de métal qui lui serrait le front, les tempes, la nuque quand une de ses horribles migraines s'annonçait, habituellement après une chicane avec sa fille ou une gaffe de son fils. Elle était allée vider le contenu de la bassine dans l'évier de la cuisine. « Y faut pas que j'aye mal à'tête, si j'ai mal à'tête, j'vas toute casser dans'maison ! » Et quand elle avait vu sa mère, endimanchée comme un épouvantail qui aurait décidé d'aller à la messe, sortir au bras d'Édouard, s'arrêter sur le pas de la porte, se tourner vers elle et lui dire : « J'le sais que tu te forces pour être fine, aujourd'hui, Albertine, mais laisse-moé te dire que ça te fait pas ! T'as l'air d'une vache qui rumine une crise de foie ! », une vague de douleur avait frappé son cerveau et elle avait levé les bras vers la vieille femme, comme pour la supplier ou l'étrangler, elle ne savait trop. La douleur était restée là, accrochée derrière l'œil gauche, battant la chamade au rythme de son sang. Et maintenant, cette porte close entre sa solitude qu'elle n'avait jamais réussi à combler, mal mariée qu'elle était, mal baisée, vite écœurée d'un mari malhabile et égoïste, et le bonheur de son frère qu'elle ne pouvait pas s'empêcher de trouver grotesque, cette porte close sur des rires enfantins et des soupirs complices l'insultait comme une injure cuisante. Elle passait et repassait devant la chambre, toussant, se mouchant, bardassant les chaises de la salle à manger, marchant le plus fort qu'elle pouvait, incapable de s'avouer qu'elle enviait Gabriel et la grosse femme. Sa tête la faisait souffrir terriblement et elle s'arrêtait parfois au milieu du corridor ou dans la porte de la cuisine, comme frappée de stupeur, des larmes plein les yeux, des sanglots lui secouant les épaules, jusqu'au moment où, n'y tenant plus, elle se jeta contre la porte fermée et se mit à frapper de toutes ses forces avec son bras droit, hurlant d'une voix désespérée : « Vous avez pas le droit d'aimer ça ! Vous avez pas le droit ! Pas dans ma face ! Pas tant que chus là ! Vous avez toutes les nuits pour cacher vos cochonneries, laissez-moé donc mes journées ! » La porte s'ouvrit et Albertine tomba dans les bras de son frère. La grosse femme enceinte regardait par la fenêtre. Ses bras pendaient de chaque côté du fauteuil. *Bug-Jargal* avait glissé par terre.

(C'est ainsi que Ti-Lou se plaisait à raconter les faits: « J'ai toujours été ben dure pour mon corps. J'ai jamais eu peur ni de l'ouvrage, ni des souffrances... pourtant le bon Dieu est là comme témoin pour dire que j'ai travaillé pis que j'ai souffert en pas pour rire dans ma vie! Dans ma maison d'Ottawa, j'avais pas de jours off, moé, non, c'tait sept jours par semaine, cinquante-deux semaines par année, pis envoye donc! C'tait toute un bail que j'avais signé là... Mais grâce au ciel j'avais une santé du yable pis surtout une volonté du verrat, ça fait que quand j'sentais qu'un p'tit bobo commençait à me chatouiller, j'le knoquais avec un vingt-six onces de gin ou de rye, pis good bye la compagnie! J'ai eu trois tours de reins, un bras cassé, des maux de tête écœurants, un nombre incalculable de maladies honteuses, pis ça m'a jamais empêchée de travailler! Pour régner, y faut que tu t'oublies; si tu penses trop à toé, les autres en profitent, pis y te prennent ta place! Quand t'es-t'au top, t'as pus les moyens d'avoir mal nulle part! Ça fait que même quand j'avais de la misère à me tenir deboutte, pis même quand j'pouvais pus me tenir deboutte pantoute, j'faisais semblant de rien, j'souriais, j'paradais pis j'continuais à envoyer au septième ciel des hommes qui auraient même pas mérité que j'leu'fasse une vente au sous-sol! J'me rappelle, à un moment donné, j'avais un tour de reins, j'étais pliée en deux, j'pouvais quasiment pas grouiller, ben j'ai quand même reçu le premier ministre lui-même en parsonne, assis dans mon lit, au milieu de mes oreillers, chus restée comme ça tout le temps qu'y'a été là, pis y'a jamais su que j'tais pas ben ! C'tu assez fort? Ti-Lou, a'chargeait cher, mais a'vous en donnait pour votre argent! Ma maison était peinturée en blanc pis c'est moé qui payais la peinture... Quand j'ai pris ma retraite, en 1925, pour venir m'installer icitte parce qu'Ottawa est une ville oùsque tu prends pas ta retraite, c'est trop plate, pis surtout parce que le monde me connaissait trop, là-bas, j'risquais de me faire gâcher ma vieillesse par des femmes jalouses ou ben donc une nouvelle génération de ministres trop ben informés... quand chus venue m'installer à Montréal, j'me disais, ah ! le boulevard Saint-Joseph, des docteurs, des dentistes, des retraités comme moé, j'vas être ben, j'vas être tranquille... pas trop loin de la rue Mont-Royal pis des magasins, pas trop proche non plus... L'église en face (j'avais encore quequ'robes pas piquées des vers à montrer), la p'tite école aussi, les cris des enfants pendant la récréation, le vrai paradis ! Ça fait que j'me sus-t'installée icitte y'a douze ans, après trente ans de party, la tête pleine de souvenirs, le compte en banque plein de chèques antidatés, pis la table du salon couverte d'annonces d'agences de voyages pis de compagnies de navigation : aïe, Cunard, c'te mot-là m'avait faite rêver toute ma vie ! Les bateaux, les îles, l'océan, Buenos Aires, Montevideo, Vera Cruz, Miami, Rio de Janeiro ! Le tour du monde dans un palais flottant, pis Ti-Lou, la louve flottante, qui fait son tour ! Je l'avais mérité pis j'm'en allais me le payer ! Ben trois semaines avant de partir j'me sus mis à boiter comme une infirme : j'avais la jambe droite qui m'élançait comme le verrat pis j'avais toute la misère du monde à dormir... J'ai faite venir le docteur Sanregret, y reste à côté, y'avait juste le passage à traverser, pis moé ça me tentait pas d'aller attendre pendant des heures avec sa gang de tout-nus qui toussent pis qui crachent sans jamais se regarder les uns les autres tellement y'ont honte... Ben j'avais la diabète, bâtard ! Pus de sucre ! Défendu ! Aïe, moé couper le sucre ? Pus de chocolat ? Pus d'honeymoons ? J'ai dit au docteur qu'y me connaissait ben mal pis je l'ai sacré dewors. Pis chus restée avec mon mal. Pour la première fois de ma vie, la maladie m'a empêchée de faire quequ'chose : chus pas partie en voyage, ma jambe me faisait trop souffrir. Mais j'ai la tête dure, pis j'ai pas coupé le sucre. Encore, aujourd'hui... Toujours ben que chus restée de même pendant des années. Quand ça me faisait trop mal, j'demandais au docteur Sanregret de me prescrire des gouttes calmantes, pis y m'en fallait de plus en plus parce que ça faisait de plus en plus mal, mais ça fait rien, j'endurais sans rien dire à parsonne. J'avais ben remarqué que ma p'tite orteil droite noircissait mais j'pensais que j'm'étais cogné le pied quequ'part ou quequ'chose du genre... Pis un bon jour, j'm'en allais prendre mon bain, j'm'en rappelle comme si c'était hier, j'me sus rendu compte que mon orteil était rendue noire comme du charbon pis que mon pied commençait à noircir lui itou... J'me sus dit qu'y faudrait ben que j'me décide à faire venir le docteur. J'rentre dans mon bain, toujours, j'commence à me laver le pied droite... pis mon orteil me reste entre les mains ! J'avais la débarbouillette dans les mains, pis j'voyais mon orteil, au milieu, qui avait l'air d'un vieux raisin séché... pis ça me faisait même pas mal ! » Arrivée à cette phase de son récit, Ti-Lou s'arrêtait toujours quelques secondes pour laisser à son interlocuteur le temps de réaliser toute l'horreur de ses dires, puis, quand elle était bien sûre de son effet, elle ajoutait candidement : « Voulez-vous la voir ? Je l'ai encore... » Évidemment personne n'avait jamais voulu voir son orteil droit calciné et on n'avait jamais su si la louve d'Ottawa possédait vraiment son petit morceau de charbon... Cependant, Ti-Lou poursuivait: « Trois jours plus tard, j'me sus réveillée avec une jambe coupée. Moé, Ti-Lou, la louve d'Ottawa, la terreur des femmes de ministres, la reine du Parlement, j'me retrouvais à plus de cinquante ans comme un vétéran de la guerre de quatorze qui arait mis le pied sur une mine juste avant de prendre le bateau pour rentrer en Canada! J'ai braillé pendant un an au grand complet... J'avais l'impression d'être juste la moitié de moé-même. Ben, vous comprenez ben, ces jambes-là avaient servi sur un temps rare! Ces jambes-là en avaient faite damner, du monde, en trente ans de bals pis de parties de fesses! Réapprendre à marcher à cinquante ans, c'est pas drôle! Les béquilles... J'pourrais en parler pendant des semaines des maudites béquilles pis j's'rais encore ben loin de tout c'que j'en pense! Se planter devant un miroir avec une robe neuve pis trois jambes dont deux sont en bois pis t'empêchent de bouger c'est la pire expérience qu'une guidoune peut connaître! À c't'heure... Quand j'ai les yeux vitreux, dites-vous que chus correcte, que j'ai toute oublié, que les gouttes du docteur Sanregret font encore effet... Mais quand j'ai les yeux secs, laissez-vous pas tromper: si chus de bonne humeur, croyez-moé pas; si chus de mauvaise humeur, parlez-moé pas; si chus-t'en calvaire, évitez-moé. ») Quand Rose Ouimet eut terminé de sécher Ti-Lou et de la mettre au lit, la vieille femme pleurait encore. Elle répétait sans cesse: « C'est la fin! C'est la fin, Rose, tout est fini! » Rose sentait comme une boule, au fond de sa gorge, qui l'empêchait de parler. Elle aurait voulu consoler Ti-Lou ou, du moins, essayer, mais quelque chose lui disait que cela n'aurait servi à rien. Cette ligne noire au bout de la jambe de Ti-Lou était la condamnation définitive, l'ultime arrêt de mort signé par le démon lui-même et rien, ni les paroles ni les caresses, n'y changerait quoi que ce soit. Ti-Lou demanda ses gouttes. Rose les lui rapporta du salon. « Tu peux partir, à c't'heure. Laisse faire le ménage. J'ai pas le goût de te voir te barouetter à travers la maison avec ton gros ventre. Va te reposer, t'es fatiquée. » Quand Rose Ouimet sortit de chez Ti-Lou, bouleversée, écœurée, trois heures sonnaient à l'horloge grand-père, au bout du corridor. « C'est payer ben cher, même pour une guidoune ! »

Le souvenir de Marcel et de son odeur de pipi séché surprit Duplessis au beau milieu de l'assassinat de la balle de laine verte. Il disparut du parterre de Florence tellement vite que les quatre tricoteuses, qui pourtant voyaient tout, ne s'en aperçurent même pas. Seule Mauve crut voir du coin de l'œil une ombre passer entre les barreaux de bois (elle avait tiré sa chaise à l'extrémité gauche du balcon pour pouvoir appuyer sa tête contre la colonne qui soutenait celui du deuxième) mais elle venait de laisser glisser une maille et elle ne fit pas attention au chat, concentrée sur son ouvrage. Duplessis décida, au lieu de suivre les clôtures ou le trottoir de ciment, de passer à travers plates-bandes, parterres et clôtures pour se rendre à la rue Mont-Royal. C'était plus long, mais plus agréable. Au cœur de l'été, cela aurait été encore plus merveilleux à cause des fleurs de madame Rivest qui attiraient les abeilles et les papillons, victimes chéries de Duplessis (« Les papillons, c'est dur à attraper, mais c'est tellement bon! Pis les abeilles, à c't'heure! Ça vaut la peine de risquer de se faire piquer pour se payer le luxe de mordre dans les gros corps juteux...»), ou encore du gazon des Beausoleil qui n'était jamais coupé et qui offrait à tous les chats du voisinage un terrain de chasse et un refuge idéaux avec leurs cachettes naturelles et leurs tunnels verts même quand le soleil devenait intolérable, mais Duplessis se disait que le gazon naissant, les crocus déjà fleuris et les omniprésents pissenlits avaient quelque chose de prometteur qu'il trouvait touchant: le gazon allait pousser, fol et fou; les crocus allaient disparaître pour faire place au muguet; les pissenlits allaient se changer en boules de soie blanche qu'il s'amuserait à détruire d'un seul coup de patte expert, semant à tout vent des ballerines trop légères pour se poser et qui flotteraient au gré de la brise, figées dans des figures peut-être compliquées mais combien gracieuses. Du moment qu'il avait compris que Marcel n'était pas dans les parages (à cette heure de la journée le petit garçon aurait dû normalement être en train de faire un mauvais coup sous l'escalier ou dans le carré de terre, au bord de la rue, mais aucun cri de joie ne retentissait ni aucun rire incontrôlé), Duplessis avait décidé d'aller le chercher dans le seul autre endroit où il pouvait être: le parc Lafontaine. L'été précédent, à l'époque où l'amitié entre Duplessis et le petit garçon s'était transformée en véritable passion, cette maladie bénie entre toutes, qui laissait Duplessis pantelant, le soir, ivre d'amour et anxieux d'aller dormir afin que le lendemain et le moment de retrouver son ami viennent plus rapidement, le chat de Marie-Sylvia avait compris une chose vitale: quand Marcel disparaissait pendant de longues journées, le plongeant dans l'inquiétude et l'ennui, cela signifiait qu'on l'avait littéralement enlevé pour l'amener au parc Lafontaine se faire brasser d'une façon ridicule sur une planche de bois posée entre deux cordes. Marcel poussait alors des hurlements que Duplessis se plaisait à imaginer d'horreur et le chat tigré, superbe de courage et rayonnant de passion, se jetait sous la balançoire pour aller délivrer son ami. Lorsqu'il l'apercevait, Marcel se mettait à rire en criant: «Plessis! Plessis!» et demandait qu'on arrête de lui donner des poussées. Et Duplessis sautait sur les genoux de Marcel, ronronnant ferme et comblé de caresses et de baisers. Puis, convaincu d'avoir sauvé Marcel d'un péril au moins mortel, Duplessis «ramenait» ensuite son ami à la maison en miaulant d'aise. Le chat de Marie-Sylvia traversa donc sans encombre le parterre des L'Heureux, puis celui des Amyot, puis le déprimant carré d'asphalte des Guillemette qui avaient cru faire un bon coup en faisant paver leur devant de maison mais qui avaient vite déchanté quand, au milieu du mois d'août, le goudron s'était mis à fondre et à leur coller aux semelles, et enfin le vaste carré de terre fraîchement remué des Rivest, ceux qu'on appelait «les jardiniers» parce qu'ils réussissaient chaque année à faire pousser des choses que personne d'autre qu'eux n'aurait jamais pensé à planter (la grosse femme enceinte disait souvent: «L'année que j'ai vu des citrouilles commencer à se souffler comme des ballounes dans leu'parterre d'en avant, j'me sus dit, franchement, y'éxagèrent... mais quand y nous ont donné une grosse citrouille chaque, à l'Halloween, j'me sus dit que leu'foleries avaient du bon!»), mais il s'arrêta contre la clôture des Jodoin pour écouter une conversation entre

Gabrielle Jodoin, si belle et si gaie que les autres femmes de la rue l'avaient baptisée « le pinson de la rue Fabre » et Victoire qui s'était arrêtée devant chez elle au grand désespoir d'Édouard. « C'est pour quand, au juste ? » Gabrielle Jodoin se frotta le ventre en souriant. « La fin du mois de juin. Comme ma sœur Rose. » « Pis comme ma bru, aussi. » « C'est vrai, vot'bru itou est en route... » « J'appelle pus ça en route, on dirait qu'a'n'attend douze ! » « Y paraît qu'est pas ben ? » « C'est pas qu'a'va mal mais est obligée de rester couchée tout le temps... » « Ça doit être long en bebitte. » « Pour ça, est ben à plaindre. Mais a'le voulait tellement, c't'enfant-là. » « Moé aussi, j'vous dis que j'le veux ! C'est mon premier pis c'est certainement pas mon darnier ! Mastaï, lui, y dit qu'on devrait s'arrêter à trois mais moé j'en voudrais autant que j's'rais capable d'en avoir... » « Tu diras pas ça dans quequ's'années, Gaby. » « Ayez pas peur pour moé, j'aime assez ça, les enfants ! » « T'es pas comme ta sœur Rose... » « Ah ! elle... » Gabrielle Jodoin fit un geste d'impuissance, puis prit le parti de rire. « Savez-vous c'qu'a'm'a dit hier ? On était après laver la vaisselle, sont venus manger icitte, elle pis son fou, pis tout d'un coup, a'me dit : « T'aimes tellement ça être enceinte, toé, que des fois j'ai envie de te demander de porter le mien. » Es-tu folle, rien qu'un peu ! J'ai ben ri, mais tout d'un coup, j'me sus rendu compte qu'al'avait l'air sérieuse... » « Al'arait jamais dû se marier, ta sœur. » « Dites pas ça, on a faite un mariage double pis quand j'vois comment c'est que ça va mal entre eux autres, j'ai peur que ça nous arrive, à nous autres itou... » « Fais-toé-z'en pas pour ça, Gaby, même si y'a pas inventé la lumière, ton Mastaï, y'a plus d'allure que son Roland. »

Édouard poussa un soupir d'exaspération. « Aïe, coudonc, vous deux, j'ai pas rien que ça à faire, moé, écouter vos conversations de femmes qui ont rien d'autre à faire qu'à jaser pour rien dire ! » Sa mère ne se tourna même pas vers lui. « Non ? Que c'est que t'as tant à faire, d'abord ? » Gabrielle éclata de rire. Duplessis choisit ce moment-là pour traverser le parterre. Il passa entre les jambes de Gabrielle qu'il aimait bien et la salua d'un amical miaulement. Victoire sursauta. « Encore c'te maudit chat-là ! Y va-tu nous suivre jusque chez Larivière et Leblanc, torieux ! » Duplessis courut d'une traite jusqu'à la rue Mont-Royal. Il avait peur que Victoire et Édouard soient eux aussi en route pour le parc Lafontaine et il ne voulait pas voir Marcel disparaître dans les bras du gros homme qui sentait trop fort le parfum pas naturel, laissant toujours accrochées à son petit ami des odeurs écœurantes de cadavre plus trop frais ou de fleurs pourries. « Y faut que j'arrive avant eux autres, sont capables de me gâter ma journée ! » Il traversa la rue Mont-Royal sans ralentir son allure et faillit causer un accident entre une voiture de patates frites tirée par un cheval et une vieille Ford 1935 toute cabossée : le cheval faillit partir à l'épouvante en voyant ce paquet de poil tigré passer devant lui comme une flèche, mais le vendeur de patates frites connaissait bien sa bête et l'accident fut évité de justesse. Mais à peine arrivé de l'autre côté de la rue Mont-Royal, Duplessis s'arrêta pile et il sentit son cœur se glacer : juste au coin de la ruelle, à cinquante pieds de lui, se tenait son grand ennemi, le terrible Godbout, chien solitaire et habituellement calme, mais intraitable et même vicieux quand un chat, surtout Duplessis qu'il exécrait tout particulièrement, essayait de traverser son territoire qui s'étendait de Mont-Royal à Rachel, débordant la rue Fabre de Papineau à de Lanaudière. Godbout avait vu Duplessis venir et se tenait prêt, les pattes de devant bien écartées, la bouche ouverte sur des dents absolument terrifiantes, renâclant et sacrant. Pour ne pas perdre la face, Duplessis se mit à se nettoyer le museau avec ses pattes de devant, comme s'il n'avait pas vu le chien. Il sentait son cœur battre à se rompre mais jamais il ne l'aurait laissé voir. Cependant, Godbout n'était pas dupe. Il s'approcha du chat en jappant comme la totalité des démons de l'enfer. Duplessis suspendit le geste de sa patte, regarda Godbout dans les yeux et lui dit: « Va donc japper plus loin, mon cœur, tu m'empêches de faire mes ablutions ! » Deux secondes et demie plus tard la bataille était engagée et le sang coulait déjà.

« Chus tellement fatiqué que j'pense que j'vas mourir là ! » Philippe s'était réfugié derrière un arbre, le seul endroit du terrain de jeux où le gardien ne pouvait le voir, croyait-il. Il s'était assis au pied de l'arbre, épuisé par deux heures de grimaces et de contorsions. Il avait réussi à s'introduire dans le terrain de jeux mais les deux heures qu'il venait d'y passer avaient été en fin de compte assez pénibles: comment s'amuser, en effet, quand il faut à tout moment perpétuer un rôle, inventer un personnage qui n'est pas soi et qui essaie, lui aussi, de s'amuser, à sa manière à lui, surtout quand ce personnage est infirme et difforme? Au début, Philippe avait trouvé amusant d'essayer d'imaginer comment un paraplégique pouvait réagir au milieu d'un terrain de jeux mais il s'était vite rendu compte qu'un paraplégique ne pouvait pas s'amuser dans un terrain de jeux: les glissoires et les échelles étaient trop risquées; le tourniquet, il ne fallait pas y penser, à moins de s'asseoir et de se laisser pousser (mais le grand plaisir du tourniquet n'était-il pas justement de le faire tourner?); le carré de sable était rempli d'enfants sales et criards; restaient les balançoires et encore là, jouer un rôle comme celui qu'il s'était imposé sur une balançoire, il fallait le faire! Marcel était venu rejoindre son cousin au pied de l'arbre, surpris de le voir s'arrêter tout d'un coup de se crochir les yeux et les membres. « Flip, y zoue pus? » « Flip, y'est crevé, maudit! Retourne dans ton carré de sable, là, pis si le gardien revient, dis-moé-lé... » Marcel s'assit entre les jambes de son cousin. « Marcel aussi, l'est fatiqué! » Il s'appuya contre la poitrine de Philippe. « Dodo... » « C'est ça, endors-toé, pis on va se faire pogner! » Marcel contemplait les branches couvertes de bourgeons au-dessus d'eux. « Va avoi des feuilles dans les abes, demain. Thérèse l'a dit à Marcel. » Il ferma les yeux et s'endormit aussitôt. Philippe n'osait plus bouger. Combien de fois Marcel était-il ainsi venu s'endormir contre son cousin, s'abandonnant complètement dans ses bras, que ce soit à table, après le repas du soir, ou plus tard, alors que Philippe, Thérèse et Richard faisaient leurs devoirs sur la table de la salle à manger et que Marcel grimpait sur la chaise de son cousin sous prétexte de lui donner un bec, s'attardant ensuite dans ses bras, puis s'endormant, confiant, heureux? Thérèse était d'ailleurs un peu jalouse de Philippe à ce sujet et lui disait: « T'es-t'assez plate que tu l'endors! » Et Philippe répondait: « Une chance qu'y'a quelqu'un qui l'endort, y'a assez de monde qui crie après lui, dans'maison ! » Marcel bougea un peu, enlaça Philippe de ses petits bras maigres, soupira, sourit. « Bon, ben me v'là pogné icitte pour un p'tit bout de temps, j'cré ben. » Philippe prit le parti d'essayer de dormir, lui aussi. Il appuya sa tête contre le tronc de l'arbre, ferma les yeux. Il avait l'habitude de faire la sieste avec Marcel, le samedi et le dimanche après-midi et même quelquefois en rentrant de l'école. C'était sa façon à lui de se rassurer, d'oublier la grammaire dont il n'arrivait absolument pas à comprendre les rouages, le calcul qu'il finissait toujours par assimiler, mais après tout le monde, la religion qui le laissait indifférent, la géographie dans laquelle il se perdait sans rémission. Philippe était un piètre élève, il le savait, il l'assumait, même, dans un sens : « Chus-t'un gnochon mais ça me fait rien. Quand j's'rai assez vieux pour laisser l'école, j'irai travailler avec popa... » Au contraire de Richard qui faisait chaque soir ses devoirs d'une façon maniaque, armé de plumes à l'encre de toutes les couleurs, de règles pour souligner ses titres et de cahiers toujours impeccables, Philippe, lui, était brouillon au point de ne finir ses devoirs que rarement, et encore, après avoir bûché et sué la plupart du temps en vain. Quand Richard rentrait de l'école, il était reposé, calme, du calme des êtres sûrs d'eux et convaincus de leur supériorité ; mais Philippe était nerveux, inquiet et la respiration régulière de Marcel réfugié contre son cœur lui fournissait cette confiance en soi qui lui manquait tant qu'il palliait par des fanfaronnades, des tours, des farces et même des coups. Incapable de s'endormir dans cette position si peu confortable, Philippe rouvrit les yeux et regarda le petit visage de son cousin. « Si j't'avais pas... » Le rire de Thérèse traversa le terrain de jeux, déchirant l'après-midi en deux. Thérèse ne riait de cette façon que lorsque quelque chose de très important se produisait et son rire était toujours la ligne de démarcation, le point limite entre deux périodes, celle d'avant son rire, celle d'après. Philippe pensa que quelque chose venait de se produire qui faisait que la journée ne se terminerait pas comme elle avait commencé mais il ne fit aucun effort pour étirer le cou ou se pencher pour voir ce que faisait sa cousine. Il savait qu'il finirait par tout savoir mais pour le moment rien ne l'intéressait que la respiration de Marcel et son sourire.

Sa boîte à lunch vide sous le bras, Mastaï Jodoin remontait la rue Fabre en direction de chez lui. Il fredonnait *Les Goélands*, une chanson qu'il détestait mais que sa femme lui avait mise en tête, le matin, et dont il n'arrivait plus à se débarrasser. Il avait conduit son tramway Saint-Denis toute la journée en chantonnant cette chanson qu'il entrecoupait de «câlices» et de «tabarnacs» sonores quand une voiture le coupait à droite ou qu'un passager tardait à descendre. Mastaï Jodoin avait la réputation d'être un conducteur de tramway hors pair, aussi le laissait-on sacrer et vitupérer en paix, même si les règles de la compagnie de transport l'interdisaient formellement. Quand un passager se plaignait du manque de savoir-vivre du conducteur numéro 423 de la ligne Saint-Denis, on lui répondait toujours: «Y sacre peut-être comme un démon, mais en cinq ans y'a pas eu une seule accident! Aimeriez-vous mieux qu'y soye doux comme un mouton pis qu'y risque votre vie à' journée longue?» La vérité était qu'on avait bien essayé de convaincre Mastaï Jodoin d'arrêter de blasphémer en public ; on l'avait même puni de diverses manières, au début: on l'avait mis sur la ligne Rachel, la plus ennuyante de la ville, on l'avait fait travailler le dimanche et les jours de fête, on avait même été jusqu'à le suspendre pour quelques jours à la suite d'une incartade, mais sans résultat. Aussitôt installé derrière ses commandes, Mastaï délivrait un juron bien senti et un beau clin d'œil à son inspecteur déconfit, et même, parfois, disait: « Vous m'aurez pas, mes hosties ! C'est moé qui vas vous avoir ! » On avait fini par lui demander d'essayer de se contenir un peu quand un prêtre ou une religieuse montait dans son tramway. « J'aime pas les curés, pis les pisseuses me font rire, j'sais pas pourquoi j'me r'tiendrais devant eux autres ! » Malgré tout, quand une paire de sœurs se pointait devant sa boîte à billets ou qu'un quelconque religieux, prêtre ou frère, lui donnait du « bonjour, mon brave » en grimpant les trois marches de métal, le langage de Mastaï Jodoin se transformait un peu et une série de dérivés de blasphèmes retentissait dans le tramway. Mastaï hurlait des « tabarname de cibolaque de câline de binne d'hoston de calvinusse de chrysantème », qui faisaient pâlir les sœurs et rougir les religieux. Quelquefois, pour s'amuser, en plein cœur d'après-midi alors que seules des vieilles femmes et des ménagères discrètes meublaient sa machine bourdonnante, il annonçait les rues d'une façon un peu particulière. « Demontigny, ciboire ! » « Laurier, trou de cul de marde ! » « Rachel, bordel ! » Puis il éclatait de rire en apercevant la mine affolée de ses passagères. « J'vous ai eue, hein, madame ? Vous étiez après vous endormir, câlice ! » Cela lui arrivait souvent d'aider une vieille femme ou un vieil homme à monter et à descendre de son tramway, par pure gentillesse, car les règles de son métier ne l'exigeaient pas, mais aussitôt son beau geste terminé, il refermait la porte de sa machine en criant : « Vieux calvaire, la prochaine fois j'te câlice en dessours du p'tit char ! » au grand dam des autres passagers qui venaient justement de se pâmer sur l'amabilité et la délicatesse de ce jeune conducteur. De loin, Mastaï aperçut sa femme Gabrielle qui l'attendait, appuyée contre la clôture de leur parterre et il lui fit de grands gestes d'amitié. Gabrielle était sortie pour attendre son mari, comme elle le faisait tous les jours, l'été. C'était la première fois, cette année, et Gabrielle était tout excitée. « Ça veut dire que le beau temps s'en vient pour de vrai ! » Elle était sortie une grosse demi-heure avant l'arrivée de son mari pour se donner le temps de flâner dans le parterre, de chantonner pour le bébé qui dormait dans son ventre. Sa conversation avec Victoire lui avait offert une agréable diversion. Et elle avait regardé Victoire s'éloigner au bras d'Édouard en hochant la tête. D'aussi loin qu'il put, Mastaï cria : « Comment va mon bebé, aujourd'hui ? » Aussitôt qu'il fut à sa hauteur, elle lui répondit : « Avant, quand tu parlais de ton bebé, j'savais que c'était moé, mais là, j'sais pus trop... » Mastaï posa ses deux mains sur le ventre de sa femme. « Okay, j'ai compris, à l'avenir j'te demanderai comment vont mes deux bebés ! » « C'est ça, pis le monde vont penser que j'attends des jumeaux ! » « Ça serait trop beau ! » Ils s'embrassèrent longuement au beau milieu du trottoir, chose absolument étonnante dans cette rue où on cachait le plus possible ses sentiments. De l'autre côté de la rue, de son balcon où elle s'était installée pour prendre un peu de soleil, Claire Lemieux les regardait, une lueur d'envie au fond des yeux. Sa grosse baleine blanche de mari dormait encore dans le sofa du salon. « Non seulement ça fait un bout de temps qu'on s'embrasse pus de même, mais c'est moé qui reviens de travailler, tou'es jours, maudite marde ! » Elle avala une gorgée de Coke chaud. « J'vas encore avoir des boutons... » Elle déposa sa bouteille sur le plancher du balcon. « Mais c'est pas grave, parsonne va s'en apercevoir ! » Mastaï avait entouré les épaules de sa femme de son bras gauche et de sa main droite avait sorti deux billets de théâtre d'une de ses poches. « Ma belle Gaby, à soir j't'emmène voir la Poune ! » Gabrielle Jodoin poussa un cri de joie et s'empara des billets. « La Poune ! Depuis le temps que j'veux la voir ! On va souper de bonne heure, pis on va s'arranger pour arriver à temps pour les deux vues avant le show ! » Elle sautillait sur place, battait des mains. « Hé, que chus contente ! Comment ça s'appelle, la comédie, c'te s'maine ? » « Ça s'appelle *La Buvette du coin*, pis y paraît que c'est drôle en ciboire ! J'ai failli t'emmener voir *La Dame de chez Maxim's*, au Monument National, avec Antoinette Giroux, mais j'avais peur que ça soye trop sérieux... J'voulais rire ! » « J'comprends ! Moé aussi j'veux avoir du fun ! » Elle posa soudain ses deux mains sur son ventre rebondi. « Lui aussi, y'est excité, le p'tit maudit, y me donne des coups de pieds ! »

Mercedes avait erré toute la journée, d'abord sur la rue Mont-Royal où elle avait visité systématiquement tous les magasins, des deux côtés de la rue, entre Papineau et De la Roche, pour passer le temps, puis, à partir d'une heure de l'après-midi, au parc Lafontaine, flânant, fumant cigarette sur cigarette, un peu déçue de voir qu'on n'avait pas encore sorti les bancs de bois peints en vert qu'on entassait dans une remise pour l'hiver, mais heureuse de retrouver l'odeur du printemps qui s'élevait des carrés de gazon et le soleil qui buvait l'humidité de la terre. Mercedes savait que Béatrice ne viendrait pas la rejoindre avant deux heures et demie, ou même trois heures, aussi avait-elle décidé de faire un tour complet du parc Lafontaine en longeant les rues Papineau, Sherbrooke, du Parc Lafontaine et Rachel, s'attardant devant l'hôpital Notre-Dame où elle était née et la bibliothèque municipale où elle n'était jamais allée et qu'elle ne croyait ouverte que l'été, pendant les vacances, les enfants n'ayant pas le temps de lire, l'hiver. Quant aux adultes... Elle ne connaissait personne qui avait eu le temps de lire depuis son adolescence... Cela lui avait pris exactement une heure et demie pour faire le tour du parc et à deux heures trente précises elle était revenue à son point de départ, à l'angle de Fabre et de Rachel. Elle se demandait si les trois soldats s'étaient réveillés et, si oui, ce qu'ils avaient fait. « J'espère qu'y se rappelleront pas de rien pis qu'y vont penser qu'y'ont pardu leu'z'argent ailleurs ! Mais, faut pas que j'compte làdessus trop trop, j'pense... » C'était la première fois qu'elle volait des clients. Non pas qu'elle ait jamais eu envie de le faire auparavant, mais la peur des représailles l'avait toujours empêchée d'aller jusqu'au bout. Elle avait tellement connu de filles qui revenaient, le dimanche matin, avec un œil au beurre noir ou le visage en sang pour avoir essayé de plumer un client ! « Maudits hommes ! Tu peux toute leu'faire, leu'cracher dans' face, les humilier, les faire rouler à terre, y'aiment ça, ça les excite ! Mais essaye pas de leu'prendre une cenne, par exemple ! Y retrouvent vite leu'dignité, pis toé ton rôle de sarvante ! » Chez Larivière et Leblanc où elle avait déjeuné d'un hot dog et d'un Coke, elle avait sorti les cinquante-deux dollars qu'elle avait trouvés dans les poches des soldats et les avait étalés sur le comptoir. La vue de cet argent (tant d'un seul coup et si facile à cueillir !) lui réchauffait le cœur. « On a ben de besoin de suyers neufs, moé pis Béatrice, pis y faudrait acheter des nouveaux draps... Tout ça nous coûtera rien ! » Mais sa pensée revenait toujours aux trois subtils soldats. « J'ai l'impression que l'appartement est brûlé pour à soir. On ira coucher à l'hôtel, pour une fois. Demain, y'aura pus de danger. » Elle avait été habituée à ne jamais penser plus loin qu'au lendemain. Dans les maisons où elle avait travaillé, chez Suzy de Coteau-Rouge, rue Sanguinet, ou chez la grosse Petit, tout se réglait toujours en dedans de vingt-quatre heures : les chicanes, les problèmes d'argent et même les maladies. Il ne lui serait jamais venu à l'esprit que les soldats pouvaient avoir la haine tenace et revenir chercher vengeance, le lendemain. Pour elle, les soldats défilaient et ne revenaient jamais. Voyant que Béatrice n'arrivait pas, elle traversa la rue Rachel et entra dans l'épicerie du coin pour s'acheter des cigarettes. « Ça sent encore la crotte de cheval, ici-dedans ! Quand c'est qu'y vont switcher à une voiture, comme les autres ! » Armée de son paquet de Turet tout neuf, elle revint vers le parc en s'allumant une cigarette avec soulagement. Dans la petite allée qui partait de la rue Fabre et qui bifurquait vers la droite pour se perdre dans le cœur du parc, un jeune garçon s'avançait lentement, visiblement bouleversé et Mercedes reconnut l'aîné des enfants de ses voisins, ce garçonnet toujours si sérieux qu'elle avait souvent croisé et qui détournait toujours la tête à son approche. Elle se dirigea vers lui, contente de cette diversion. En la voyant, le garçon figea sur place et Mercedes vit qu'une tache sombre séchait sur sa jambe gauche. Elle devina que c'était du sperme et sourit. Richard rougit jusqu'aux oreilles, fit demi-tour dans le but de s'éloigner d'elle le plus vite possible. « Aïe, tit-gars, es-tu pardu ? » Richard s'immobilisa et lui répondit sans se retourner. « Chus-t'assez vieux pour savoir mon chemin ! » « T'en retournais-tu chez vous ? » « Oui. » « T'es tu-seul ? » Elle était arrivée à sa hauteur. Richard lui répondait toujours sans la regarder. « Mon frére, ma cousine pis mon cousin sont après jouer dans le parc des filles. Moé, j'trouve ça niaiseux pis j'm'en retourne chez nous. » Elle lui tendit le paquet de cigarettes. « Tu fumes-tu ? » « Non ! » « Même pas en cachette ? » « Ces affaires-là m'intéressent pas ! » « Mais y'a d'autres choses que tu fais en cachette, par exemple, hein ? » Richard croisa ses mains devant son sexe et rougit encore plus. « Rougis pas de même, c'est normal, t'as l'âge... » Richard s'éloigna d'elle, mais dans la mauvaise direction : il se dirigeait vers l'intérieur du parc. « Pourquoi tu veux pas me parler, j'te mangerai pas ! » Pour la première fois, Richard lui fit face. Quand elle aperçut ses grandes oreilles rouges et presque transparentes, Mercedes faillit éclater de rire mais se retint. « Une femme qui fume des cigarettes en pleine rue, c'est capable de ben des affaires ! » « Ah ! c'est donc ça... » Mercedes oubliait toujours qu'une femme qui fumait sur la rue était automatiquement mal jugée. Habituée qu'elle était d'être bannie, où qu'elle soit et quoi qu'elle fasse, elle se préoccupait peu de ces détails et même, parfois, elle faisait exprès d'allumer une cigarette en public, par bravade, produisant des nuages de fumée qu'elle soufflait plus volontiers à la figure des femmes qu'à celle des hommes. Elle jeta sa cigarette par terre, l'écrasa avec son pied droit. « Chus-tu plus parlable, là ? » Richard détourna de nouveau la tête mais ne fit pas un geste pour s'éloigner, cette fois. Mercedes posa une main sur son épaule. « Y'a quequ'chose qui te tracasse, hein ? » Richard pencha la tête et éclata en sanglots. Alors Mercedes s'assit au beau milieu de la petite allée et tira Richard à côté d'elle. Et pendant près de deux heures elle l'écouta lui raconter sa vie, ses complexes, sa haine pour son frère, sa passion frustrée pour sa mère et cette jouissance nouvelle qu'il ne comprenait pas mais qui lui avait fait tant de bien. Alors que Béatrice, affolée, la cherchait partout, Mercedes écoutait la confession d'un petit garçon trop sensible, cachée par un bosquet de petits arbustes bourgeonnants, dans une allée reculée, retrouvant avec un enfant et pour la première fois avec joie ce rôle de confidente que les centaines d'hommes qu'elle avait connus lui avaient imposé, ce personnage silencieux et immobile qui faisait partie de la passe à cinq dollars et qui souvent était plus difficile à jouer que celui de la maîtresse comblée qui ne demandait en fin de compte que de la technique alors que l'autre, ce substitut au confessionnal, exigeait une patience parfois inhumaine tant les problèmes des clients se ressemblaient dans leur bénignité, leur petitesse, leur mesquinerie. Les problèmes de Richard étaient grands et beaux à côté de ceux de ses semblables qui avaient oublié depuis longtemps et trop vite qu'ils avaient été des enfants et qui avaient remplacé leurs questions sur l'existence et leurs préoccupations sur la vie, si tant est qu'ils en avaient déjà eu, par la bière qui alourdit et une luxure mal digérée qui s'exécute et se paie en cinq minutes. Richard se racontait en hoquets et en boules de violence, accroché au regard de Mercedes, dépendant, livré à ce regard et exigeant l'absolution. Et Mercedes l'écoutait, dispensant effectivement l'absolution, déchargeant les frêles épaules du garçon de leur poids de culpabilité, encourageant les confidences, les provoquant quand elles tardaient à venir et lavant d'un sourire toute l'horreur de l'aveu.

Gabriel était attablé devant quatre drafts froides qu'il couvait d'un regard attendri. La grosse femme lui avait dit: «R'viens chaudasse si tu veux, mais pas chaud. J'veux ben croire que c'est samedi, mais y faudrait que ça soye samedi pour tout le monde!» Gabriel avait déjà expédié quatre drafts en arrivant à la taverne, respirant à peine entre les verres de bière, anxieux de retrouver cette chaleur qui commençait au plexus solaire et qui irradiait peu à peu dans tout son corps, engourdissant ses membres, allégeant sa tête et sa poitrine de toutes leurs inquiétudes et dessinant sur ses lèvres un sourire béat. «Waiter! Quatre-z'autres!» Et maintenant que quatre nouvelles bières froides étaient installées devant lui, il n'y touchait pas. Il attendait le bon moment. Il disait souvent: «Quatre biéres, ça fait partir mon moteur, mais quatre-z'autres, ça me fait décoller!» Il attendait donc que son moteur soit bien parti pour ingurgiter sa deuxième dose de carburant. Il regardait les gouttes de buée liquéfiée glisser le long de la paroi des verres et se tracer un chemin, sillons clairs, transparents, qui révélaient la bière blonde dans toute sa splendeur, à travers l'humidité collée aux verres. En suivant les gouttes d'eau jusque sur la table, il songeait à Albertine, sa sœur, il la revoyait se moucher et se tamponner les yeux après sa crise de l'après-midi, n'osant les regarder, lui et sa femme, qu'à la dérobée et s'excusant d'une voix rauque où se devinait la honte. Pour une fois, il n'avait pas été faible avec elle. Il avait refermé la porte de sa chambre sur elle après lui avoir dit doucement: « À c't'heure, laisse-nous finir c'qu'on a commencé. Va-t'en dans ta chambre ou ben donc sur le balcon, pis pense à d'autres choses. » Quand il s'était approché de sa femme, elle avait murmuré: « Quand c'est qu'on va pouvoir aller rester tu-seuls ! On va avoir trois enfants, ben vite, Gabriel, pis on peut pas les élever comme du monde dans un cirque pareil ! » Gabriel s'était agenouillé devant elle, posant sa tête entre ses cuisses. « Si on resterait tu-seuls, on serait tellement pauvres ! On est mieux icitte ! » Il avait entendu un sanglot se bloquer dans la gorge de la grosse femme. « Mais qui c'est qui dit qu'on s'rait pas plus heureux, Gabriel ? Au moins ça serait notre pauvreté à nous autres ! Là, j'ai l'impression qu'y'a rien qui nous appartient ! Même pas ça ! Y m'ont enlevé mes responsabilités, y m'ont enlevé mes enfants, pis c'est rendu que j'peux même pus rester tu-seule avec mon mari dix menutes ! La nuit, t'es-t'à l'imprimerie, pis le jour faut faire attention parce que notre chambre donne sur la salle à manger... Pis quand le p'tit va arriver, on va être obligés de le garder icitte, dans notre chambre, pis c't'enfant-là va grandir la lumière farmée ! » Il avait donc tout promis à sa femme: un nouveau logement, une nouvelle vie, une nouvelle job pour lui, où il pourrait travailler de jour, tout ce qu'elle lui demandait depuis qu'ils étaient venus se réfugier ici, dans cette maison trop petite, entre sa mère qui l'aimait bien mais qui n'avait jamais eu d'yeux que pour Édouard, et Albertine qui ne lui avait jamais pardonné son mariage d'amour, répétant à qui voulait l'entendre : « Y s'aiment pas, y se sont mariés juste pour faire ça ! », en sachant très bien que c'était justement là ce qui avait manqué à son propre mariage et l'avait tué dans l'œuf. Mais Gabriel savait qu'il n'aurait pas le courage d'imposer à sa famille le taudis que son salaire de famine leur imposerait s'ils partaient, ni la soupe du pauvre, ni les vêtements éternellement reprisés, toute cette vie mélodramatique et si peu originale qu'il essayait à tout prix d'éviter, cette pauvreté humiliante qui vidait de tout courage et encourageait à la mollesse et à l'autodestruction. Ici, au moins, avec l'argent qu'il donnait, plus la pension d'Édouard, plus l'argent que Paul envoyait à Albertine et ce que leur mère pouvait ajouter provenant des petites économies qu'elle avait amassées durant toute sa vie, ils arrivaient tous à vivre décemment, mangeant à leur faim, et bien, et souvent, dormant dans des lits propres et confortables, bien chauffés l'hiver et s'amusant même quelquefois beaucoup aux repas. Et Gabriel avait bien peur de ne pouvoir renoncer à tout cela pour un avenir hypothétique. Il promettait, sachant parfaitement bien qu'il ne le faisait que pour gagner du temps. Gabriel sursauta. Quelqu'un venait de lui taper sur l'épaule et une odeur aigre de bière mal digérée et une puanteur de linge jamais lavé lui chatouillèrent les narines. Willy Ouellette, le joueur de ruine-babines aussi célèbre pour ses reparties précises que pour sa musique approximative, était penché sur lui et lui disait, le sourire aux lèvres: « T'es peut-être pas mon meilleur ami mais c'est pas une raison pour faire semblant de pas me voir! » Sans attendre que Gabriel l'invite, Willy Ouellette s'installa à sa table, posant devant lui son harmonica et la besace qu'il traînait toujours avec lui et qui contenait tout ce qu'il possédait au monde: une invraisemblable série de mouchoirs, pour le rhume qu'il essayait de guérir depuis bientôt douze ans, et une collection de sous-vêtements usés jusqu'à la corde qu'il lavait régulièrement dans la cuvette des toilettes de la taverne et qu'il faisait sécher ensuite en les accrochant aux calorifères, l'hiver, ou en les étendant sur les gazons des parcs, l'été. Autrement, il était d'une saleté assez repoussante, merci, décourageant à cause de son odeur écœurante toute conversation de plus de dix secondes et répondant automatiquement aux reproches qu'on pouvait lui faire au sujet de cette odeur: « Chus pas si sale que ça, trou de pet, j'ai toute une série de caneçons propres! » Il sortait alors quelques caleçons qu'il agitait sous le nez de son interlocuteur. « Vous en connaissez, vous, des Canadiens français qui ont autant de caneçons que ça? Faites-vous-en pas, les docteurs, y'ont peut-être l'air propres de même mais allez voir dans leu'culottes, c'est pas si beau que ça! Moé, j'ai peut-être pas les mains qui reluisent comme des miroirs, mais j'ai le cul blanc! » Willy Ouellette s'empara d'un verre de bière et le vida en trois secondes. Il se passa ensuite une manche sur la bouche, éructa, sourit. « J'te dis que t'as l'air benoît, toé, après-midi! Viens-tu de fourrer ta femme, coudonc? » Gabriel partit d'un grand éclat de rire et poussa les trois bières qui restaient dans la direction de Willy. « Joue-moé donc quequ'chose, Willy, pis joue-moé-lé longtemps, j'ai des affaires à oublier! » Willy sauta littéralement sur les trois bières, les vida dans un temps record, puis se leva, criant à la cantonade: « Les gars, Gabriel vient de passer de connaissance à grand chum pis pour fêter ça, j'vas y jouer quequ'chose que j'ai pas joué depuis des années parce que ça faisait brailler ma mére pis que ma mére est morte en me demandant de le jouer mais qu'al'a pas eu le temps d'entendre parce que le temps que j'alle charcher ma ruine-babines, ètait partie comme un tit poulet, sa tite tête penchée sus sa poitrine pis ses tites mains crispées sus son cœur qui venait de la lâcher comme un trou de pet d'écœurant: *Clair de lune*, de Debussy, ou ben donc de Ravel, j'sais pus trop, mais c'tait un Français, ça, chus sûr! » Gabriel ferma les yeux et se laissa bercer par la musique. Son moteur venait de partir et il aurait bien eu besoin de ses quatre autres bières pour décoller mais il décida que la musique ferait tout aussi bien l'affaire et il se mit à suivre religieusement les fausses notes que Willy Ouellette produisait avec un sérieux aplomb, mélangeant *Clair de lune* et *Summertime* avec une déconcertante sincérité. Mais une pensée tout à fait inattendue se présenta à l'esprit de Gabriel qui ouvrit les yeux sous le choc de la surprise: « Au fond, t'es rien qu'un maudit pissous, Gabriel! Un maudit pissous, pis un maudit paresseux! » Sans attendre la fin du morceau que massacrait si bien Willy Ouellette, il cria: « Waiter, quatre-z'autres! » Et Willy Ouellette interrompit son concert le temps de hurler encore plus fort un retentissant « Non, huit! » qui fit éclater de rire les sept ou huit soûlards qui s'étaient approchés des deux nouveaux amis.

Tout le monde, marchands, ouvriers, livreurs, vendeurs, serveuses et même le déchireur de tickets au Passe-Temps, connaissait Victoire, sur la rue Mont-Royal ou, du moins, en avait entendu parler, les plus vieux disant souvent à ceux parmi les plus jeunes dont l'embauche était trop récente: «On a beau se plaindre que les clientes sont bêtes, y'en a pas une qui arrive à la cheville de Tit-Moteur! Ça, c'tait bête, c'te femme-là! A'rentrait icitte rien que sur une pinotte, a'criait des bêtises à tout le monde, a'revirait toute à l'envers en disant qu'on cachait les plus belles affaires pour les grosses madames du boulevard Saint-Joseph, pis a'repartait la plupart du temps sans rien acheter, en nous laissant complètement découragés au milieu de ses dégâts! A' nous faisait tellement peur que des fois on appelait les autres magasins pour leur dire de faire semblant d'être farmés! C'est vrai! C'tait un vrai service à leu'rendre! Tit-Moteur vous revirait la rue Mont-Royal à l'envers, entre De la Roche et Papineau, des deux côtés, en une après-midi de temps, pis après a'remontait la rue Fabre avec une paire de bas dans un p'tit sac brun ou ben donc un suçon à une cenne planté dans'bouche comme un trophée!» Françoise, la head waitress du comptoir chez Larivière et Leblanc, racontait volontiers «la fois oùsque la maudite folle à Tit-Moteur avait mangé trois sundaes au caramel en me disant à chaque fois que j'avais oublié de la sarvir pis qu'è-tait partie sans payer en criant à tout le monde qu'a'remettrait pus jamais les pieds dans une place oùsque t'attends ton sundae pendant des heures sans jamais en voir la couleur!» À vrai dire, cette fois-là, Victoire s'était rendu compte qu'elle avait perdu ou oublié son porte-monnaie et, trop orgueilleuse pour l'avouer, elle avait décidé de gagner du temps en mangeant des sundaes jusqu'à ce qu'une solution lui vienne à l'esprit. Au bout de son troisième sundae, le cœur au bord des lèvres, une migraine lui sciant le cerveau, elle s'était dressée tout d'un coup et s'était mise à engueuler Françoise sans presque s'en apercevoir comme dans un cauchemar, sachant à peine ce qu'elle disait mais le disant avec conviction. Heureusement pour elle, cela avait marché : elle avait pu sortir du magasin indemne, sa réputation encore intacte, croyait-elle, et ne ressentant aucune espèce de culpabilité. « C'est pas trois sundaes au caramel qui vont mettre Larivière et Leblanc su'a paille, jamais je croirai ! » Et quand Tit-Moteur avait disparu de la circulation, des légendes toutes plus farfelues les unes que les autres s'étaient mises à courir à son sujet, sur le Plateau Mont-Royal. On avait commencé par dire qu'elle avait déménagé, bêtement, et que c'était tant mieux, mais cette trop simple conclusion ne satisfaisait personne ; on avait besoin de quelque chose de plus consistant, une fin tragique ou au moins un grand malheur, pour combler le trou que cette absence faisait dans la vie de la rue Mont-Royal. Monsieur Applebaum, le gérant du Grover's au coin de Fabre et Mont-Royal, côté nord-est, avait prétendu voir Tit-Moteur se faire frapper par un camion de vidangeurs mais on ne croyait jamais ce que disait monsieur Applebaum qui avait la réputation de tout exagérer, et de toute façon cette explication avait quelque chose d'un peu trop catégorique : on préférait les histoires où les mots « disparition mystérieuse » remplaçaient le mot « mort » parce qu'ainsi on pouvait plus facilement s'imaginer Victoire malheureuse, souffrante, repentante. Agonisante mais non pas morte. On a beau croire au feu de l'enfer, l'ultime et irrévocable punition après une vie déréglée, une bonne raclée bien sentie dans un fond de cour, un grand feu dévastateur ou une maladie incurable sont beaucoup plus inquiétants à craindre et plus excitants à souhaiter à ses ennemis que la queue fourchue du diable et ses ridicules ricanements. La nouvelle courut donc qu'un énorme feu avait rasé la maison où habitait Tit-Moteur, que cela l'avait rendue complètement folle, la pauvre vieille, et qu'elle était maintenant enfermée dans un asile de fous, « à Longue-Pointe, avec les plus pires », atteinte d'une maladie qui ressemblait à la lèpre mais qui était beaucoup plus souffrante et, surtout, horriblement laide à voir. Un cancer à fleur de peau. Une pourriture purulente. Des plaies. Des bubons. Françoise, de son côté, refusait de prêter oreille à de telles balivernes. Elle préférait s'imaginer Victoire étendue sur une table d'opération, attachée et bien éveillée, gavée de crème glacée et de caramel, abreuvée d'injures et rouée de coups. Aussi, lorsque Victoire et Édouard, couple dépareillé si jamais il en fut, débouchèrent sur la rue Mont-Royal, tournant à gauche pour se diriger vers la rue Marquette, elle se redressant tout d'un coup et lui arrondissant le dos comme un chien puni, un étrange silence tomba-t-il sur le quartier. C'était samedi après-midi, la rue Mont-Royal foisonnait de ménagères en commissions, d'enfants pleurnichards morvant dans les jupes de leurs mères, de soûlons assis ou, plutôt, aplatis dans les entrées de tavernes. Pas d'adolescents. Pas de jeunes hommes. Ou presque. Les quelques hommes jeunes qui sillonnaient la rue Mont-Royal, cet après-midi-là, le faisaient au bras de leurs femmes enceintes, alibis de leur présence au pays en temps de guerre, garanties de leur honnêteté et, surtout, de leur innocence. Abandonner une femme enceinte pour aller courailler dans les vieux pays? Jamais ! Victoire et son fils n'avaient pas fait trente pas sur le trottoir de ciment que déjà des têtes se tournaient sur leur passage, des vendeurs sortaient des magasins, un galon autour du cou ou une craie à marquer à la main. Monsieur Applebaum, de chez Grover's, s'occupait d'une femme maigrichonne qui voulait absolument trouver un tissu qui matchait avec la couleur de la corne de ses lunettes quand Victoire et Édouard passèrent devant le magasin. Monsieur Applebaum laissa presque tomber le rouleau de tissu bariolé rouge et brun qu'il venait de déterrer dans l'arrière-boutique et se rua sur la porte comme si on venait de lui donner un coup de pied au cul. « Criminently, she's not dead ! » Un petit sourire narquois s'était dessiné sur les lèvres de Victoire. Elle jetait de petits coups d'œil furtifs de droite et de gauche pour vérifier l'effet que produisait leur passage et ses yeux se plissaient de joie. « Deux ans qu'y m'ont pas vue. J'gagerais ma jaquette qu'y me pensaient toutes morte ! » Édouard, lui, aurait voulu mourir. Il connaissait très bien la réputation de sa mère, ayant lui-même commencé comme commis dans un magasin de chaussures de la rue Mont-Royal. Il avait entendu parler d'elle en termes tellement effroyables que jamais il n'avait avoué qu'elle était sa mère. Et, étonnement, Victoire avait joué le jeu pendant des années : lorsqu'elle venait au magasin où il avait réussi à décrocher le poste de gérant à force de flatteries, de compliments et d'intrigues, elle faisait elle aussi semblant qu'elle ne le connaissait pas. Elle le traitait comme elle traitait tous les autres, lui criant par la tête, le menaçant, usant largement des mots

« tricheur » et « voleur », essayant quinze paires de souliers pour n'en acheter aucune, allant même parfois jusqu'à lui dire devant tout le monde : « J'plains la mére qui vous a mis au monde ! » ou bien : « Avoir un épais de même comme fils, moé, j'me suiciderais ! » ou encore : « C'est pas un chapeau que vous devriez porter su'vot'tête, vous, c'est un suyer ! » Et quand Édouard entrait à la maison, le soir, elle se jetait littéralement sur lui, le couvrait de baisers, riait au point qu'elle était obligée de se tamponner les yeux avec son mouchoir. « Maudit que j'ai ri ! T'aurais dû te voir l'air ! Une grosse pétate qui se prépare à germer ! » Édouard n'avait jamais très bien compris ces agissements de sa mère. Pâmée comme elle l'était devant lui, elle aurait dû normalement se glorifier du fait que son fils était gérant d'un magasin de chaussures, qu'il occupait un poste de confiance, avec de grosses responsabilités sur les épaules, au lieu de quoi elle l'humiliait devant tout le monde, allant même jusqu'à plaindre sa mère ! Mais comment aurait-il pu comprendre l'affront que représentait ce poste de gérant aux yeux de Victoire, devant les ambitions, les rêves qu'elle avait caressés, entretenus, nourris pour lui depuis sa naissance ? Comment aurait-il pu deviner les désirs de puissance qu'elle avait ressentis pour lui, pauvre enfant sans dimensions qui s'était toujours laissé ballotter, démuni de toute idée de grandeur, ignorant tout de la faim de pouvoir, jusqu'au jour où, soudain, tout lui était venu d'un seul coup, désirs, faims, rêves, ambitions, ce jour maudit où il s'était rendu compte qu'il était différent dans une société qui condamnait toute disposition, tendance, talent, goût, qui n'allait pas dans ses critères de normalité et où il avait caché, enfoui, cette « anomalie » sous un masque d'indifférence, dans un personnage de gérant de magasin ? Comment aurait-il pu imaginer que sa mère savait qu'il n'était pas comme les autres et que la honte qu'elle en ressentait parce qu'il était incapable de l'assumer devant elle pourrait se changer en orgueil si seulement il avait le courage de lui en parler ? Victoire savait qu'Édouard devenait quelqu'un d'autre lorsqu'il passait le pas de la porte et elle ne le lui avait jamais pardonné. Le gérant du magasin de chaussures était un étranger pour elle parce qu'il était trop différent de tout ce qu'elle avait toujours rêvé pour son fils chéri, son trésor, son petit dernier bourré de talents, mais aveugle. Ou peureux. N'avait-elle donc enfanté que d'une portée de pissous ? Gabriel, réfugié dans le giron de sa grosse femme, Albertine-la-victime et Édouard, *le gérant de magasin de chaussures* ? Accrochés l'un à l'autre sur le trottoir de la rue Mont-Royal, Victoire et Édouard n'avaient jamais autant eu l'air de deux étrangers. Elle était sûre de son effet et en goûtait chaque seconde et lui, même s'il avait quitté le quartier depuis longtemps pour aller vendre des chaussures dans l'ouest de la ville, chez Ogilvy's, chez les riches, seul vendeur canadien-français sur son plancher, maintenant parfaitement bilingue, au point même que son patron l'appelait Eddy et que les clients s'adressaient toujours à lui en anglais, il ressentait la cuisante humiliation de l'aveu que représentait cette soi-disant innocente promenade au bras de la vieille femme la plus haïe de la rue, sa mère. Au coin de la rue Marquette, Victoire s'arrêta devant la vitrine d'un bijoutier. Elle laissa le bras d'Édouard et s'appuya contre la vitre. Édouard recula de quelques pas. On aurait dit que la rue Mont-Royal s'était arrêtée de vivre. Tout le monde, autant clients que vendeurs, était sorti des magasins et regardait Victoire regarder des bijoux. Édouard croisa ses bras sur son gros ventre, baissa les yeux, s'appuya contre un poteau de téléphone. Mourir. Mourir là, sur-le-champ. Ne plus sentir ces regards moqueurs. Ou alors survivre et faire face. Se tourner tout d'un coup et rire à leur face! «Quelle bonne farce on vous a jouée pendant des années, hein, gang de nonos? Vous avez été dupes tout ce temps-là, vous nous avez laissés jouer nos rôles sans jamais vous douter de rien...» Non. Pas le courage. Le repli. Comme toujours. La honte. Le déchireur de tickets au Passe-Temps était sorti, lui aussi, et il criait: «Édouard! Édouard! Tu t'es-t'enfin trouvé une blonde!» Victoire se retourna, s'approcha de son fils. Tout ce déguisement, en plus! «J'ai faim!» Ils traversèrent la rue Marquette sous le regard étonné de la rue Mont-Royal. Victoire donnait de petits coups de tête à tous les gens qu'ils croisaient, murmurant parfois un «bonjour» ou un «comment allez-vous» à peine prononcés. Au coin de Papineau, ils tournèrent à droite et traversèrent la rue Mont-Royal. Françoise, la head waitress, les regardait à travers la vitrine du Larivière et Leblanc. Victoire lui fit un large sourire, comme à une amie qu'elle n'aurait pas vue depuis des années et pressa le pas pour entrer dans le magasin. Elle vint se planter devant Françoise, farouche et triomphante, et lui dit, très fort: «Trois sundaes au caramel, s'il vous plaît!»

«C't'un beau nom, ça, Thérèse. C'est pas mal rare, aussi.» «Oui. Ma mére, a'lisait ben des romans français avant de se marier pis al'avait décidé que si jamais al'avait une fille, a'l'appellerait Thérèse. Chus la seule Thérèse, en sixième année, à mon école pis on est trois classes de trente et une élèves ! » Thérèse s'était assise tout au fond du gros banc de bois peint en vert et ses pieds touchaient à peine le sol. Gérard Bleau, le gardien du terrain de jeux, se roulait cigarette sur cigarette, fronçant les sourcils quand venait le temps de frotter une allumette, comme si cela avait été une tâche difficile exigeant une concentration presque au-dessus de ses capacités. « Y'a trois Jeannine, juste dans ma classe. Pis deux Claire. Claire Côté, pis Claire Thivierge. Y'avait quatre Denise, mais y'en a une qui est partie parce que sa mére avait besoin d'elle pour s'occuper de son nouveau p'tit frére. » « Toé, ton p'tit frére, comment ça se fait qu'y'est de même ? » Captivée par la beauté du visage du jeune homme et par la chasse qui venait de se terminer par sa victoire à elle, victoire irrémédiable qui lui livrait sa victime pieds et poings liés, Thérèse avait oublié Philippe et Marcel depuis une grande demi-heure, aussi sursauta-t-elle un peu à la question du gardien. Elle tourna la tête en direction des échelles où elle avait laissé son frère et son cousin. « Charche-les pas, sont couchés au pied d'un arbre. Pour un p'tit gars qui a la danse de Saint-Guy, j'te dis que ton frére se calme vite quand y s'assit ! Y'était pas aussitôt assis au pied de l'arbre, t'à l'heure, que toutes ses grimaces ont disparu. Pis y'a arrêté de trembler tout d'un coup. Y'est-tu toujours de même ? » Thérèse se demanda si le gardien ne riait pas d'elle, s'il n'avait pas déjà deviné leur manège, mais les yeux gris de Gérard Bleau ne contenaient aucune ironie, innocents, purs, grands ouverts et pourtant étonnamment vides. « Y doit pas être ben bright. » Thérèse se gourma avant de parler, pour cacher son émotion. Elle le trouvait vraiment de plus en plus beau. « Non, y'est pas toujours de même. Y'est pas toujours pareil. Ça dépend des jours. Aujourd'hui, y'est fatiqué. Quand y'est tannant, y'est pas endurable, mais aujourd'hui, y'est pas pire pantoute. » Thérèse rit un peu. Un petit rire frileux. « J'dis vraiment n'importe quoi. » Elle avait tourné autour du gardien assez longtemps avant de l'aborder. Elle avait d'abord fait semblant de jouer à la cachette avec son frère et son cousin, puis de jouer à la marelle, mais voyant qu'il ne s'occupait pas d'elle, elle s'était mise à tourner autour du banc en cercles de plus en plus petits, ne quittant jamais des yeux la tête du jeune homme qui continuait de fumer sans se rendre compte de sa présence, jetant de temps à autre un œil distrait en direction des rares petites filles qui s'amusaient sur le terrain de jeux. « Chus-t-une grosse araignée. Une grosse araignée noire avec des pattes pleines de poils pis des ciseaux à'place d'la bouche ! Pis une belle grosse mouche vient de se pogner en plein milieu de ma toile ! Mmmmm... Approchons-nous doucement pour pas y faire peur trop vite... Quand a'va se rendre compte que chus là, y va être trop tard... J'vas me jeter dessus, pis j'vas l'envaler rien que d'un coup... Non, non, j'vas plutôt prendre mon temps... » Lorsqu'elle passait devant le gardien, son cœur se serrait et elle respirait plus rapidement. « Mon Dieu, qu'y'est beau ! » Il avait détaché les deux premiers boutons de sa chemise, découvrant une poitrine maigrelette garnie de quelques poils follets. « Un vrai acteur de vues ! » Une fois, il l'avait regardée. Lui avait souri. Thérèse avait aussitôt baissé les yeux, détourné la tête. On lui avait pourtant répété de ne jamais dévisager les hommes, que cela pourrait leur donner des idées. « Des idées ? » Pour le moment, c'est elle qui avait des idées... « Chus-t-une chatte qui vient d'avoir des p'tits pis lui c'est une souris qui veut venir les manger... Approche, approche, voir, essaye d'leu'toucher, maudite souris sale... » Mais c'est elle qui s'approchait, araignée-chatte aux désirs confus, imprudente fillette mal informée pour qui les hommes étaient de beaux objets qu'on traîne avec soi pour les montrer et qu'on met ensuite de côté quand on n'en veut plus. « Quand j'vas avoir fini de toé, même ta mére te r'connaîtra pus ! » Elle avait pensé à sa mère pendant quelques secondes, sa mère penchée sur elle, lui frottant la bouche avec une débarbouillette savonneuse. « Quand viendra le temps de te mettre du rouge à lèvres, j'te l'dirai, pas avant ! Onze ans ! La première chose qu'on va savoir, tu vas nous demander des suyers à talons hauts pis des bas de nylon ! As-tu envie que les hommes te courent après comme une guidoune ? » Mais elle avait refusé de lui expliquer ce qu'était une guidoune. « Si j't'explique ça, j'vas-t'être obligée de t'expliquer d'autres choses, pis j'ai pas le goût ! » Et le souvenir de sa mère s'était évanoui au moment où Gérard Bleau avait glissé sa main dans l'échancrure de sa chemise pour se gratter. « J'aimerais ça qu'y l'ôte ! » Étonnée de cette pensée, Thérèse s'était immobilisée. « Pourquoi, donc ? » Aucune réponse n'était venue. Elle avait envie qu'il ôte sa chemise et c'était tout. Mais ce désir la troublait profondément et elle n'arrivait pas à reprendre sa chasse. « C'est pas toute. Y'a sûrement d'autres choses. » Soudain, elle se vit dans les bras de Gérard Bleau, sa bouche presque collée à celle du gardien, comme dans cette annonce de pâte à dents Ipana qu'elle avait découpée dans une revue anglaise de son oncle Édouard et qui représentait un homme et une femme enlacés, sur le point de s'embrasser... « C'est donc ça ! » En deux secondes elle avait traversé le bout de terrain qui la séparait du beau gardien, s'était assise sur le banc qui faisait face à celui sur lequel Gérard Bleau fumait, placide, et avait demandé, à brûle-pourpoint : « Quelle sorte de pâte à dents que vous prenez, vous ? » La chasse était terminée. Elle savait ce qu'elle voulait. Dans le regard étonné de Gérard Bleau elle avait lu une pointe de crainte qui l'avait flattée. Il lui avait répondu : « Pepsodent » sans rire et elle : « Ipana » avec une arrière-pensée grosse comme une maison. C'est à ce moment-là qu'il lui avait demandé son nom. Elle avait été fière de le lui dire. Et voilà, c'était parti. « Vous savez, y'est pas venu au monde de même... Y'est tombé en bas du deuxième étage quand y'était p'tit... Y s'est pas faite mal, mais ça y'a faite ça... » N'importe quoi. Pourvu que la conversation continue. Mais comment trouver le moyen de l'engager, de la guider dans ce chemin mystérieux dont elle ignorait absolument tout ? Qu'est-ce qui faisait qu'un homme avait envie d'embrasser une femme ? Une femme ? Thérèse revit sa mère. « T'as pas de problèmes, toé, t'es rien qu'une p'tite fille ! Profites-en ! Pis reste-lé encore longtemps, tu connais pas ta chance ! » La chance ! Elle maudissait cette « chance » qui faisait d'elle une impuissante, une ignorante qui se retrouvait totalement démunie et désarmée devant une envie qu'elle ne comprenait pas, un désir nouveau qui lui faisait battre le cœur sans qu'elle le veuille, une faim qu'elle ne savait pas comment assouvir, une soif inconnue dont elle avait peur mais qui la fascinait. « Pourquoi tu vas pas jouer avec les autres ? » L'insulte, tout à coup. Le coup de pied. Comme d'habitude. Va jouer, là. Achale pas le grand monde. Retourne à tes catins. Va garder le p'tit. T'es trop p'tite pour être icitte. « Y dorment... » Gérard Bleau jeta son mégot par terre, l'éteignit du bout de son pied. « Y vont finir par se réveiller ! » Quelque chose commençait à agacer le gardien dans cette petite fille colleuse mais il ne savait pas quoi. Son regard insistant, peut-être, ses yeux perçants. Oui, c'était ça. Ses yeux. Il se surprit à reboutonner sa chemise. Cette façon qu'elle avait de le regarder fixement. Comme s'il était dans une vitrine. Un jouet. Il se sentait comme un jouet. Machinalement, il s'empara de sa blague à tabac. Il tremblait un peu. « J't'ai dit d'aller jouer ! » Il avait haussé le ton sans s'en rendre compte. Elle lui faisait peur. Il avait peur d'une gamine de... dix, onze ans ? Il haussa les épaules. Au même moment Thérèse se leva d'un bond, un grand sourire aux lèvres. « C'est ma fête, aujourd'hui ! J'ai douze ans ! » « Ah, oui ? Bonne fête. » « D'habitude, quand c'est leu'fête, on embrasse le monde ! » Sans attendre la réponse, Thérèse fit deux pas, s'arrêta entre les genoux du gardien qui recula un peu la tête. « J'veux un bec. » Elle se pencha, sérieuse, l'embrassa sur la bouche. Ce fut très court mais une profonde détresse s'insinua en Gérard, plus, la peur, la vraie, mêlée de culpabilité et de remords, une totale panique comme s'il venait de poser un geste irrévocable qui coupait sa vie en deux parties distinctes : celle d'avant la petite fille, celle d'après. Mais ce n'était pas lui qui avait fait ce geste ! C'était elle ! *Elle* l'avait embrassé ! Pas lui ! Il était innocent ! Son érection le surprit en pleine épouvante et il se plia en deux, pendant que Thérèse s'éloignait en courant. « Maudite niaiseuse ! Maudite niaiseuse ! Ma fête ! Un bec de fête ! Ça compte pas, un bec de fête ! C'est pas un bec, un bec de fête ! » Tout était à recommencer.

Il s'était réfugié sous un balcon, n'importe quel, le plus près, il s'était glissé dans le premier trou noir qu'il avait aperçu, il s'était étendu sur le côté, secoué de spasmes, son œil crevé lui dégoulinant sur le museau. Il n'avait même pas la force de lécher ses plaies. Il respirait à petits coups, à cause des côtes brisées. Il ne comprenait pas. Il n'acceptait pas. Tout ce mal. Cette souffrance inutile. Gratuite. Godbout l'avait pris dans sa gueule et l'avait secoué comme une vilaine guenille, le projetant ensuite en l'air et lui sautant dessus à pieds joints. Duplessis avait d'abord essayé de lui expliquer qu'il voulait juste passer, rien d'autre, qu'il avait affaire au parc Lafontaine, qu'il n'avait pas envie de contourner tout le quartier... mais Godbout veillait sur son territoire jalousement et jamais, jamais plus il ne laisserait Duplessis passer. « J't'ai pris ta zone parce que t'étais trop pâte molle pour la garder, ben tant pis pour toé ! T'as pas d'affaire icitte ! Chenaille ! Le sud d'la rue Mont-Royal t'appartient pus, fais le tour par De la Roche ou ben donc de Lorimier si tu veux aller au parc Lafontaine. J'ai pas envie de trouver ton urine au pied d'un de mes poteaux ou de mes bonnes fontaines ! Parce que tu serais ben capable de te remettre à marquer ton territoire en cachette, j'te connais, ça fait des mois que j'te surveille quand tu viens scèner dans le boutte ! J'te vois renifler tes anciennes pistes pis tourner autour de tes anciens spots préférés... Pense pas que tu vas me surprendre par en arrière pis me chasser d'icitte comme un vulgaire quêteux, là ! Non ! Le boutte m'appartient, à c't'heure, pis j'vas y rester ! » L'affrontement avait donc été inévitable. Et Duplessis s'était bien mal défendu. Au début, l'agressivité de Godbout l'avait étonné : le chien n'avait aucune raison de lui en vouloir, bien au contraire, il l'avait battu à plate couture quelques mois plus tôt et se retrouvait maintenant maître d'un quartier riche en restaurants et généreux en poubelles... Mais Duplessis s'était ensuite dit qu'il était normal que Godbout ait encore peur de lui. « Y sait ben que j'abandonnerai jamais pour de bon. Pis que j'prépare mon retour. Y'est pas fou. À sa place, j'f'rais pareil. » Et Duplessis avait eu ce geste maladroit. Godbout avait fait mine de le mordre (un avertissement) mais Duplessis l'avait griffé pour vrai. Tout était venu de là. Une erreur. Dès qu'il avait senti le sang couler sur son museau, Godbout était devenu fou de rage et le carnage avait commencé. Duplessis était pourtant un chat fort, agressif, lui aussi, quand il le fallait, alerte, vif et leste, mais la colère butée de Godbout avait crevé le palier de la prudence et de la commune mesure, et le chat avait lu dans les yeux du chien que cette bataille serait la dernière pour l'un d'entre eux. Mais Duplessis n'en avait pas envie. Pas aujourd'hui. Il s'était défendu, certes, mais le cœur n'y était pas. Au beau milieu de la mêlée, alors qu'il était accroché à une oreille de Godbout et que ce dernier secouait la tête en tous sens pour lui faire lâcher prise, un certain recul s'était produit dans la tête du chat, il avait vu la scène de l'extérieur, pendant une seconde, s'en était complètement détaché, et le ridicule de la situation lui avait sauté au visage : un chat plein de puces et un chien pelé qui se battaient pour un droit de passage, quelle stupidité ! Alors qu'un petit garçon fou d'amour l'attendait au parc Lafontaine, il s'abaissait à se chamailler avec cette brute bornée qui vendrait sa mère (ou la tuerait) pour un os de poulet qui se bloquerait ensuite dans sa gorge. Il avait lâché prise, était retombé sur ses pattes, avait marqué une hésitation (en fait, il avait voulu fuir, tant pis pour la réputation, l'amour est plus important) et cela lui avait été fatal. Godbout lui avait sauté à la gorge, lui accrochant l'œil au passage qui avait éclaté comme un raisin et Duplessis avait senti l'ombre de la peur passer sur son âme. Duplessis eut un soubresaut de douleur et miaula à la mort. « Mourir, mourir, plutôt que de souffrir de même ! » Godbout s'était étendu de l'autre côté de la clôture du jardin où Duplessis s'était réfugié et il regardait le chat en se léchant les pattes rouges de sang. « Tu pourrais au moins me laisser mourir en paix. » « Non, j'veux être sûr que t'es ben mort. J'veux pouvoir annoncer la nouvelle moé-même, en primeur ! » « Si la clôture était pas farmée, viendrais-tu m'achever ? » « Non. De toute façon, j'pourrais sauter par-dessus. J'aime mieux te regarder mourir tranquillement, lentement. En jouir. » « Tu m'haïs donc tant que ça. » « Oui. » Et Duplessis sut que Godbout se mettrait à hurler aussitôt qu'il serait mort. Qu'il hurlerait sa victoire définitive, sa prise de possession irrémédiable. Que des gens sortiraient sur leurs balcons en disant : « Quelqu'un est mort, quequ' part, pas loin, j'espère que c'est parsonne qu'on connaît ! » et qu'un enfant finirait par crier : « C'est pas grave, c'est juste un chat, j'le vois, y'est en dessours du balcon de... » Juste un chat. Un chat imprudent. Un chat en amour, qui vient de passer deux nuits complètes à honorer une chatte folle, une chatte comblée, sans rien vraiment ressentir. Détaché. Un chat qui s'était détaché de cet acte hygiénique comme il venait de se détacher de cette bataille mortelle. Il étira un peu la tête pour la faire dépasser du balcon. « Si le p'tit garçon qui sent le pipi séché passe, mon amour, ma vie, ma joie, au moins que j'le voye avant de mourir ! »

« C'est-tu vrai que chus trop bête avec Marcel ? » Au milieu de l'époussetage du samedi après-midi, Albertine s'était arrêtée devant la porte grande ouverte de la chambre de la grosse femme. Cette dernière l'avait invitée à entrer. Albertine s'était assise au pied du lit comme le faisaient tous les visiteurs qui venaient voir la femme de Gabriel. Les jambes serrées. Le linge à épousseter sur les genoux. Elle n'osait pas regarder sa belle-sœur en face. Les ébats de Gabriel et de sa femme étaient encore trop présents à sa mémoire, trop frais, si elle avait regardé la grosse femme dans les yeux, celle-ci aurait pu y lire l'envie, le dégoût, le mépris, le respect, trop de sentiments à la fois, pêle-mêle, bousculés, hésitants les uns devant les autres, boiteux, tant ils s'opposaient. La grosse femme avait attendu qu'Albertine parle la première. Elle avait senti que venait une de ces rares confidences de sa belle-sœur, ces confessions courtes autant que subites qu'Albertine laissait échapper dans les endroits les plus incongrus et les moments les plus inattendus : au-dessus du poêle, la veille de Noël, pendant qu'elles préparaient les beignes ; à la sortie de la messe, un matin de juillet, alors que tout le monde se pâmait sur le bel été ; ou encore en venant porter le courrier dans la chambre, un bon matin où rien de spécial ne semble vouloir se produire... Phrases courtes, hachées ; voix basse, un murmure. Tout exprimé en quinze secondes, sans avertissement, ni pour le début, ni pour la fin. Mais cette fois, seule une question était venue. La grosse femme attendit deux grosses minutes avant de répondre. Au cas. Puis, voyant que rien d'autre ne venait, que rien d'autre ne viendrait, elle pencha le corps du côté droit, de façon à pouvoir saisir la main de sa belle-sœur. Mais Albertine avait deviné son geste, l'évita en posant ses deux mains de chaque côté d'elle, sur le lit. Et la grosse femme se retrouva avec un chiffon sale dans la main. Elle prit le chiffon, redressa le buste et se mit à épousseter le bras de son fauteuil, là où son coude était toujours posé et où la poussière ne venait jamais. « Pourquoi tu me demandes ça, tout d'un coup ? » Albertine raconta alors à la grosse femme la conversation qu'elle avait eue la veille avec Thérèse au sujet de Marcel. Et sa promesse, à elle, d'essayer d'être plus gentille à l'avenir avec son petit dernier. La grosse femme souriait. Albertine soupira. « Y me semble que chus pas si bête que ça. » En guise de réponse, la grosse femme posa à son tour une question. « Bartine... Penses-tu vraiment que chus trop grosse pis trop vieille pour avoir un autre bebé ? » Albertine sursauta comme si on l'avait piquée. Elle regarda enfin sa belle-sœur et tout sortit tellement vite et avec une telle force que même après qu'elle eut terminé, sa voix résonnait encore dans la tête de la grosse femme. « Oui ! Oui, j'le pense ! Oui, vous êtes trop grosse ! Pis trop vieille ! Savez-vous c'que le monde disent de vous, su'a rue ? Hein ? Y disent que vous êtes une cochonne ! Y disent que ça prend rien qu'une cochonne pour vouloir des bebés passé quarante ans ! Y disent qu'à quarante ans une femme, ça se repose ! Qu'y'est trop tard pour commencer à laver des couches pis à élever des enfants ! Pis j'pense comme eux autres ! Quand y va commencer à aller à l'école, c't'enfant-là, vous allez avoir cinquante ans ! L'âge oùsque les autres femmes sont grands-méres, torieux ! De quoi vous allez avoir l'air quand vous allez commencer à sortir avec, voulez-vous ben me dire ? Ben vous allez avoir l'air de sa grand-mére, justement ! C'est ça ! Sa grand-mére ! Le monde vont vous dire : "Vous avez ben l'air jeune pour une grand-mére !" pis vous, vous allez être obligée de leu'répondre : "Chus pas une jeune grand-mére, chus-t-une vieille mére !" Avez-vous hâte, hein, avez-vous hâte ? Le monde vont vous montrer du doigt, pis vous l'aurez mérité ! Pis si vous continuez à... à... si vous continuez à... Entéka, continuez comme après-midi, pis y va vous en venir d'autres, à part de t'ça ! Avez-vous envie de vous déchirer le ventre de même jusqu'à l'âge de cinquante ans, bonyeu ! Pis à part de t'ça, un bebé, dans'maison, ça va être de trop ! Ça va être fatiquant ! Si vous restez malade trop longtemps, après, qui c'est qui va être pognée avec, hein ? Ben c'est moé ! C'est moé qui va le torcher ! M'avez-vous demandé c'que j'en pensais, de t'ça, quand vous avez décidé de le faire, c't'enfant-là, vous pis le beau Gabriel ? Hein ? C'est ben beau d'avoir des enfants, mais faut être capable de s'en occuper ! Chus pas une sarvante, moé, icitte ! Depuis que vous êtes effouèrée là que j'fais toute dans'maison, pensez-vous que c'est agréable ? En plus de torcher toute la maisonnée, chus-t'obligée de vous torcher, vous, comme un bebé ! » Albertine s'était dressée sur ses jambes en parlant. Elle se penchait au-dessus de sa belle-sœur qui ne la regardait plus. Elle s'arrêta de parler aussi brusquement qu'elle avait commencé. Une bonne odeur de soupe commençait à se répandre dans la maison. La vieille horloge de la salle à manger sonna cinq heures. La grosse femme ferma les yeux. Albertine reprit son linge à épousseter. « Si vous avez honte, imaginez-vous comment c'qu'on se sent, nous autres, quand on se promène su'a rue ! » La grosse femme rouvrit les yeux. « Tu viens de répondre à ta propre question, Bartine. Au sujet de Marcel. Pis au sujet de toute. »

Germaine Lauzon fit irruption chez Gabrielle Jodoin, sa sœur, juste au moment où Roger Baulu annonçait, à la radio, qu'il était cinq heures et que les nouvelles allaient suivre. « Y'est-tu déjà cinq heures ? Ben, j'resterai pas longtemps, d'abord ! J'ai mon souper à préparer pis Arnest aime pas ça attendre. » Germaine Lauzon fit un grand sourire à son beau-frère. « Bonjour, mon beau snoreau ! Tu travailles pas, toé, aujourd'hui ? » Mastaï Jodoin épluchait sa troisième pomme de terre en sifflant. « J'ai fini à quatre heures et sept, aujourd'hui, pis je r'commence lundi matin à cinq heures et dix-huit. » « Vous me faites mourir avec vos heures, vous autres, dans les p'tits chars ! Vous pouvez pas commencer à travailler à huit heures, comme tout le monde, pis finir à six heures ? » « Si on commencerait pis on finirait en même temps que les autres, comment c'est que le monde feraient pour se rendre à leur travail, grosse niaiseuse ? » Gabrielle Jodoin s'empara des trois pommes de terre, les passa sous l'eau du robinet puis les jeta dans un chaudron. « Commencez pas à vous étriver, là, vous deux, ça finira pus, après ! » Germaine s'assit au bout de la table en soufflant. Elle était beaucoup plus grosse que ses sœurs, Gabrielle Jodoin et Rose Ouimet, et sa grossesse (huit mois, elle aussi) lui donnait quelques misères. « J'vas m'assir un peu, sans ça j'vas buster ! » Elle se tapota le ventre comme pour endormir l'enfant qui venait de lui donner quelques coups de pied bien sentis. « Chus pus capable de rien faire, chus-t'essoufflée tu-suite. Imagine, j'ai juste été acheter une pinte de lait chez Soucis, pis c'est comme si j'avais couru pendant deux heures ! D'ailleurs j'ai été là pour rien, y'avait pus de lait... » Gabrielle ouvrit une armoire. « Entéka, j'espère que tu viens pas m'emprêter du sucre ! J'en ai pus ! Y'est assez toffe à trouver, par les temps qui courent ! » Elle sortit deux assiettes à soupe, deux cuillers, le sel, le poivre. Germaine haussa les épaules en se passant la main sur le front. « Comme si j'venais icitte rien que pour t'emprêter des affaires ! » « Veux-tu d'la soupe ? Le reste sera pas prête avant une bonne heure, mais Mastaï a faim. » « Envoye donc. Une p'tite soupe, avant le souper, ça l'a jamais fait de tort à parsonne ! » Gabrielle sortit une troisième assiette qu'elle déposa devant sa sœur. « Est à quoi ? » « La soupe ? Au barley. » Mastaï se roulait maintenant une cigarette. Il parla doucement, d'une voix égale, comme si de rien n'était. « J'emmène ta sœur au théâtre, à soir. » Une petite bombe. Il était sûr de son effet et regarda sa belle-sœur réagir, un sourire moqueur au coin de la bouche. Germaine s'était raidie, avait rougi, puis pâli. Le théâtre était sa grande passion (elle avait passé son enfance à déclarer partout qu'un jour elle partirait pour Hooywood, ou Paris, et qu'elle deviendrait une grande actrice... rêve d'enfant sans imagination qui avait fini par lasser tout le monde et lui attirer le surnom de « L'Actrice », dans la famille, surnom qui lui était resté et qu'elle abhorrait maintenant comme un péché honteux ou une tache de naissance) mais son mari, Ernest Lauzon, mécanicien à la Canadair, jeune homme complètement dénué de fantaisie et dont le sens de l'humour consistait à regarder les « comics » dans les journaux de la fin de semaine avec un sérieux imperturbable, murmurant parfois un : « J'comprends pas. » ou bien un : « C'est ben niaiseux, donc, ça ! » qui rendaient Germaine complètement folle de rage (elle aimait aussi les bandes dessinées), Ernest Lauzon, donc, interdisait à sa femme d'aller au théâtre sous prétexte que cela l'énervait trop et lui donnait des idées. Quelles idées, ça, il aurait été bien en peine de le dire, le mot « idée » représentant pour lui des besoins mystérieux qu'il ne connaissait pas, qui ne l'intéressaient pas, auxquels il ne pensait jamais. Tout ce qu'il savait c'est que lorsque Germaine revenait du théâtre, elle avait les yeux dans la graisse de bines et regardait à travers lui comme s'il n'avait pas existé. Il avait un jour confié à Mastaï Jodoin, son beau-frère : « Quand a'revient de là, a'parle de Jacques Auger comme si c'tait le bon Dieu en parsonne, pis d'Albert Duquesne comme si y'y'avait donné rendez-vous dans un fond de cour au beau milieu de la nuit suivante ! J'en reviens ben, moé ! Ça fait rien que deux ans qu'on est mariés, j'la laisserai pas se mettre à rêver à Albert Duquesne des grandes nuittes de temps, certain ! A'dit qu'y'a une belle voix ! J'comprends, y'a rien que ça à faire ! » Germaine plongea sa cuiller dans sa soupe sans rien dire. Mastaï déposa sa cigarette qu'il fumerait plus tard, entre la soupe et le reste du repas. « Je l'emmène au National. Y'a la Poune. Pis Juliette Petrie. » Germaine souffla sur sa soupe, fit le plus de bruit qu'elle put en l'avalant, pour ne pas entendre son beau-frère, ajouta un peu de sel. « Est bonne. C'est bon, du barley, mais maudit que c'est chaud ! » Mastaï sapa lui aussi en aspirant sa première cuillerée. « Y'a deux vues, aussi. Six heures de spectacles. » Gabrielle Jodoin les regardait tour à tour, son mari qu'elle aimait tant, sa raison de vivre, et sa grosse sœur qu'elle avait appris à mieux connaître depuis qu'elles étaient toutes les deux enceintes (Germaine et Gabrielle s'étaient beaucoup rapprochées depuis sept mois alors que leur sœur Rose, enceinte elle aussi, s'était au contraire comme retirée en elle-même, se terrant dans sa maison et essayant par tous les moyens de cacher sa grossesse) et elle sentit cette pointe de jalousie qu'elle éprouvait quand ils s'agaçaient comme des enfants, et cela leur arrivait souvent, s'insinuer en elle comme un trou, un vide, à la place du cœur. « Y se chicanent pis y s'étrivent comme des vieux mariés ! C'est moé qui a l'air de la belle-sœur quand y font ça ! » Germaine faisait toujours comme si Mastaï n'avait rien dit et continuait de manger sa soupe. Seul un petit tremblement de la main qu'elle essayait en vain de réprimer témoignait de la fureur qui l'habitait. En fait, elle aurait voulu griffer son beau-frère, le tailler en pièces, le piétiner. « Ysait qu'y me fait chier, pourquoi c'qu'y'arrête pas ! » Mais Mastaï avait gardé le gros coup pour la fin, comme toujours. (Il avait une façon de préparer ses chutes et un sens du timing qui faisaient de lui un conteur dépareillé et un joueur de tours émérite : alors qu'on s'y attendait le moins, quand on pensait que tout était fini, qu'on pouvait enfin rire de sa farce ou subir les moqueries des autres, il arrivait toujours avec quelque chose d'inattendu qui vous rendait encore plus hilare ou plus furieux.) « J'vous avais acheté des tickets à toé pis à Arnest, pis tout d'un coup, j'me sus rappelé que ton seigneur et maître aime pas le théâtre, ça fait que j'les ai donnés à un quêteux qui passait devant le National. Y'était ben content. Y m'a même promis de se laver avant d'aller au théâtre pour pas nous donner mal au cœur. Ç'arait été plate de gaspiller des bons billets de même, tu comprends... Les meilleurs ! » Germaine Lauzon déposa lentement sa cuiller dans son assiette à soupe. « J'm'en venais vous inviter à jouer aux cartes, à soir. Rose pis son mari vont être là. Pis moman va venir aussi, avec Pierrette. Si ça vous tente... Vous avez juste la rue à travarser. Merci ben pour la soupe. » Elle se leva, s'éloigna dans le corridor pendant que son beau-frère riait aux éclats. Gabrielle suivit sa sœur jusqu'à la porte d'entrée. « On va peut-être y aller, Germaine. Mais c'est pas sûr. Si on est pas là à huit heures, ça veut dire qu'on y va pas. » La porte se referma doucement. Ni Mastaï, ni Gabrielle ne vit les larmes sur les grosses joues de Germaine. Mais Gabrielle les devina.

« Pourquoi vous pensez qu'on a toutes voté non au plébiscite, la semaine passée ? Parce qu'on est toutes des peureux ? Non, c'est pas vrai, ça ! C'est juste parce qu'on a pas envie d'aller se faire tuer dans une guerre qui a rien à voir avec nous autres ! » Une dizaine d'hommes s'étaient groupés autour de Gabriel, comme chaque samedi après-midi, ouvriers, retraités, et même quelques robineux, qui venaient finir leur journée à la taverne en sachant très bien qu'ils auraient droit à ce qu'ils appelaient entre eux «le sermon de Gabriel», cette inévitable harangue politique que le mari de la grosse femme commençait après sa huit ou neuvième bière et qui pouvait se poursuivre jusque très tard dans la soirée si l'orateur était en forme et le public, attentif. Gabriel s'était gagné l'affection et le respect de tous les clients de l'établissement grâce à ces discours toujours naïfs mais qui exprimaient parfaitement bien les grands courants d'idées qui agitaient les Québécois en ces temps d'insécurité, d'hésitations, de questionnements. Son influence commençait même à prendre une certaine importance, sans qu'il s'en rende compte, les hommes attendant souvent de savoir ce qu'il pensait avant de se prononcer sur une question sociale ou politique. Il avait même été en grande partie responsable du «non» formel que tous les hommes du quartier avaient répondu au plébiscite de Mackenzie King. «Si le Canada veut épauler l'Anguelterre, c'est son problème! Moé, j'ai pas envie d'aller massacrer du monde pis perdre des membres pour un pays qui a jamais rien faite pour moé!» Les hommes applaudirent. Mais Willy Ouellette, toujours assis en face de son ami, restait songeur. «T'es pas d'accord avec ça, toé, Willy?» Willy Ouellette semblait somnoler sur sa chaise, la ruine-babines entre les mains. Ses idées n'étaient pas claires, loin de là, mais quelque chose le chicotait. «J'trouve juste...» Il se passa une manche sur la bouche où un peu de mousse de bière était restée collée. «J'trouve juste que c'est la France qui fait pitié, làdedans... Faut sauver la France, y me semble... la mère patrie... nos racines... » Gabriel se leva et vint se planter devant Willy Ouellette qui recula sous le choc. « La France ! La France qui nous a abandonnés ! La France qui nous a vendus ! Sauver la France pour qu'a'continue à nous chier sur la tête, après, en riant de notre accent pis en venant nous péter de la broue en pleine face ! » Willy Ouellette, sans trop savoir pourquoi, décida de tenir tête à Gabriel, peut-être pour ne pas perdre la face, peut-être aussi parce qu'au fond de son cœur un petit drapeau fleurdelisé battait encore faiblement. « J'trouve que tu y vas raide, Gabriel ! C'est pas parce que la France nous a abandonnés y'a quequ'centaines d'années qu'y faut la laisser mourir aux mains des nazis ! » « C'est pas une raison pour aller mourir pour elle, non plus ! J'veux pas mourir pour la France, moé ! J'veux pas non plus mourir pour le Canada ! Pis j'veux surtout pas mourir pour l'Anguelterre ! Ça fait que que c'est que j'irais faire là, veux-tu ben me dire ? Te vois-tu, toé, te battre au milieu des Anglais pis des Français de France qui t'ont toujours méprisé en face d'une gang de têtes carrées d'Allemands qui t'ont jamais rien faite ? » « Les Allemands, si on les laisse faire, y vont toute envahir, même icitte, pis y vont finir par faire de nous autres des athées, pis des païens ! » « C'est pas vrai, ça ! Le pape, à Rome, de quel bord qu'y' est, hein ? Ben, y'est du bord de Mussolini, pis d'Hitler ! » « Viens pas me dire, Gabriel, que t'es du bord de Mussolini, pis d'Hitler ! » « Ben non, ben non, j'ai pas dit ça, là... chus pas de leur bord... chus pas fasciste... » Gabriel perdait pied, il s'en rendait bien compte mais il ne trouvait pas le moyen de redresser sa position. Il faut dire aussi que c'était la première fois que quelqu'un osait lui tenir tête. Il donna un grand coup de poing sur la table, geste habituellement efficace et définitif, mais qui resta étonnamment sans écho, cette fois. « J'veux pas aller mourir pour rien pour des pays qui risent de moé depuis toujours ! » « C'est peut-être mieux de mourir pour rien, en homme, Gabriel, que de passer pour un pissous pour le reste de ses jours... » Gabriel marqua un temps, le premier depuis le début de la discussion. Willy Ouellette en profita pour se lever à son tour. « On va encore passer pour des maudits peureux, t'sais ! C'est sûr, ça ! Penses-tu que le Canada va croire qu'on veut pas aller à'guerre juste parce qu'on se sent pas concernés ! Voyons donc ! On est tu-seuls, au Canada, à avoir voté non, dans la province de Québec ! Toutes les autres provinces ont voté oui excepté nous autres ! C't'une maudite belle occasion de faire encore rire de nous autres, ça ! Y nous accusent déjà de faire des bebés juste pour pas aller à'guerre parce que les pères de famille sont pas encore obligés d'y aller, pis v'là rendu qu'on refuse en bloc de laisser passer une loi qui obligerait tous les hommes valides d'aller se battre pour l'Anguelterre ! » « Y nous avaient promis qu'y nous obligeraient jamais à aller se battre pour l'Anguelterre ! » « Ben oui, mais là y se dédisent, que c'est que tu veux, c'est eux autres, le gouvernement, c'est eux autres qui mènent ! Pis comme on est tu-seuls à avoir voté non, on va toutes être obligés d'aller se battre pareil ! » Gabriel se rassit tout à coup. Les rôles étaient renversés sans que personne le veuille. Willy Ouellette n'avait pas voulu boucher Gabriel, les arguments lui étaient venus il ne savait d'où, sans qu'il ait eu besoin de les chercher, de les préparer et soudain il se retrouvait presque vainqueur de la discussion, devant un Gabriel qu'il ne reconnaissait pas, qui semblait vouloir fuir, reculer, céder devant lui. Un silence pénible s'abattit sur la taverne. Gabriel prit la dernière bière qui restait sur la table et la cala d'une seule traite. Et la question décisive, le coup de grâce, vint de Tit-Paul Boudreau, le garçon de table : « Tu m'as pas déjà dit que ta femme était enceinte, Gabriel ? » Gabriel se releva d'un bond et les mots jaillirent de sa bouche déformés par l'émotion, défigurés, rauques, brisés. Suppliants. « J'ai pas mis ma femme enceinte pour pas aller à'guerre ! S'il vous plaît, pensez pas ça ! J'ai mis ma femme enceinte... parce que je l'aime... pis qu'a'voulait un autre enfant ! » Devant l'évidente incrédulité de son auditoire, Gabriel battit en retraite et se sauva comme un chien battu. Le plus désolé, le plus confondu, dans cette histoire, était Willy Ouellette qui venait, sans le vouloir, d'humilier le plus grand orateur de taverne du quartier, son nouvel ami, et de semer le doute, ce bobo, cette plaie inguérissable, dans le cœur de ses frères.

Violette s'était remise à l'ouvrage depuis quelques minutes, une maille à l'envers, une maille à l'endroit, laine verte, laine bleue, ou jaune, ou rose, petit coup d'œil dans la rue entre deux pattes ou une gorgée de thé refroidi, mais quelque chose était changé dans son comportement, ses mains étaient moins agiles, son coup d'aiguille moins sûr et, surtout, les pattes qu'elle tricotait étaient vraiment trop petites, ridicules boules de laine sans formes précises qui n'auraient pu chausser aucun enfant, aussi malingre fût-il. Florence voyait tout ça et ne disait rien. Il fallait attendre au soir, à l'heure du coucher, dans le noir le plus complet, avec pour seul témoin l'œil crevé de la lune, pour parler... Là seulement elle pourrait s'asseoir à côté du lit de sa fille et raconter. Tout dire. Expliquer? Non. Raconter. La famille de Victoire. Les générations, les vagues d'individus, de clans, de parents, les mariages d'amour consanguins prolifiques, les mariages de raison stériles, les branches nouvelles, celles, mortes, qu'on n'avait pas besoin de couper parce qu'elles tombaient de l'arbre toutes seules, l'arrière-arrière-grand-père de Victoire, Thomas-le-Fun, qui s'était battu contre les Américains et y avait gagné une jambe de bois sur laquelle il avait gravé ces mots: « Sacrifiée à Saint-Denis », son fils, Gaby-Gaby, qui n'avait jamais arrêté de grandir et qui en était mort, les os disjoints, éclatés, sa fille Nénette, qui avait eu vingt-sept enfants en vingt-sept ans et qui était morte en mettant sa dernière fille au monde, la grand-mère de Victoire, et en maudissant son homme, son sort, son curé, son corps et le rôle de servante génitrice réservé aux femmes, cette sainte à qui on avait refusé l'extrême-onction et qu'on n'avait pas enterrée en terre consacrée, cette sorcière qui avait osé dire, cette damnée qui avait éclaboussé le village de ses imprécations, à tel point que le curé lui-même était allé se jeter aux pieds de son évêque en hurlant: « Venez laver le ciel de mon village, Monseigneur, le soleil est parti pis y fait noir partout! » et Victoire elle-même, oui, raconter Victoire, sa jeunesse, ses amours (surtout Josaphat-le-Violon, son frère, seule grande passion de sa vie), sa grande déchirure, la mort de son âme quand elle avait été obligée de déménager à Montréal pour suivre cet homme qu'elle n'aimait pas et qui l'adorait, Télesphore, si doux mais si mou, et sa vie de recluse au deuxième étage de la maison de la rue Fabre, et elles, enfin, Florence, Rose, Violette, Mauve, parallèles à tout cela, enjambant les générations, catinant et tricotant tout ce temps, gardiennes cachées, surveillant, veillant, liées, protégeant de loin les berceaux, comptant les naissances mais non les morts, heureuses ? Heureuses. Elles qui tricotaient patiemment le temps. Elles qui avaient gardé la famille de Victoire depuis ses origines et qui la garderaient jusqu'à son extinction. Pourquoi ? Quelle importance ? Elle pourrait même, si elle le voulait, raconter l'avenir à Violette : l'enfant multiple de la grosse femme d'à côté, toutes ces naissances simultanées dans la rue Fabre, Rose Ouimet, Gabrielle Jodoin, Germaine Lauzon, Claire Lemieux et cette autre, Marie-Louise Brassard, terrée derrière le rideau de dentelle de son salon, folle de peur et qui s'imaginait que son premier enfant lui viendrait par le nombril. Mais tout cela, elle le garderait pour elle. Elle raconterait le passé pour endormir Violette, mais garderait l'avenir pour elle. À quoi bon tout dire ? Tricoter au fur et à mesure, guetter, ne pas interpréter, se réjouir ou geindre avec Victoire, avec Gabriel, Albertine, Édouard, et plus tard, beaucoup plus tard, tout recréer avec ce fils-fille de la grosse femme, souffrir avec lui et se réfugier dans les sons, les images, revivre le passé de sa famille par peur de la voir s'éteindre dans l'indifférence générale, tout cela était leur lot, à Florence, à Rose, à Violette, à Mauve, mais prédire, non. Pourtant Florence savait tout ce qui allait venir, ou presque, mais elle se refusait à le consulter. Attendre. Regarder. Tricoter. Des pattes de bebés pour perpétuer la lignée. Violette éclata de rire, un rire sec, nerveux, et porta ses mains à sa bouche en laissant tomber son tricot. « Moman, j'ai fermé ma dernière patte ! J'étais dans'lune, pis j'ai fermé la patte complètement... J'ai tricoté une boule parfaite ! » Florence prit la boule dans sa main droite, la glissa dans sa poche de tablier. « Va préparer le souper, Violette, j'vas prendre ta place. » « C'est pas mon tour... » « Va préparer le souper. »

Marie-Louise Brassard était effectivement terrée derrière le rideau de dentelle de son salon. Depuis qu'elle était enceinte, sept longs mois comme un tunnel où rien ne bouge, glacé, trouée au milieu du vide qui mène nulle part si ce n'est à la peur, Marie-Louise s'était réfugiée à sa fenêtre comme pour y chercher secours, quelquefois debout, mais la plupart du temps assise sur une chaise droite qu'elle apportait de la cuisine et qu'elle installait de profil, le siège et le dossier frôlant la dentelle et elle, assise, qui s'ennuyait quand elle n'avait pas peur. Elle s'assoyait à sa fenêtre tous les matins, une tasse de thé à la main. Son corps était dirigé vers le mur où un énorme crucifix trônait entre deux lampions électriques mais sa tête était toujours tournée vers l'extérieur, vers la vie. Elle ne bougeait presque jamais, laissait refroidir le thé sur ses genoux, portait de temps à autre la tasse à ses lèvres, mouvement automatique qui se faisait presque malgré elle, tournait parfois la tête vers le salon mais la ramenait vite vers la rue. Elle avait mis un rideau entre la vie et elle, et la regardait par les trous entre les fleurs de coton. Au contraire de Marie-Sylvia qui guettait et interprétait tous les mouvements de la rue, Marie-Louise Brassard, elle, se contentait de tout remarquer, les gestes des passants, le changement dans la lumière quand survenait un nuage, le bruit, même, des voitures, rares, sans jamais rien enregistrer. Tout était oublié aussitôt que passé. Le midi, elle se levait, mangeait à la cuisine un sandwich au jambon haché ou un œuf au miroir et revenait s'installer derrière son rideau. Pour le reste de l'après-midi. Quand l'enfant donnait des coups de pied, et cela lui arrivait de plus en plus souvent, Marie-Louise ouvrait de grands yeux effrayés en se demandant si le temps était venu. Chaque fois. C'est que Marie-Louise Brassard, pur produit de l'ignorance, de l'intolérance d'une société rurale qui imposait le silence là où des explications auraient été vitales, qui nourrissait l'envie, l'hypocrisie et la culpabilité comme trois vertus essentielles et qui, surtout, considérait la sexualité comme un mal nécessaire (non pas un péché mais *le* péché, le seul, l'ultime, par où les femmes doivent passer pour assurer une progéniture à la race), s'abîmait dans la peur de son enfant. Personne ne lui avait jamais rien dit au sujet de la sexualité, elle qui croyait encore le jour de ses noces que les enfants sont livrés par les Indiens de Caughnawaga, aussi avait-elle été non pas surprise mais horrifiée quand le docteur Sanregret qu'elle était allée consulter à cause de ses nausées et de ses maux de ventre, au début de sa grossesse, lui avait dit qu'elle «portait» un enfant qui allait naître au début de l'été. Elle n'avait pas osé le questionner, sa mère lui avait déjà dit qu'on ne pose pas de questions, jamais, sur tout ce qui se trouve entre le nombril et les genoux, mais, à force de réfléchir sur sa chaise droite, de se faire peur, d'interroger son corps ignorant, de raboudiner des bribes de conversations entendues chez elle, quand elle était petite et trop jeune pour comprendre, elle avait fini par en venir à la conclusion que son enfant lui viendrait par le nombril.

Toute sa terreur était donc concentrée là, au milieu de son corps, et quand son enfant frappait de ses petits pieds pour avertir sa mère qu'il était toujours là, bien en vie et heureux de préparer sa venue, elle croyait, chaque fois, que le docteur lui avait menti, que le petit démon lui déchirerait le ventre avant l'été. Des sueurs perlaient à son front, son souffle devenait saccadé, haché, la peur envahissait tout. Elle mettait souvent ses deux mains sur son nombril comme pour le boucher et chantonnait, pliée par en avant: « Va-t'en, va-t'en, p'tit fatiquant, ta mére te veut pas pis ton pére est un fou... » Léopold Brassard, comme Gabriel, travaillait le soir et dormait le jour. Ils travaillaient d'ailleurs tous les deux dans le même atelier (Gabriel était pressier, Léopold linotypiste), mais ne se parlaient jamais, se contentant de se saluer d'un timide « Bonjour ! » quand ils poinçonnaient en même temps ou au début de la demi-heure de lunch, à dix heures du soir. S'ils sortaient tous les deux en même temps pour aller travailler, ils restaient chacun de son côté de la rue, chemins parallèles qui refusaient de se croiser, ils évitaient de se regarder à l'arrêt, au coin de Fabre et Mont-Royal, et ne s'assoyaient jamais ensemble dans le tramway... Et quand Léopold rentrait de son travail, vers deux heures du matin, il ne se couchait jamais. Il errait dans la maison, lisait des « comics », se faisait à manger, de gros repas (excellents, d'ailleurs, il était meilleur cuisinier que sa femme et c'est lui qui préparait leur nourriture, la nuit) qu'il mangeait en regardant le jour se lever et il attendait que sa femme sorte du lit pour se coucher. Ils n'avaient jamais pu s'habituer l'un à l'autre. Léopold était aussi ignorant que Marie-Louise et l'arrivée dans son lit de cet être pleurnichard dont il ne savait que faire avait été pour lui la grande humiliation de sa vie. Ils se relayaient donc dans le lit conjugal. L'énorme ventre de sa femme était pour Léopold une aussi grande source d'étonnement et de terreur bornée que pour Marie-Louise elle-même. L'enfant était le fruit de leur nuit de noces, la seule qu'ils avaient passée ensemble, horrible, Léopold sachant à peine quoi faire et le faisant mal, Marie-Louise morte de panique de sentir cette chose qu'elle avait toujours vue flasque chez ses petits frères la pénétrer sans qu'elle sache pourquoi, allant même jusqu'à s'imaginer que Léopold voulait pisser en elle parce qu'il était soûl et qu'il ne savait pas ce qu'il faisait. Léopold et Marie-Louise Brassard étaient venus s'installer à Montréal tout de suite après leur voyage de noces (une fin de semaine à Québec pendant laquelle il n'avait pas dessoûlé et elle n'avait pas arrêté de pleurer) parce que Léopold avait décroché un emploi à l'imprimerie Laprairie, rue Sainte-Catherine. Marie-Louise avait été coupée de son village et transplantée dans cette rue étrangère où elle savait qu'elle n'arriverait jamais à se faire des racines. Et comme un arbuste mal transplanté, Marie-Louise se mourait à sa fenêtre, de peur, d'ennui. Elle était la totale immobilité dans ce malstrom de passions, de joies, de cris, de farces, de tragédies, d'amours, de pleurs, de rires et la rue Fabre l'étouffait comme une chape d'asphalte.

À cette heure où le soleil commençait sa lente descente vers les quartiers riches, le parc Lafontaine prenait des airs de forêt au crépuscule : les ombres s'allongeaient, envahissaient les pelouses où ne trônaient pas encore en ce début de mai les affreux petits panneaux sur lesquels on pouvait lire : « Ne passez pas sur le gazon », les écureuils, moins peureux, sortaient de leurs cachettes et gambadaient un peu partout en caquetant comme des fous, les bouquets d'hydrangers faisaient des taches plus sombres dans l'ombre des arbres, l'air était plus frais, comme humide, et une pesante tranquillité recouvrait tout. On aurait dit que la nature était en attente, comme si une chose importante se préparait. Dans les rayons obliques du soleil presque couchant tout semblait de profil. Béatrice aussi. Elle était accoudée au milieu du pont qui séparait les deux lacs artificiels qu'on n'avait pas encore remplis et qui ressemblaient à deux dépotoirs tant y régnaient papiers gras et bouteilles de bière. C'était la première fois que Béatrice voyait ces deux lacs vides et cela l'attristait. « Le monde sont donc cochons ! Y vont-tu apprendre, un jour, à pas jeter leu'vidanges partout ? » Elle aurait préféré ne pas savoir que les lacs étaient artificiels, des trous qu'on avait creusés, cimentés, des bassins qu'on était obligé de vider de leur eau, à l'automne, et de leurs déchets, au printemps, et que la fontaine, au milieu du plus petit des deux étangs, était crevassée, fendue, au bord de n'être plus utilisable. L'été, dans la splendeur des nuits soyeuses, ce lac, couronné de sa fontaine qui changeait de couleur toutes les trente secondes, était magique. Tout y était beau, facile, parfait. Mais en cette fin d'après-midi, dans la lumière dorée du soleil qui achevait sa course, sa laideur était difficile à supporter. « Quand tu regardes de l'autre côté du lac, c'est de toute beauté, tu te croirais en pleine forêt, tu-seule, heureuse, libre, pis quand tu baisses les yeux la dompe te saute dans'face pis tu sais qu'y'a pas d'espoir. » Béatrice avait abandonné tout espoir de retrouver Mercedes au parc Lafontaine. Elle ne savait où aller. Elle ne voulait surtout pas retourner à l'appartement de la rue Fabre. « J'ai pas une cenne. J'ai pas de place où coucher ou, plutôt, j'en ai une mais j'ai peur d'y retourner. Tout ce que j'ai, c'est mon cul. C'est tout c'que j'ai jamais eu. » Elle croyait avoir ratissé le parc mais elle avait passé quatre ou cinq fois tout près de Mercedes et de Richard sans les voir, entendant peut-être des bribes de la confession de Richard mais ne pouvant pas s'imaginer que ces pleurs, ces éclats de voix, ces chuchotements, ces plaintes s'adressaient à son amie qu'elle voyait plus dans les bras d'un client au bord de l'apoplexie que pieusement penchée sur les souffrances d'un petit garçon. Elle avait parcouru tous les chemins du parc, toutes les allées, elle avait vu des amoureux timides se frôler les mains en baissant les yeux, d'autres plus hardis sortir d'un bosquet, ébouriffés, roses de plaisir coupable, elle avait vu des vieillards blêmes sourire au soleil et même le saluer, des enfants s'amuser bruyamment sur le terrain de jeux, elle avait vu une petite fille embrasser un homme sur la bouche (son père ? le gardien du parc ?) et deux petits garçons endormis, des voisins de la rue Fabre, au pied d'un arbre, enlacés amoureusement, haleines mêlées, calmes, sereins, abandonnés. Mais de Mercedes, point. Ni de clients, d'ailleurs. Elle s'était étendue une petite heure à l'ombre d'un érable pour réfléchir. Les trois soldats avaient-ils enlevé, tué Mercedes ? Ou n'était-ce pas plutôt la police qui était enfin venue faire une descente (elles s'y attendaient depuis tellement longtemps). De qui était le billet qu'elle avait trouvé sous sa porte ? Et elle, qu'allait-elle devenir ? Où aller ? Retourner chez sa tante Ti-Lou, tout lui dire ? Toutes ces questions avaient fini par l'endormir. Elle avait rêvé qu'elle donnait un spectacle dans une grande salle et qu'elle se retrouvait en scène complètement nue mais faisant semblant de rien et continuant son numéro sous les rires moqueurs et les quolibets du public en liesse. Elle s'était réveillée trempée, en plein soleil, épuisée comme au sortir d'une de ces nuits agitées qui fatiguent plus qu'elles ne reposent, et elle avait décidé de venir voir le soleil mourir derrière les arbres du parc. « Chaque chose en son temps. Comme disait si bien ma grand-mère : " Y'a rien qui est assez important pour remplacer le seul show gratis que le bon Dieu nous a donné. Si t'as des problèmes au coucher du soleil, laisse-les tomber pis va te pâmer devant l'orgie de couleurs que ton créateur se paye tou'es soirs, ça console, ça lave, ça purifie. " A l'avait ben raison, la vieille tornon. Le coucher du soleil, c'est comme un coup de couteau qui coupe la journée en deux ! Quand tu regardes ça, t'es pas heureux, t'es pas malheureux, t'es p'tit. » Elle attendait anxieusement ce moment (dans une heure ? deux heures ?) où elle ne sentirait plus rien pendant quelques minutes, ni la peur, ni la peine, ni l'inquiétude, ni cette impression de dénuement devant un problème qui n'était pas si compliqué, après tout, mais qu'elle ne comprenait pas et qui la désarmait. Appuyée contre un des faux troncs d'arbres pétrifiés en ciment qui servaient d'accoudoir aux promeneurs qui passaient le pont en fausses pierres des champs (encore du ciment), Béatrice chantonnait.

Son sundae au caramel terminé, Victoire avait essuyé sa bouche avec le coin de sa serviette de papier. « Dépêche-toé, on s'en va au parc Lafontaine ! » Édouard avait presque avalé sa crème glacée de travers. « Moman, y'est cinq heures ! » Victoire avait pris un dollar dans son sac et l'avait étalé bien en vue sur le comptoir en regardant dans la direction de Françoise. « On soupe jamais avant six heures et demie, sept heures, le samedi soir, l'été, ça nous donne en masse le temps d'aller faire un p'tit tour. » « C'est pas encore l'été. » Victoire avait regardé Édouard pour la première fois depuis qu'ils étaient assis au comptoir. « Si on manque le souper, on le manquera, c'est toute ! Ça fait deux ans que chus pas sortie de la maison, pis j'ai envie d'aller me promener un peu au parc Lafontaine, es-tu capable de comprendre ça ? » Elle avait tapé sur le comptoir avec le bout de ses doigts pour attirer l'attention de Françoise qui était occupée à jaser avec une cliente, le corps penché par en avant, les mains posées à plat sur le marbre froid. Victoire était ensuite revenue à son fils, une pointe de pitié dans le regard. « Aïe pas peur, j'vas marcher plus vite pis tu vas arriver à temps pour ta soupe. Jamais je croirai que tu s'rais prêt à recommencer à manger dans une demi-heure ! » Édouard l'avait regardée, étonné par le changement dans le ton de sa voix. « Réponds-moé pas, Édouard, j'sens que la réponse serait oui pis ça me déprimerait. » En prenant le dollar sur le comptoir après avoir fait l'addition, Françoise avait glissé une remarque entre ses dents, tout bas, mais assez fort pour que Victoire l'entende. « Tiens, a'paye, aujourd'hui. » Victoire l'avait regardée droit dans les yeux, sans répondre. L'addition montait à cinquante cents. Françoise avait rapporté la monnaie en pièces de dix cents dans l'espoir que Victoire lui en laisserait au moins une en pourboire. En apercevant les cinq pièces de dix cents, Victoire avait souri. « Pourriez-vous me changer ces dix cennes-là pour un gros cinquante cennes, s'il vous plaît ? » Françoise était repartie vers la caisse en grommelant contre ces clients qui préféraient les grosses pièces de monnaie aux petites. « On dirait qu'y s'imaginent que sortir un gros cinquante cennes ça paraît mieux que de sortir des p'tits dix cennes, pis des p'tits cinq cennes ! Gang de cheaps ! » Elle avait donc rapporté la pièce de cinquante cents à Victoire qui l'avait aussitôt mise en sécurité dans son porte-monnaie. La vieille femme aussi avait glissé une remarque entre ses dents, à l'adresse de Françoise. « Si a's'imagine qu'a'va avoir une cenne de moé, elle ! Si y'a quequ 'chose que j'haïs, c'est ben les waitress de restaurant qui passent des remarques ! » Édouard n'avait rien vu de ce manège, occupé qu'il était à finir le caramel au fond du plat en verre. Victoire lui avait tapé sur le bras avant de se lever. « Ça sert à rien de gratter le fond, mon homme, y'en a pus ! » Françoise était restée pétrifiée devant la remarque de sa cliente. Elle aurait voulu sauter par-dessus le comptoir pour aller déchirer le ridicule chapeau de paille que portait cette vieille sorcière mais son agressivité lui avait attiré des ennuis ces derniers temps (elle avait giflé un client qui avait essayé de dénouer son tablier et envoyé chier une madame du boulevard Saint-Joseph qui avait prétendu que le pudding au riz goûtait le graillon) et elle s'était juré de garder son sang-froid quoi qu'il arrive au moins jusqu'à la fin du mois de mai. Édouard avait suivi sa mère docilement, comme un gros chien poussif. Françoise avait suivi l'étrange couple tout le long du comptoir, jusqu'à la vitrine. « Si y'avait pas de comptoir entre nous autres, ça ferait longtemps qu'a'serait morte, la vieille câlice ! C'est ça, traîne ton épais derrière toé ! J'arais dû y penser avant que vous vous connaissiez, vous avez le même nez ! Une grotte ! Sans Sainte Vierge ! Ça peut ben avoir le nez retroussé, c'monde-là, ça charche la marde partout ! » Sans savoir qu'il était le fils de Tit-Moteur, Françoise n'avait jamais beaucoup aimé Édouard. Après tout, n'était-il pas le seul homme sur la rue Mont-Royal qui ne flirtait jamais avec elle ? Les hommes du quartier trouvaient tous la plantureuse serveuse de chez Larivière et Leblanc ragoûtante et il ne se passait pas de jour sans que l'un d'eux lui demande un rendez-vous et même, parfois, quelque chose de plus précis. Françoise fulminait, distribuait généreusement injures et claques mais au fond elle était très heureuse. Mais quand Édouard venait manger parfois, le midi, à l'époque où il travaillait encore chez Giroux et Deslauriers, jamais il n'adressait la parole à Françoise autrement que pour commander son repas. Il ne levait même pas les yeux sur elle. Elle avait fini par ressentir de l'aversion pour cet obèse qui semblait préférer la nourriture grasse aux femmes. Mais comme il laissait toujours un généreux pourboire, elle ne lui avait jamais rien dit de désagréable. Françoise avait regardé Victoire et Édouard tourner le coin de la rue, bras dessus, bras dessous, la vieille femme boitillant dans les pas du gros homme, ridicule dans cet accoutrement qui, au lieu de la rajeunir, la faisait paraître encore plus usée, comme d'un autre âge, vétuste fantôme hésitant qui tâtonne et qui gesticule plus qu'il n'étonne ou ne fait peur, et l'obèse, probablement son fils, raide à côté d'elle, de honte ou au moins d'embarras, détournant un peu la tête quand elle lui parlait comme si rien de ce qu'elle disait ne le concernait ou, pire, comme s'il n'avait été qu'un louveteau qui fait traverser la rue à sa première petite vieille. Françoise avait croisé les bras sur son opulente poitrine. « J'me demande avec quelle sorte de mari al'a ben pu faire un éléphant pareil ! » Après cette profonde pensée elle s'était détournée de la vitrine en essayant de chasser les deux clients de sa tête d'un geste de la main. Françoise avait tendance à tout régler de cette façon dans sa vie, ses peines d'amour autant que ses douleurs à l'épaule ou même ses émotions quand elles étaient trop fortes, sur le point de n'être plus contrôlables : elle avait développé très jeune cette habitude d'effacer les choses qui la tracassaient en se passant le dos de la main sur le front, seul geste chez elle qui trahissait cette grande lassitude qu'elle essayait de maquiller sous une couche de bonne humeur feinte et un ton de voix un peu trop impérieux pour être vraiment dangereux. Mais cette fois son geste n'avait été d'aucun secours. Victoire et Édouard avaient continué de trottiner dans sa tête. Elle s'était appuyée contre le comptoir quelques secondes. « C'est trop fatiquant, haïr du monde de même. La vie est trop courte. Mais sont ben durs à oublier, c'est ça, le problème ! »

Victoire et Édouard se dirigeaient maintenant vers le sud, longeant la rue Papineau qui crépitait sous les cris des enfants, innombrables, abandonnés à leur sort sur le trottoir de cette dangereuse artère et le bruit de frottement, métal contre métal, des tramways qui passaient en bringuebalant et en crachant à intervalles réguliers leurs étincelles. Au coin de Marie-Anne, Victoire fit une courte pause. « Aimez-vous mieux rentrer, moman ? » « Non, chus pas fatiquée. C'est juste ma patte qui tire un peu. » Elle regardait vers l'est, vers la rue de Lorimier, la rue des Érables. Elle pensait à sa sœur Ozéa qu'elle n'avait pas vue depuis deux ans et qui se berçait probablement sur son balcon, un journal du samedi déplié sur les genoux. « Ta tante Ozéa est une maudite sans-cœur. » Elle n'ajouta rien et traversa la rue Marie-Anne sans l'aide de son fils. Édouard n'avait presque rien dit depuis leur départ de la maison, il avait trop peur de céder à la colère, ce que Victoire aurait bien aimé, et de dire à sa mère des choses qu'il finirait par regretter par la suite, ce qui aurait aussi enchanté la vieille femme. Quand il la regardait boiter, pendue à son bras, un frisson lui parcourait le dos et il avait envie de hurler. Cette exténuante relation avec sa mère avait miné sa vie et, à trente-cinq ans passés, il commençait seulement à réaliser qu'il n'était qu'un poisson argenté, qu'un frétillant objet chatoyant dans l'aquarium de Victoire qui se nourrissait du spectacle de sa vie de prisonnier, ne lui laissant à grignoter que des restes d'amour étouffant et ne changeant son eau que lorsqu'il manquait vraiment trop d'oxygène. Le contact avec sa mère l'électrisait, l'obnubilait, lui suçait toutes ses énergies et pourtant il en avait besoin. Ces fugues qu'il faisait, le soir, ces nuits qu'il passait partiellement à l'extérieur, dans d'autres lieux, en d'autres bras, n'étaient en fin de compte que des épisodes sans importance, des intermèdes intenses certes et qui laissaient en lui de profondes marques de vécu (frôlements furtifs qui sentent le soufre, petits enfers clos qui se consument en quelques heures et se transforment très vite en souvenirs qu'on se plaît à croire blasphématoires), mais qui ne restaient que des intermèdes, justement, le principal de sa vie se déroulant entre les murs de la maison de sa mère, ces chicanes, ces luttes, ces duels, ces retrouvailles qu'il croyait tant haïr se révélant en fin de compte être son squelette, son système nerveux, son sang, son cœur. Tant que sa mère vivrait il ne pourrait que barboter dans la frange de sa volonté, à elle, évoluant autour d'elle comme un satellite dépendant, soumis à des lois qui ne sont pas les siennes, privé complètement de toute autodétermination et, surtout, de choix, et du jour où elle cesserait de vivre, il mourrait peut-être avec elle, désarmé, débranché, désœuvré, pantin désarticulé qu'on oublie dans un coin et qui s'empoussière dans l'indifférence générale, à moins qu'il ne fleurisse tout à coup, expérimentant tous ses printemps en même temps, exubérant, débordant, défoncé de joie, ivre de liberté, au centre de lui-même, enfin, tenant les rênes d'une main ferme mais folle et chevauchant à bride abattue pour rattraper le temps perdu. Il savait pertinemment que ce choix se présenterait un jour à lui, il en rêvait, mais il avait beau se dire que la mort de sa mère serait une délivrance, la seule idée de savoir qu'il serait privé d'elle, de sa voix, de son regard, de ses odeurs, le terrorisait. Victoire s'était raccrochée au bras de son fils sans qu'il s'en rende compte, perdu qu'il était dans son insondable dilemme. En passant devant l'église de l'Immaculée-Conception, au coin de Papineau et Rachel, Victoire émergea de ses pensées, tout à coup, comme si elle venait de trouver la solution à un problème très important. « A'peut ben être folle, Ozéa, c't'une paroisse de fous, icitte ! Des prêtres qui font pousser du blé d'Inde derrière leur église, c'est pas des prêtres ! Même le curé, chez nous, à'campagne, y faisait pas ça, verrat ! Qu'y s'occupent donc de l'âme de ma sœur au lieu de faire pousser des tomates ! » Elle avait parlé assez fort pour que les deux prêtres qui venaient de passer l'après-midi à essayer de creuser des sillons bien droits dans la terre grasse de leur futur jardin l'entendent. Ils levèrent tous deux la tête et sourirent à la vieille femme. Un des prêtres sortit un grand mouchoir à carreaux et s'épongea le front. « Donnez-nous l'adresse de votre sœur, madame, et nous laisserons tout de suite tomber nos tomates ! » Victoire haussa les épaules... « Laissez donc faire ! Vous avez l'air juste assez brillants pour faire la différence entre un plant de tomates pis un plant de cocombres ! J'rendrai pas ce mauvais sarvice-là à ma sœur ! » Les deux prêtres éclatèrent de rire. « J'me demande où c'est qu'y vont les pêcher, leu'nouveaux prêtres, à c't'heure ! À l'asile ? Viens-t'en, mon homme, y me dépriment ! » De l'autre côté de la rue Rachel s'étendait le parc Lafontaine. Victoire regarda longuement les arbres avant de traverser la rue. Elle regarda enfin Édouard. Ses yeux étaient voilés. « C'est icitte que j't'ai faite, mon homme, viens, j'vas te montrer où ! »

Gabriel vint s'accouder à côté de Béatrice, sur le pont du parc Lafontaine. Il l'avait reconnue de loin dans sa robe jaune pâle, qu'elle portait d'habitude les dimanches après-midi d'été quand elle et son amie passaient et repassaient devant sa maison, riant, chantant et choquant à peu près tout le monde avec leur air effronté et leur maquillage trop appuyé en ces temps de pénurie. Albertine disait d'elles: « On devrait les fusiller comme des criminelles ! En tout cas, moé, si j'me r'tenais pas, j'irais garrocher des roches dans leu'châssis ! » Victoire se contentait de sourire, marmonnant parfois quelque chose dans le genre: « Y doivent avoir envie de venir garrocher des roches dans nos châssis à nous autres aussi, des fois ! On leu'fait pas la vie facile... Si y'étaient un peu moins guidounes pis toé un peu plus, ça serait plus agréable dans le boutte pis dans'maison ! » Béatrice avait vu venir Gabriel, courbé, titubant un peu. Elle aussi l'avait reconnu, ce voisin qu'elle trouvait si sympathique à cause de sa grande discrétion et de son air gêné. Elle s'était même demandé s'il était moins timide quand il avait bu. Mais Gabriel n'aborda pas Béatrice et Béatrice ne bougea pas, exprès, continuant de chantonner quelque vieux succès de Damia ou quelque nouveau succès de Charles Trenet, elle n'en savait trop rien. Elle voulait savoir s'il oserait lui parler. Mais Gabriel gardait la tête basse. Sans mot dire. La lumière était de plus en plus dorée et du vert se mélangeait maintenant au bleu du ciel, un vert fuyant qui disparaissait si on le regardait directement mais réapparaissait aussitôt qu'on regardait à côté, clair, vibrant et doux tout à la fois. Gabriel pensait à cette fuite qu'il venait de faire, à cette course qui l'avait mené ici d'un trait, à cette défaite, surtout, sur son propre terrain, à cause d'un hobo qui ne savait pas ce qu'il disait et qu'il venait lui-même de gaver de bière et de démonstrations d'amitié. Dix fois il avait pensé à retourner à la taverne pour casser la gueule à ce paquet de guenilles puant mais chaque fois la honte de se retrouver devant ses amis l'en avait empêché. Peut-être un autre jour, la semaine prochaine ou l'autre après, mais pas maintenant. Il souffrait trop. Ce fut Béatrice en fin de compte qui parla la première, sans le regarder, toutefois, les yeux perdus quelque part à la cime des arbres qui ceinturaient le lac. « Vous avez pas l'air dans votre assiette. » « Quand un homme se fait traiter de peureux, ça casse sa journée rare ! » « Qui c'est qui vous a traité de peureux ? » « Quelqu'un qui avait peut-être raison, après toute. » Il sembla hésiter pendant quelques secondes puis, soudain, s'approcha d'elle. « Pensez-vous que c'est vrai, vous qui connaissez ben des hommes malgré votre jeune âge, qu'on a mis nos femmes enceintes pour pas aller à'guerre ? » Béatrice le regarda pour la première fois depuis qu'il était arrivé. « Oui. Pis j'trouve que vous faites ben. » Elle revint vers la cime des arbres juste comme Gabriel la regardait à son tour. Elle continua à parler, mais tout bas, comme si elle s'adressait à elle-même. « J'sais pas pourquoi c'que les hommes vont se faire tuer, de l'aut'bord. J'comprends pas ça, la guerre. » « À vrai dire, moé non plus ! La guerre, ça fait juste changer le tas de marde de place ! Que ça soye un bord ou l'autre qui gagne, que c'est que ça va changer pour vous pis moé, voulez-vous ben me dire ? On est pas assez importants tou'es deux pis on est ben que trop loin de toute ça pour que not'vie soye changée si les Allemands gagnent ou ben donc si les Alliés gagnent en Europe ! Tout le monde essaye de nous faire peur en nous disant que les Allemands pis les Wopps vont travarser jusqu'icitte si y gagnent la guerre... Voyons donc ! Ça va leur prendre une éternité pour reconstruire l'Europe, y'auront pas le temps de penser à nous autres ! » Il s'enflammait, peu à peu, la bière aidant. (Il était debout au milieu de la taverne, au milieu de ses amis qui ne demandaient pas mieux que de se laisser convaincre du bien-fondé de ses dires et il se préparait à pondre un de ces interminables discours qui avaient fait de lui un héros local ; il se laisserait aller pendant des heures, les gagnant un à un, lisant sur leurs figures tantôt la surprise, tantôt la colère ; il les ferait rire, pleurer, applaudir ; il descendrait jusqu'au plus profond du mélodrame pour leur tirer des hoquets de douleur, puis il monterait tout d'un coup vers les hauts sommets de la bonne foi et des promesses, la main sur le cœur et la tête droite ; il planerait haut et longtemps, suivant le vent de son inspiration, répétant cent fois la même chose mais de cent façons différentes ; et il serait de nouveau Gabriel, le roi des orateurs de taverne, l'homme le plus écouté et le plus respecté du Plateau Mont-Royal !) « J'ai pas mis ma femme enceinte pour pas aller me battre de l'aut'bord mais chus ben content qu'a'le soye ! Pis j'la soupçonne, elle, d'avoir faite ça pour ça ! Est peut-être après risquer sa vie pour moé ! » Il ne croyait pas un mot de ce qu'il disait, mais quelle importance, il parlait ! Et bien ! « C'qui fait que d'un côté comme de l'autre, chus-t'un peureux, j'le sais ben. J'arais probablement dû refuser d'y faire un p'tit parce qu'au fond j'savais ben qu'est trop grosse pis trop vieille... J'l'ai pas faite. Pis ça fait des mois qu'est enfarmée dans le coin de la chambre, a'peut pus marcher, a'peut pus se lever... Quand le docteur Sanregret vient chez nous y me r'garde toujours comme si j'tais le dernier des écœurants... Chus pas le dernier des écœurants ! Ma femme, je l'aime ! Pis c't'enfant-là, j'le veux ! Êtes-vous capable de comprendre ça ? » Béatrice l'arrêta d'un geste brusque. « Y'est ben comme les autres ! Quand y'est à jeun y'est trop gêné pis quand y se paquete y se dégêne trop ! » Gabriel, surpris, reprit ses esprits, s'excusa. « Chus-t'un peu soûl. J'ai bu ben de la bière. Trop. J'me pensais à'taverne avec mes chums. » Béatrice passait sa main droite sur sa jupe comme pour en faire tomber des miettes imaginaires. « C'est ben ça, le problème. Quand les hommes me parlent, y s'imaginent toujours qu'y parlent à quelqu'un d'autre. Y me prennent pour leur femme, pour leurs amis, y se confessent à moé comme à leur curé mais y me prennent jamais pour moé ! » Elle n'avait plus envie de le voir, soudain. Elle aurait voulu qu'il disparaisse comme les autres quand leur plaisir était pris et payé. Elle voulait être seule dans le coucher du soleil et tout oublier. Elle se redressa, fit quelques pas, revint vers lui. « Y'a des hommes qui payent pour me dire c'que vous venez d'me dire, j'vois pas pourquoi j'vous écouterais gratis ! » « C'est vous qui m'as demandé que c'est qui allait pas... » Elle se détourna, marcha vers le bout du pont. Il la suivit. « Excusez-moé. Si vous vous en allez chez vous, j'peux-tu au moins marcher avec vous ? Pis vous pourriez me conter que c'est qui va pas dans vot'vie... » « Vous allez pardre votre réputation de bon père de famille, si on vous voit avec moé. » « Après aujourd'hui, j'ai pus grand-chose à pardre. Pis le monde peuvent ben penser c'qu'y veulent. » Et Béatrice comprit qu'elle se préparait à tout raconter à cet homme. Il était peut-être un peu moins bête que les autres, après tout. Et au bout de dix minutes de conversation il n'avait pas encore fait allusion à quoi que ce soit de cochon. Elle se préparait donc à se vider le cœur. Mais en traversant la rue Calixa-Lavallée Gabriel aperçut Thérèse, Marcel et Philippe qui sortaient du terrain de jeu. Philippe marchait d'une drôle de façon, comme s'il était malade et Gabriel se mit à courir dans sa direction. « Flip, que c'est que t'as ! Es-tu malade ? » Béatrice le regarda s'éloigner. « Déjà... »

Albertine déposa les deux bouteilles vides sur le comptoir, sans ménagement. « Êtes-vous là, Marie ? » La voix de Marie-Sylvia lui parvint du fond de l'arrière-boutique. « Oui, oui... j'arrive. » Puis Albertine entendit la chasse d'eau. Marie-Sylvia émergea du cagibi qui lui servait de salle de bains et de toilettes, deux biscuits à la mélasse et un grand verre de lait dans les mains. « Vous mangez aux toilettes ! » « Quand Duplessis est là pis que j'me sers un verre de lait, y m'achale pour en avoir, ça fait que j'ai pris l'habetude d'aller manger ma collation de cinq heures dans les toilettes. C'est pas plus sale qu'ailleurs, vous savez. Quand la bolle est propre, là... » « Arrêtez, vous allez me donner mal au cœur ! » Marie-Sylvia déposa ses biscuits et son verre de lait à côté des deux bouteilles vides d'Albertine. « J'ai ben peur que j'vas vous désappointer, ma pauvre madame... Y me reste pus de bière d'épinette Larose... J'ai vendu mes dernières bouteilles à monsieur Brassard, à matin. Vous comprenez, c'est la guerre... J'sais pas si les épinettes sont plus rares, mais on a ben de la misère à avoir d'la p'tite bière... » « Vous aussi vous mettez toute su'l' dos d'la guerre ! Depuis trois ans on dirait que toutes les paresseux du monde se sont donné la main pour nous faire accroire qu'y'est pus possible de rien avoir rapport à la guerre ! » Albertine reprit ses deux bouteilles. « Ma fin de semaine est su'l'yable, là, moé ! C'est ma traite, le dimanche, de m'assir su'l'balcon en tétant mes deux bouteilles de Larose, vous le savez ben ! Pourquoi c'que vous m'en avez pas gardé au moins une ? Chus-t'une plus vieille cliente que ces deux rats-là qui restent cachés chez eux parce qu'y'ont peur d'la grande ville ! » Marie-Sylvia s'était accoudée sur le comptoir. Elle regardait son verre de lait et ses deux biscuits. « Vous nous écoutez même pas quand on se plaint, Marie, on va finir par aller ailleurs ! » Albertine se détourna et se dirigea vers la porte. « Vous avez pas vu mon chat ? » Marie-Sylvia avait redressé la tête brusquement. « Y m'a griffée pis y s'est sauvé, le p'tit mosus ! » Albertine se tourna vers elle en ouvrant la porte. « C'est vous qui sais oùsqu'y'est tout le monde, d'habetude... » « Ah, j'ai guetté toute l'après-midi... J'ai vu passer les deux guidounes, l'une après l'autre, j'ai vu vos enfants partir pour leur pite-nique, j'ai vu madame Ouimet s'en aller vers le boulevard Saint-Joseph pis revenir, j'ai vu... » « Mais vous avez pas vu vot'chat. » « Non. Y'a été parti trois jours, vous comprenez... la nature... Pis d'habetude y reste écrasé icitte pendant quasiment une semaine quand y revient... » « Je l'ai pas vu moé non plus. Chus restée enfarmée dans'maison toute la sainte journée... J'ai pas rien que ça à faire, moé, guetter des chats ! » Elle fit claquer la porte derrière elle. Marie-Sylvia haussa les épaules. « Toujours aussi charmante... » Elle s'apprêtait à retourner dans sa salle de bains lorsque la porte du restaurant se rouvrit, faisant sonner la petite clochette pendue juste au-dessus. Albertine passa la tête dans l'ouverture. « Combien de bouteilles qu'y'a achetées, monsieur Brassard ? » « Quatre, c'est toute c'qui me restait. » Albertine disparut sans remercier Marie-Sylvia qui s'installa confortablement dans son fauteuil. « Pour une fois... après toute, Duplessis est pas là... » Même lorsqu'elle mangeait sa tête était tournée vers la vitrine. Albertine traversa résolument la ruelle, se dirigeant vers la maison où habitaient Marie-Louise et Léopold Brassard, la deuxième à partir du coin, juste en face de la sienne. De leur balcon, Florence, Violette, Mauve et Rose la virent pousser la clôture de fer forgé. Mauve regarda ses sœurs, puis sa mère. « Voulez-vous ben me dire que c'est qu'a's'en va faire là, elle ? » En passant devant la fenêtre du salon, Albertine avait aperçu la silhouette de Marie-Louise derrière le rideau de dentelle. « Est vissée là, certain, elle ! » Marie-Louise était devenue une espèce de légende sur la rue Fabre. Un fantôme familier auquel on s'est habitué, qu'on sait toujours présent mais dont on ne se préoccupe pas. Quand on passait devant chez elle on savait qu'elle était à sa fenêtre mais on ne prenait même plus la peine de vérifier. Si on la saluait elle ne répondait pas alors on ne la saluait pas. Richard, lui, l'appelait « les yeux dans le rideau » ce qui avait l'heur de terroriser Marcel qui s'imaginait que des yeux étaient effectivement cousus dans les rideaux de cette fenêtre. Quand Marcel achalait trop Richard en jouant sur le trottoir, ce dernier disait : « Les yeux dans le rideau vont te pogner pis y vont te manger ! » Marcel s'immobilisait d'un seul coup et jetait un regard inquiet de l'autre côté de la rue. « Les yeux de qui ? » « Les yeux de parsonne. Les yeux dans le rideau. » Albertine sonna trois fois avant qu'on vienne lui répondre. « Sont morts. Y'a bu ses quatre bouteilles de p'tite bière d'épinette, pis y'a explosé ! » Au bout de deux longues minutes, une petite silhouette se découpa derrière la porte. Marie-Louise. « J'arais aimé mieux y parler à lui directement, mais entéka. » Marie-Louise entrouvrit la porte, glissa un œil craintif dans l'ouverture. Elle ne dit rien, se contentant de regarder Albertine. Celle-ci resta figée pendant quelques secondes sans savoir quelle contenance prendre. « Est peut-être muette. Ou ben donc sourde. Ou ben donc folle. Ou ben donc les trois ensemble ! » Elle se gourma, leva une bouteille vide à la hauteur des yeux de Marie-Louise. « Bonjour, madame Brassard, excusez-moé de vous déranger de même en plein souper, mais vous comprenez chus-t'allée chez Marie pour m'acheter d'la p'tite bière d'épinette pis a'm'a dit qu'al'avait toute vendu c'qu'al'avait à vot'mari, monsieur Brassard. Quatre bouteilles. Ça fait que j'me demandais si vous pourreriez pas m'en vendre une... J'pense pas que vous buviez toute ça à vous deux d'icitte lundi... Marie m'a dit qu'a'en recevrait un char pis une barge, lundi matin, mais c'est trop tard, moé, j'bois ça le dimanche après-midi, su'l'balcon, pis... » Marie-Louise avait déjà disparu, laissant la porte entrebâillée. Albertine colla le nez à la vitre pour voir à l'intérieur de la maison. « Que c'est que j'fais là, moé ! A'm'en donne-tu ou ben donc si a'm'en donne pas ? J'sais pus quoi faire, là, moé ! » Au bout de quelques secondes, Marie-Louise revint avec une bouteille de petite bière d'épinette froide qu'elle passa dans l'entrebâillement de la porte, s'emparant ensuite d'une des deux bouteilles vides que tenait Albertine et refermant doucement la porte. Albertine resta interdite. « Peut-être que j'arais aimé ça, payer ! » Elle se pencha et glissa une pièce de vingt-cinq cents dans la boîte aux lettres, une fente au bas de la porte. « Gardez le change, pis payez-vous donc des cours de savoir-vivre ! »

La grosse femme avait essayé de reprendre la lecture de *Bug-Jargal* mais les lignes de caractères dansaient devant ses yeux et, de toute façon, elle savait qu'elle n'arriverait pas à se concentrer assez pour suivre l'action. « Y'est arrivé trop d'affaires, aujourd'hui, l'évasion est pus possible ! » Même le nom d'Acapulco, imprimé dans sa tête en lettres iridescentes, n'arrivait plus à la faire rêver. « C'est niaiseux de rêver d'Acapulco quand j'peux même pas me lever pour aller pisser ! » Sa conversation avec Albertine, ou, plutôt, la longue liste d'injures dont sa belle-sœur l'avait abreuvée avait convaincu la grosse femme du bien-fondé de ce soupçon qui rôdait quelque part derrière sa conscience depuis quelque temps et qu'elle avait repoussé, réprimé, parce qu'elle en avait peur et qu'elle ne voulait pas y faire face. Elle savait que les membres de sa famille et de celle de Gabriel, les femmes surtout, condamnaient sa grossesse comme un geste obscène, une situation scandaleuse, une tache sur l'honnêteté et l'intégrité de la famille, une provocation faite au sort qui saurait bien la punir, elles le sentaient toutes, alors qu'elle s'y attendrait le moins, lui donnant un enfant difforme ou anormal mais se vengeant sûrement sur lui. Quant aux hommes... Elle en connaissait si peu, à vrai dire. Et il était tellement difficile de savoir ce qu'ils pensaient vraiment. Son frère Méo, qui était venu la voir quelques semaines plus tôt, l'avait regardée d'une drôle de façon, se concentrant sur son visage et évitant son ventre, un sourire d'une invraisemblable insincérité accroché à ses lèvres. Il l'avait regardée droit dans les yeux pour lui dire sa joie mais tout en lui la démentait. Elle aurait préféré qu'il lui crie des bêtises, au moins elle aurait été sûre de ses sentiments et aurait pu essayer de tout lui expliquer. Mais non. Cette bonne humeur feinte avait rendu tout contact impossible et Méo était reparti avec le même sourire faux. Édouard, lui, avait d'abord semblé ennuyé d'apprendre qu'une autre voix braillarde viendrait s'ajouter à celles qui polluaient déjà un peu trop la maison à son goût, puis, petit à petit, peut-être par pitié pour elle qu'il voyait se déformer de jour en jour sans se plaindre, sauf tard, le soir, parfois, quand la tension devenait trop forte et qu'une crise, courte mais combien dévastatrice, la secouait pendant quelques minutes, libérant des flots de larmes et de cris qu'elle essayait de camoufler derrière ses mains réunies en masque devant son visage, ou peut-être parce qu'il sentait sans trop le comprendre qu'elle voulait vraiment cet enfant, qu'elle en avait besoin pour vivre, il s'était mis à lui parler le matin avant de partir pour le travail et le soir, au retour, allant même souvent jusqu'à lui servir son petit déjeuner ou son souper, faisant des farces et des faces pour la faire rire, elle qui aimait tant ça, et frôlant matin et soir son ventre en disant : « Y va péser deux tonnes pis on va-t'être obligés d'acheter un troupeau de vaches ! » Son mari, Gabriel, ce grand enfant qu'elle protégeait depuis vingt ans et qu'elle guidait sans qu'il s'en rende compte, gardant pour elle les plus grands soucis dont il ne soupçonnait jamais l'existence et chantant toujours quand il se levait l'après-midi ou tard, le matin, alors que souvent des larmes auraient été normales et même nécessaires, son mari, tellement compréhensif, parfois, qu'elle en restait chavirée, lui avait fait ce cadeau sans poser de question, s'exécutant avec plaisir aussitôt qu'elle lui avait dit qu'elle voulait un autre enfant et se réjouissant quand elle lui avait appris que cela avait marché, que le bébé «était en route», et qu'elle était heureuse. Parfois la grosse femme se demandait si Gabriel ne lui cachait pas autant de choses qu'elle lui en cachait elle-même et si sa conscience n'était pas beaucoup plus affûtée qu'elle ne le croyait. «Peut-être qu'on se cache les mêmes affaires sans le savoir pis qu'on les règle doublement, chacun de son côté, en pensant que l'autre est au courant de rien!» Elle souriait quand elle pensait à cela. Cette complicité dans le camouflage lui plaisait, au fond. Mais Gabriel était-il content de la venue d'un autre enfant? Elle n'aurait pu le dire. «Oui, peut-être. Sûrement.» Le seul dans la famille qui avait semblé vraiment heureux d'apprendre la nouvelle avait été Josaphat-le-Violon, le frère de Victoire, qui avait serré la grosse femme dans ses bras noueux, encore puissants, sans rien dire mais lui faisant sentir qu'il la comprenait, qu'il l'encourageait et même qu'il l'épaulerait dans sa lutte, la soutiendrait contre les autres, la défendrait et l'aiderait du mieux qu'il pourrait. Tout cela, elle le savait déjà, le vivait chaque jour, ayant même fini par en être presque immunisée, mais ce qu'Albertine lui avait appris qui l'avait confondue même si elle s'y attendait, c'était ce que la rue Fabre, les voisins, les amis, les connaissances, disaient d'elle. Cette condamnation sans appel, ce refus devant un besoin aussi vital, cette ignorance crasse qui mettait des bornes et des limites à sa liberté et qui crachait sur son choix, oui, son choix malgré ses quarante ans passés, de procréer, de gester, d'enfanter, l'insultaient au plus profond de son être. De quel droit un quartier pouvait-il décider quand et où une femme avait le droit d'avoir des enfants? Et de décréter qu'une femme de quarante ans qui veut un enfant est automatiquement une cochonne? Qui avait osé dire qu'attendre un enfant était laid? Elle avait voulu cet enfant, elle en avait besoin et elle était belle! Son ventre se contracta, soudain, et le bébé gigota. La grosse femme poussa un petit cri de joie en ramenant ses mains sur son flanc, les passant délicatement partout, tâtant, essayant de deviner où était la tête, où étaient les membres, riant, heureuse, ravie. « P'tit maudit, tu pourras te vanter de m'en avoir faite arracher, toé!»

« C'était une journée splendide! Y'avait du monde partout. Les allées, les rues, même le gazon, pour une fois, étaient pleins de belles femmes en robes blanches, longues, pis d'hommes checqués comme des maîtres d'hôtel... Tu comprends, ceux qui avaient organisé la fête avaient demandé à toutes les femmes de venir en blanc. Nous autres, ma sœur pis moé, on avait pas de robe blanche mais on avait mis c'qu'on avait de plus pâle. » Victoire marchait à petits pas, transformée, rajeunie. « Tu comprends, le parc Lafontaine dans le temps, c'tait pas comme aujourd'hui. C'tait ben plus beau. Dans ce temps là, les rues étaient pas encore en asphalte, y'avait quasiment pas de chars, à Montréal! Tou'es dimanches après-midi, on venait s'installer à côté du pavillon des rafraîchissements, ta tante Ozéa pis moé, pis on r'gardait le grand monde défiler en calèche... Le monde prenaient le temps de se promener, dans c'temps-là, y passaient pas à travers le parc en pétant le feu comme à c't'heure!» Édouard l'écoutait, les mains derrière le dos. Il sentait que sa mère n'avait plus besoin de lui pour marcher. Elle le précédait de deux ou trois pas, se tournait parfois pour lui parler, l'attendait puis repartait trop vite. Une autre femme. «Tu te serais pensé en pleine campagne, c'est pas mêlant! Su'l'bord du lac, là, quand tu fermais les yeux...» Victoire s'arrêta, ferma les yeux, prit une grande respiration comme si elle avait cherché une odeur disparue, dissoute, envolée depuis trop longtemps. «Aujourd'hui, t'entends toujours le criard d'un char ou ben donc le sifflette de la machine à patates frites!» Ils traversèrent la rue Émile-Duployé en direction de l'ouest et pénétrèrent dans cette partie du parc, si calme, réservée aux seuls piétons. Tout semblait flamber dans le coucher du soleil. Victoire posa une main sur le bras de son fils. Son ton se fit confidentiel. «Quand j'vois plus que dix arbres ensemble, mon cœur explose comme si j'tais pour mourir... Ça fait quarante-cinq ans que chus prisonnière d'la grande ville pis j'me sus jamais habituée!» Bouleversé, Édouard voulut faire un geste vers sa mère mais elle se détourna, reprit son avance. «La ville de Montréal avait organisé une grande fête pour l'inauguration de la première gondole du grand lac. C'tait quequ'chose, j'te prie d'me croire! Aïe, une gondole à Montréal! Nous autres, on l'avait vue avant tout le monde parce qu'è-tait arrivée la semaine d'avant pis qu'on était venus voir les ouvriers l'installer sur des billots pour qu'a'glisse ben dans l'eau, pendant la cérémonie. On en r'venait pas: faire un tour de gondole en plein cœur de Montréal! Moé, j'avais tellement hâte que j'avais de la misère à dormir... Tous les journaux avaient annoncé la grande fête, ça fait qu'y avait tellement de monde que toutes les rues étaient bloquées autour du parc. Ton père pis moé, avec Albertine pis Gabriel qui étaient encore bebés dans c'temps-là, on était arrivés à neuf heures du matin pour avoir des bonnes places pis la fête était annoncée pour deux heures de l'après-midi ! J'avais emporté une grande couvarte de laine pis on s'était étendus là-dessus en pleine nature... Ozéa pis son mari étaient venus nous rejoindre... Eh, que c'était une belle journée ! Y'avait même du monde qui s'étaient cachés dans les bosquets, la veille, pis qui avaient dormi à la belle étoile. Ça me faisait rêver... Quand les calèches des riches avaient commencé à arriver, on s'était toutes levés deboutte, nous autres, les pauvres, pour les regarder. » Elle montrait la rue Calixa-Lavallée, au loin. « Y'arrivaient par là, là, par la rue Rachel, y tournaient à drette dans l'allée qui mène au pont, y traversaient le pont, y'avaient eu une permission spéciale, pis y débarquaient devant le pavillon des rafraîchissements. Y'avait des centaines pis des centaines d'invités avec des cartons... Nous autres, on n'avait pas. On avait même pas le droit d'être du même côté du lac qu'eux autres. On était l'aut'bord du lac, juste en face, ça fait qu'on voyait ben en s'il vous plaît ! Toute se passait drette devant nous autres comme si ç'avait été un spectacle... La gondole, elle... C'tait pas la même qu'aujourd'hui, è-tait plus belle pis ben plus grosse, aussi. Comme j'tai dit t'à l'heure, y l'avaient montée sus des billots pour la faire rouler dans l'eau... È-tait su'l'gazon, su'a'pente... Ton pére disait qu'a'piquait un peu trop du nez à son goût mais y'était tellement critiqueux, tu t'en rappelles... La cérémonie commence, toujours, vers deux heures et demie, trois heures... Y'avait une fanfare qui jouait du John Philip Sousa pis toute... Des discours. On entendait rien mais on battait des mains pareil ! De toute façon, l'estrade faisait face aux invités pis nous autres on voyait juste le dos des ceuses qui parlaient. Pis après, la femme du maire s'est approchée de la gondole avec une bouteille de champagne pis a-t'y'en a maudit un coup tellement fort que la bouteille a cassé ! Est restée ben surpris, tu comprends, le champagne chaud, y coulait partout su'es mains ! Mais ça l'avait pas l'air de déranger parsonne, les invités applaudissaient comme si rien était. Y'a rien pour les déranger c'monde-là, tu comprends. Moé, j'voulais aller y'offrir une débarbouillette pour s'essuyer mais ton pére a dit qu'al'avait rien qu'à s'essuyer sus sa robe. J'pense que c'est ça qu'al'a faite. En tout cas, al'a ôté ses gants, ça je l'ai vu... y'étaient toutes mouillés. Sur les entrefaites, y a un ouvrier qui arrive avec une hache pis qui en donne un bon coup sur le premier billot du bas. J'sais pas trop comment c'est que ça marchait mais les billots ont commencé à débouler la pente pis la gondole a suivi... On était toutes deboutte pis on battait toutes des mains comme des fous... La gondole a piqué du nez en rentrant dans l'eau pis al'a coulé direct au fond. Est restée pognée le nez au fond de l'eau, le cul dans les nuages pis le moteur suspendu au-dessus du gazon. J'sais pas si tu le sais mais ça l'a cassé le fun de ben du monde... Pas ton père, par exemple. Y s'est jeté à quatre pattes su'a couverte, pis y s'est mis à rire comme un damné, tellement que j'avais honte, c'est pas des farces ! Mais le monde se sont mis à faire la même chose autour de nous autres pis au bout d'une menute y'avait rien que le monde chic, de l'autre côté du lac, qui riaient pas. Y tenaient leu'tickets qui leu'donnaient droit à un tour gratis pis j'te dis qu'y avaient la fale basse ! Le maire a disparu, les échevins se sont sauvés, même les marguilliers de la paroisse Immaculée-Conception qui se tenaient raides comme des bâtons pendant la cérémonie se sont dégelés pis sont allés se cacher dans le pavillon des rafraîchissements. Pis tout d'un coup la gondole s'est mis à craquer comme du vieux bois pourri pis la partie d'en arrière est tombée dans le gazon. Le moteur a explosé pis le feu a pogné. Ton pére en pouvait pus, y'était quasiment mort de rire. Là, le monde ont recommencé à applaudir autour de nous autres pis les hommes se sont mis à crier toutes sortes d'affaires : "C'est pas encore la Saint-Jean-Baptiste, éteindez le feu !" "La semaine prochaine, vous devriez faire glisser le maire sur les billots !" "Aïe, monsieur le maire, ça vous fait pas penser au budget municipal, ça ? Le moteur dans les nuages pis le bec à l'eau ?" En moins d'un quart d'heure les calèches ont disparu, le côté des riches s'est vidé pis nous autres on a faite le tour du lac pour aller constater les dégâts. Moé, ça me faisait d'la peine, tout ça, mais le monde avaient tellement l'air de trouver ça drôle que j'me sus mis à rire, moé avec. Les hommes ont passé l'après-midi à faire des farces là-dessus. Y'avait un gars de Saint-Henri qui avait emporté son accordéon pis ça a vite reviré en party. La bière est arrivée on sait pas trop d'où pis on a fêté la Saint-Jean un mois d'avance ! » Victoire avait arrêté de marcher en parlant. Elle s'était appuyée contre un arbre. « Tu te demandes pour que c'est faire que j'te conte ça tout d'un coup, aujourd'hui, hein ? » Édouard sourit. « J'suppose que c'est ce jour-là que vous m'avez faite.... Vous m'avez dit que vous me montreriez où, t'à l'heure...» «Viens...» Elle le prit par la main, le tirant vers un bosquet dont les bourgeons avaient déjà commencé à éclater. «En r'venant, à l'heure du souper, à peu près à c't'heure-citte, ton pére m'a dit: "Victoire, les p'tits dorment deboutte, on devrait les coucher dans le gazon pis s'étendre un peu." Moé, j'savais ousqu'y voulait en venir, pis...» Elle regarda longuement Édouard. «J'aimais pas ben ben ça... mais j'voulais un autre enfant pis j'savais que c'était le temps...» Édouard avait baissé les yeux. C'était la première fois qu'il entendait sa mère faire allusion au sexe et cela le gênait. Victoire continua son histoire en ramenant son regard vers le bosquet. «Là, y m'a demandé: "Y'a-tu du danger, ces jours-citte?" J'y ai dit non. Y voulait pus d'enfants, j'ai jamais su pourquoi... Y m'a répond: "Tant mieux!" Pis on t'a faite.» Elle entra dans le bosquet sans s'occuper des branches qui s'accrochaient à sa robe. Elle se pencha un peu. «Juste icitte.» Elle se tourna brusquement vers son fils. «J'm'ennuie tellement, dans'vie, si tu savais! J'ai tellement rien à faire! J'me sens tellement inutile!» Édouard courut vers elle, la prit dans ses bras. «Reste avec moé, mon homme, t'es toute c'qu'y me reste!»

Gérard Bleau avait à tel point été secoué par l'incident avec Thérèse qu'il avait laissé passer l'heure de fermeture du terrain de jeux. Il restait très peu d'enfants à cette heure tardive; deux jumelles de cinq ans qui n'avaient pas arrêté de se chamailler de la journée continuaient leur manège sous le regard absent de leur mère qui, elle, n'avait presque pas bougé depuis le matin, se contentant de dire parfois d'une voix plaintive et lasse: «Gisèle, m'as te défoncer le crâne!» ou bien: «Micheline, câline, si tu continues de même, moman va te pitcher en bas des belancignes!»; un petit garçon qui avait passé l'après-midi sur le tourniquet sans être malade hurlait maintenant parce qu'il était seul et qu'il n'arrivait pas à faire tourner la machine; quelques autres fillettes agenouillées dans le carré de sable déterraient avec des fous rires les crottes laissées pendant la nuit précédente par un quelconque félin en mal d'amour ou tout simplement errant; et le trio de la rue Fabre, Thérèse, Philippe, Marcel, que Gérard n'osait pas regarder par crainte de rencontrer les yeux de la petite fille, s'amusait dans la grande glissoire, poussant des cris de joie qu'on entendait sûrement jusqu'à la rue Sherbrooke. Cette journée passée à guetter les enfants avait été bien longue et bien fastidieuse pour Gérard, dont ce n'était pas le métier. Il avait accepté de remplacer un ami malade qui lui avait vanté les heures passées au soleil, entouré de cris d'enfants et de chants d'oiseaux et il l'avait regretté une grande partie de la journée. Gérard Bleau était mécanicien pour la Provincial Transport et d'habitude, le samedi, il se soûlait sans vergogne, buvant bière après bière à partir de dix heures du matin jusqu'à ce qu'il tombe assommé, n'importe où, n'importe comment. Chaque semaine, c'était la même chose. Mais le dimanche, frais et dispos, il se levait en chantant et partait en chasse. Les femmes du quartier le savaient et certaines d'entre elles sortaient sur leur balcon pour le voir passer et même l'aborder, lui, la coqueluche de la rue Dorion, le don Juan de la côte Sherbrooke. Mais ce matin-là, monsieur Gariépy, chez qui il chambrait, s'était levé avec une rage de dents et avait prétendu qu'il tuerait tous les enfants du parc s'il allait travailler. Monsieur Gariépy, l'officiel gardien du terrain de jeux du parc Lafontaine depuis bientôt douze ans, était vieux, laid et les enfants l'adoraient. Ils l'appelaient « pepére » et se frottaient à lui comme de petits chats égoïstes. De mai à septembre (les fins de semaine en mai et juin et tous les jours en juillet et en août) on pouvait voir pepére Gariépy à son poste, la pipe éteinte entre les dents, les sourcils froncés, guettant les enfants, distribuant punitions et récompenses comme s'il avait été le bon Dieu lui-même. Il reluquait parfois un peu trop du côté des petites filles, surtout celles qui étaient boulottes et qu'il appelait « ses p'tits anges joufflus », mais il n'avait jamais eu un seul geste incorrect, se contentant de passer derrière elles lorsqu'elles grimpaient aux échelles ou aux glissoires. Mais pepére Gariépy se faisait vraiment très vieux et la perspective de passer un autre été au parc Lafontaine ne l'enchantait guère. Aussi avait-il eu envie de refuser lorsqu'on l'avait appelé la semaine précédente pour lui dire que le terrain de jeux ouvrait le 2 mai et qu'il devait être à son poste à dix heures, samedi matin. Il en avait même parlé à sa femme qui avait jeté les hauts cris. Memére Gariépy n'avait pas le goût de traverser l'été à regarder traîner son vieux et elle avait insisté pour qu'il accepte de travailler encore une saison. Il avait fini par céder, comme toujours. Mais cette rage de dents, réelle, d'ailleurs, les chicots de pepére Gariépy se mourant dans le tartre et le jus de pipe, était venue sauver le vieil homme, du moins pour cette fin de semaine-là, et Gérard Bleau était parti pour le parc Lafontaine sans grande joie, ressentant même une certaine appréhension, lui qui n'avait jamais beaucoup aimé les enfants, qu'il trouvait envahissants et cabotins. Il n'était pas venu un seul enfant de la matinée et Gérard avait eu envie de courir à la taverne la plus proche, se disant qu'il était trop tôt dans la saison pour que les parents amènent leurs enfants se salir au parc. Il était resté aux alentours des deux bancs de parc qu'on avait sortis exprès pour lui, s'ennuyant ferme et sacrant contre la rage de dents de pepére Gariépy. Mais à midi, quelques mères étaient venues lui confier leurs enfants, lui demandant de les faire manger vers trois heures, de les nettoyer et de les mener aux toilettes publiques. Étonné, Gérard n'avait pipé mot et les avait laissées partir. Il avait fait manger quelques enfants au milieu de l'après-midi, mais ne les avait ni nettoyés ni guidés vers les toilettes. Ceux parmi les enfants qui savaient où elles étaient s'y étaient rendus seuls mais les autres avaient placidement fait dans leur culotte sans cesser de jouer pour autant. Vers quatre heures, Gérard avait une trentaine d'enfants à surveiller mais usant de son charme (il savait qu'il était beau et se servait de sa gueule d'ange sans complexe), il était allé voir les quelques mères présentes, leur avait conté son histoire et les avait chargées de son ouvrage à sa place. Il avait tapoché des yeux et usé de sa voix de ténor et cela avait marché, comme toujours. (Sa mère ne lui avait-elle pas dit avant de mourir : « J'tai faite beau, sers-toé-z'en ! Si tu sais t'en servir, t'auras jamais de besoin de travailler ! Sers-toé des femmes, fais-toé vivre par elles, ramasse ton argent pis, surtout, marie-toé jamais ! ») Il s'était donc retrouvé désœuvré et avait commencé à trouver le temps deux fois plus long. L'arrivée de Thérèse, de Philippe et de Marcel avait été une heureuse diversion. Cela lui avait permis de se pencher sur le grand malheur du petit garçon infirme et il s'était trouvé bien charitable. Il avait même passé une grosse demi-heure à essayer de s'imaginer ce que pouvait être une journée dans la vie du petit malade mais l'imagination n'était pas son fort et tout ce qu'il trouvait à visualiser c'était Philippe essayant de faire ses besoins. Gérard Bleau n'avait jamais eu peur des femmes, au contraire, il avait très vite appris à s'en servir comme sa mère le lui avait conseillé et il était rapidement devenu un charmeur de métier, passant parfois des heures devant son miroir à essayer de nouvelles moues et de nouveaux clins d'œil. Il était tellement facile pour lui de conquérir une femme qu'il avait fini par s'en lasser. Depuis quelque temps, il attendait même souvent que les femmes sautent sur lui, par pure paresse. Les femmes, oui, mais les petites filles... Cette érection devant Thérèse offerte l'avait littéralement terrorisé et il avait failli se sauver en courant vers la rue Dorion, sa maison, son lit. Ce qu'il avait ressenti avait été violent et rapide, et il avait compris qu'il ne pourrait plus s'en passer. Ce mélange de peur et de jouissance lui avait fait découvrir un plaisir nouveau dont il n'avait même jamais soupçonné l'existence : le danger. Sa vie sexuelle avait toujours été trop facile pour qu'il puisse vraiment l'apprécier. Thérèse, avec son baiser si peu naïf de petite fille qui se pose trop de questions, lui avait fait entrevoir des horizons bariolés du rouge de la honte et du noir du péché, ce qui l'excitait énormément et donnait au danger un air de fête macabre, de cérémonie invitante et secrète où régnaient en maîtres absolus la culpabilité, la dissimulation, le remords. Il regrettait cet incident mais comme il en jouissait! Enfin sorti de sa torpeur, il se rendit compte qu'il était presque cinq heures et demie et il souffla à pleins poumons dans le sifflet que lui avait prêté pepére Gariépy. La mère tannée ramassa ses deux jumelles, le petit garçon tourneur donna quelques coups de pied dans le tourniquet, Thérèse, Philippe et Marcel glissèrent une dernière fois sur les planches polies par des générations de fesses d'enfants mal nourris. Philippe, qui avait bien vu que le gardien ne regardait plus dans leur direction, avait cessé de faire l'infirme et il commençait à peine à apprécier son après-midi lorsque retentit le coup de sifflet. « Bon, juste comme j'commençais à avoir du fun ! » Thérèse releva la culotte de son petit frère qui avait pris au cours de la journée des teintes indéfinissables et même suspectes. « Philippe, y faut que tu te recrochisses les yeux pis les jambes, hein, le temps qu'on sorte du terrain de jeux ! » Et ils passèrent tous les trois devant Gérard Bleau, Thérèse rose de joie et de confusion, Philippe boitant plus que jamais, Marcel adorable et repoussant tout à la fois. Gérard suivit Thérèse des yeux pendant quelques secondes et le même trouble s'insinua en lui, la même charge d'adrénaline le secoua, le laissant pantelant, tendu, fou d'expectative. « Faut que j'sache oùsqu'a'reste... » Il emboîta le pas aux trois enfants et fut le premier à voir Gabriel traverser la rue en gesticulant et courir vers eux. Il se dissimula derrière un arbre. Le remords l'envahit tout d'un coup. « Mon Dieu, chus-tu après me condamner à passer ma vie caché en arrière des arbres ? » Mais le plaisir vint submerger le remords et Gérard Bleau, secoué de spasmes, colla son front contre l'écorce de l'arbre.

« Vous aurez pas de besoin d'y expliquer les mystères de la vie, non plus, j'ai toute faite ça ! » Victoire et Édouard avaient vu venir Mercedes et Richard, main dans la main, le petit garçon souriant enfin, le dos droit, les yeux clairs. Édouard s'était attendu à voir sa mère se jeter sur la jeune femme toutes griffes dehors et la traiter de vicieuse et de guidoune, mais Victoire s'était contentée de tendre la main à Richard. « A't'a rien faite ? » « Non, on a juste parlé. J'avais besoin de parler. » « À une étrangère ? » « Oui, c'que j'avais à dire était trop grave, j'arais pas pu le dire à quelqu'un de la famille. » Victoire avait tourné le dos à Mercedes, tirant son petit-fils par la main. Édouard avait souri à la jeune femme. « Merci, mademoiselle... » « Mercedes. » « Vous êtes en congé, aujourd'hui ? » « Oui. Non. Oui. » Ils éclatèrent tous deux de rire et Mercedes prit le bras d'Édouard. « J'vous voyais souvent au Pingouin y'a quequ's années... mais vous devez pas vous souvenir de moé... vous r'gardiez pas ben ben les femmes... » « Vous avez déjà travaillé là ? » « J'appelle pus ça travailler ! La grosse Petit, c'tait pas une patronne, c'tait un général d'armée ! Moé, marcher au pas, ça m'a jamais intéressée... » « Pis là... vous êtes à vot'compte ? » « Ouan... c'est plate par bouttes mais au moins j'ai ma tranquillité. » Victoire s'appuyait sur l'épaule de Richard. Celui-ci avait enfoncé les mains dans ses poches. « A't'a toute toute expliqué ? » Richard rougit d'un coup, sans transition, passant du blanc au cramoisi en moins de cinq secondes. « Tu veux pas parler de ça ? » « Non. » « C'est toé qui as des scrupules, Coco. Moé, si tu me l'avais demandé... » C'est toujours ce qu'on disait dans cette famille après qu'un enfant, un adolescent ou même un adulte se fut adressé ailleurs. Mais rien n'était plus faux : Victoire n'aurait jamais parlé de ces choses à qui que ce soit. Elle avait gardé ses enfants dans l'ignorance totale des mystères de la vie et n'en ressentait aucun regret. (C'est Paul, en fin de compte, qui avait appris à Albertine son « devoir conjugal » et c'est à peine une semaine avant de se marier que Gabriel avait réussi à trouver un prêtre assez dégourdi pour le renseigner. Quant à Édouard... L'expérience, dès son jeune âge, lui en avait montré plus que sa mère n'en saurait jamais.) Des éclats de voix les firent tous se retourner et Philippe surgit de derrière un bosquet, poursuivi par son père au bord de l'apoplexie. « Fais-moé pus jamais peur de même, maudit singe à'marde ! J'pensais que t'étais après mourir dans les confusions ! » Mais Philippe, agile, réussissait toujours à échapper à son père qui soufflait comme un phoque. Ils s'arrêtèrent pile devant Victoire, comme surpris au beau milieu d'un mauvais coup. Après quelques secondes d'hésitation, Philippe se réfugia derrière sa grand-mère. Celle-ci toisa son fils en fronçant les sourcils. « T'es-t'encore soûl ! » « C'est samedi ! » Victoire défronça les sourcils. « Tant qu'à ça... » En autant qu'on était samedi, un homme qui avait travaillé toute la semaine comme un forcené pour gagner le pain de sa famille avait le droit d'être soûl, c'était indiscutable. « Que c'est que vous faites au parc Lafontaine, moman ? » « C'est samedi ! Tu te soûles, j'me promène ! » Elle prit ses deux petits-fils par la main et s'éloigna. Philippe, qui savait qu'il venait d'échapper à une volée bien méritée, se faisait le plus petit qu'il pouvait. « Quelles singeries que t'as faites, encore ? » Lui non plus ne répondit pas. Victoire soupira. « C'est ça, dites-moé pus rien parsonne ! Coupez-moé de vot'vie comme une vieille branche sèche, pis laissez-moé mourir dans mon coin. » Gabriel suivait, la tête basse. « Y faisait semblant d'être infirme, moman, pis j'ai pensé qu'y'était malade. » « Toé, tais-toé, j't'ai rien demandé, maudit porte-panier ! » Béatrice, qui avait suivi Gabriel avec Thérèse et Marcel, s'était jetée dans les bras de Mercedes en pleurant. « Où c'est que t'étais, pour l'amour ? » « J't'expliquerai tout ça... » « J't'ai charchée toute l'après-midi ! » Betty avait regardé Édouard. « Des clients ? » « Ben non. Tranquillise-toé, là, toute va s'arranger... » « Que c'est qui est arrivé, à'maison ? » Mercedes baissa la voix. « Attends qu'on soye tuseules... » Marcel avait tendu les bras à son oncle Édouard qui l'avait soulevé de terre en faisant la grimace. « Si t'étais un p'tit cochon, j'te dirais que tu sens bon, mais maudit que tu pues ! » La tête de Thérèse était appuyée contre le bras d'Édouard. « Pis toé, t'as ben l'air dans'lune, on dirait que t'es-t'en amour ! » Thérèse regarda son oncle d'un air effarouché. Ils se mirent tous en marche. Un bien étrange cortège sortit du parc Lafontaine : en tête venait une vieille femme toute cassée qui tirait par la main deux petits garçons, le premier, grand, pâle, osseux, les oreilles décollées, passait souvent la main sur son pantalon, comme pour effacer une tache pourtant invisible ; le deuxième, court et joufflu, essayait de contrôler un tic qui commençait à faire cligner son œil gauche ; un homme visiblement éméché les suivait, les mains dans les poches, les yeux au sol, le dos courbé ; ensuite venaient deux très belles jeunes femmes qui se tenaient par la taille, la plus jeune appuyée contre l'épaule de son aînée, réfugiée dans son odeur de savon sucré ; et un gros homme fermait la marche, un petit garçon sale dans les bras et une fillette trop sérieuse accrochée à la poche de sa veste. Et ce qui rendait ce groupe plus bizarre encore, c'est que personne ne parlait, tous avaient l'air enfouis dans leurs pensées, presque ignorants de la présence des autres. Ils marchaient lentement, comme s'ils n'allaient nulle part, longeant la rue Fabre qui s'était complètement vidée pour les laisser passer. Ils auraient pu tout aussi bien revenir d'un mariage où ils se seraient trop amusés ou sortir d'un cataclysme qui les aurait laissés à peu près indemnes : la fatigue effaçait presque leurs traits, leur donnant un air de nulle part et de n'importe quand, procession sans but et sans signification dans une rue déserte qui sentait le souper. Il était six heures et les cent clochers de Montréal le carillonnaient bien haut. Un homme suivait de très loin, hésitant, confus, le regard fou. Un ange déchu essayant de pister un défilé défendu. Un papillon de nuit attiré par une flamme qu'il sait fatale. Au coin de Marie-Anne, cependant, Mercedes sembla sortir de sa torpeur. « On va vous laisser icitte. On peut pas retourner à not'logement. » Victoire parla sans se retourner. « V'nez donc souper. Ça va faire plaisir à Albertine ! » Mercedes se tourna vers Édouard qui avait pouffé de rire. Il lui fit un petit signe affirmatif. « V'nez. On sortira, après. » Puis, le silence, encore. Le soleil jouait à travers les branches basses, grosse boule de feu qui rasait maintenant les toits des maisons. Un faible miaulement qui semblait parvenir d'en dessous d'un balcon, à quelques pâtés de maisons de la rue Mont-Royal, fit sursauter Marcel qui se mit à gigoter dans les bras de son oncle. « Plessis ! Plessis ! C'est Plessis ! » Édouard le déposa par terre et le petit garçon se précipita vers une clôture qu'il ouvrit après avoir contourné un énorme chien qui se léchait une patte. Marcel s'agenouilla au pied du balcon. « Plessis, oùsque t'es ? » Il aperçut le chat tassé sous l'escalier, couvert de croûtes de sang séché. Des mouches commençaient à bourdonner autour de ses plaies. Le cœur de Duplessis explosait de joie et le chat étirait le cou comme pour hâter la caresse qui tardait à venir. Lorsque la main du petit garçon se posa sur la tête de l'animal, Godbout se leva d'un bond et se mit à grogner. Thérèse lui donna un coup de pied dans les côtes. « Jappe pas après mon p'tit frére, maudit chien ! » Godbout s'éloigna en geignant et disparut dans la ruelle. Ils s'étaient tous arrêtés pour regarder Marcel, maintenant au bord des larmes. Il prit le chat dans ses bras, doucement, mais Duplessis miaula de douleur. « Tant souffrir ! Tant souffrir pour une caresse ! » Ah ! cette odeur ! Ces petites mains qui ne connaissaient pas leur cruauté ! Et cette tête tant aimée penchée sur son œil crevé ! Duplessis était enfin heureux. Marcel se leva, sortit du parterre. Édouard regarda Victoire qui ne dit mot. Elle haïssait ce chat mais elle savait que Marcel l'aimait et elle n'avait pas le courage de les séparer dans un pareil moment. « Veux l'emmener cé nous. L'est ben malade ! » Et Marcel prit la tête du cortège, Duplessis mourant appuyé contre son cœur. Ils firent le reste du chemin en silence. Ils traversèrent la rue Mont-Royal sans même vérifier si des voitures ou des tramways venaient dans leur direction. Victoire ne pouvait détacher ses yeux de son petit-fils. « Quand j'vas mourir, y s'en apercevra même pas. Y'a tellement peur de moé, c't'enfant-là ! Mais j'ai jamais tellement eu le tour avec les enfants, surtout pas avec les enfants des autres... Chus toujours trop toffe avec eux autres. Y viennent jamais me voir. Peut-être qu'y m'aiment même pas. » Elle lâcha la main de Richard, puis celle de Philippe. Les deux garçons semblèrent se détendre, un peu, comme soulagés. Rose, Violette, Mauve et leur mère, Florence, attendaient Marcel sur leur balcon. Violette était sortie de la maison pour dire aux autres que le souper était prêt, mais sa mère avait mis un doigt devant sa bouche. « Attends un peu, Violette. » Elle avait sorti la boule de laine que sa fille avait tricotée par erreur et l'avait tournée dans ses mains. « Y vont s'arrêter icitte. » Le cortège approchait. Marcel s'arrêta devant la maison de Florence. Il s'appuya contre la clôture et parla d'une voix cassée. « Plessis est ben malade, madame. P'enez-en soin. » « À qui tu parles, Marcel ? » Victoire s'était approchée de Marcel et se penchait au-dessus de son épaule, inquiète. Le petit garçon continua sans s'occuper d'elle. « P'nez-en ben soin, c'est mon ami ! » Il poussa la porte de la clôture et entra dans le parterre. « Va pas là, Marcel, y'a parsonne ! » Mais pendant un court instant Victoire crut voir une femme descendre les marches du perron et s'avancer vers Marcel. Puis l'apparition s'effaça et Victoire poussa un cri en cachant son visage dans ses mains. « Des maudites foleries ! Des maudites foleries ! J'vas finir par voir des affaires avec vos maudites foleries ! » Florence sourit tristement à Marcel. « Pose le minou à terre. » Marcel déposa le chat sur le ciment. « Tu reviendras, demain. J'vas faire c'que j'peux. » Duplessis avait levé la tête. « Laisse-moé pas, mon amour ! » Marcel s'accroupit à côté du chat et déposa un léger baiser sur sa tête. « Va rejoindre les autres, Marcel. Va souper, à c't'heure. » Marcel sourit aux quatre femmes et sortit du parterre. Victoire avait commencé à grimper l'escalier qui menait à leur logement. Les autres suivaient. Marcel pleurait maintenant sans retenue. Gabriel le prit dans ses bras. « La madame, al'a dit que Plessis irait mieux, demain ! » Gabriel embrassa Marcel dans le cou. « Oui, la madame al'l'a dit. » Il ne voulait surtout pas contrarier son neveu qu'il sentait complètement bouleversé. Philippe haussa les épaules. « Maudit fou ! » Florence attendit que tous soient entrés avant de se pencher sur le chat. Elle tenait toujours la boule de laine dans sa main. « Violette, y faut que tu répares ton erreur. » Violette descendit précipitamment du balcon et souleva Duplessis. Les quatre femmes entrèrent dans la maison, laissant les quatre chaises vides sur le balcon.

Quand Josaphat-le-Violon arriva vers six heures moins quart, Albertine avait la tête dans le fourneau du poêle à charbon et arrosait une gigantesque dinde dont la peau commençait à prendre une belle couleur dorée. « Hé, que ça va être bon, c'te p'tite dinde-là ! » Elle n'entendit pas le coup de sonnette ni le cri de la grosse femme : « Bartine, ça sonne ! » et Josaphat-le-Violon entra dans la maison suivi de Laura, sa fille, qui se tenait les jambes serrées et marchait presque en se contorsionnant. « Vite, vite, popa, laissez-moé passer, ça a pas de bon sens, j'ai les yeux qui me flottent dedans ! » Laura traversa la salle à manger en courant, sans jeter un coup d'œil dans la chambre de sa cousine. « Allô, ma tante ! » (Elle avait l'habitude d'appeler Albertine et la grosse femme « ma tante » à cause de la différence d'âge qui les séparait et aussi parce que, élevée à Saint-Jérôme, elle avait connu les deux femmes très tard. Elle appelait d'ailleurs Victoire «grand-moman», alors qu'en fait la vieille femme n'était que sa tante.) Elle bouscula Albertine en passant derrière elle pour se rendre à la salle de bains. Celle-ci hurla de peur et tomba sur les genoux, la tête presque dans la marmite. «Allô, ma tante! X'cusez-moé, j'ai envie!» «Mon Dieu, que tu m'as fait peur! Oùsque t'étais, donc, toé! Par oùsque t'es rentrée?» Josaphat-le-Violon l'aida à se relever après avoir déposé son étui à violon et un gros sac de provisions sur la table de la cuisine. «Par la porte, Albertine, par la porte!» Ils entendirent la grosse femme rire. Albertine se frottait les genoux. «C'est pas une fille que vous avez, c't'un cyclone!» Sans répondre, Josaphat-le-Violon montra le sac, sur la table. «J'vous ai apporté des oranges.» Albertine glissa le nez dans le sac, huma. «Des belles oranges! Marcel va-t'être content!» Elle sortit une orange du sac et la colla sur son nez et sa bouche. «D'où c'est qu'y'viennent, en temps de guerre, les oranges?» «Bartine, bonyeu, y poussent à'même place!» Josaphat-le-Violon se détourna et se dirigea vers la chambre de la grosse femme. «J'y'ai pas encore dit bonjour...» Le début de bonne humeur d'Albertine tomba d'un coup. «Bon... y va aller minoucher sa grosse préférée, encore...» Elle entendit les becs sonores et le bruit des springs quand le vieil homme s'assit au chevet de la femme de Gabriel. «C'est ça, restez collé là pendant que j'm'échine à faire vot'souper!» Sa cousine sortit de la salle de bains en riant après avoir tiré la chasse d'eau. «J'espère que vous vous êtes pas faite mal, ma tante! Mais j'vous ai pas poussée ben fort, j'pense que c'est plus la surprise qui vous a coupé les jambes...» Albertine s'était de nouveau pliée en deux pour pousser la marmite dans le fourneau. « T'es ben grosse, Laura ! Si tu continues à engraisser de même, tu vas avoir l'air de ta tante ça s'ra pas long ! » Albertine savait que Laura détestait qu'on lui parle de son obésité. Elle lui remettait la monnaie de sa pièce, un sourire méchant au bord des lèvres. En se redressant, elle se frotta les reins, puis jeta un coup d'œil en direction de sa cousine qu'elle n'avait pas encore regardée. « Toé-si tu l'attends pour la fin de juin, j'suppose ? » Laura s'était assise au bout de la table de la cuisine et jouait avec un cendrier vide. « Ouan, comme ma tante ! » Albertine essayait de se plier par en arrière. « Pis comme à peu près toutes les femmes d'la rue ! J'ai jamais vu autant de femmes enceintes en même temps, moé ! » « C'est normal, c'est l'été... » « C'est pas l'été, c'est le printemps. » « J'ai lu un article dans *Le Canada*, l'aut'jour ousqu'y disaient que le monde, en Amérique du Nord, y viennent presque toutes au monde en été rapport à l'hiver qui est trop longue... » « Pis, que c'est que ça change ? » « Ben, ma tante... L'hiver, quand y fait trop frette trop longtemps, ça donne envie de se réchauffer un peu... Pis quand on se réchauffe, hein, ben... » « Pis y parlent de t'ça dans'journaux ! On aura tout vu ! C'est pas assez que les femmes d'la rue se cachent même pus d'être en famille, v'là rendu qu'y parlent de quand c'est que les enfants se font dans'es'journaux ! » Attendre un bébé avait toujours été vaguement honteux pour les femmes de la ville et elles dissimulaient habituellement leur gros ventre sous un corset qui les étouffait et des vêtements très amples qui déguisaient leur silhouette. Même la grosse femme avait porté un corset pendant ses premières grossesses, malgré son embonpoint. Et quand une femme « un peu trop enceinte » passait dans la rue Mont-Royal, les regards se détournaient comme si elle avait été un objet obscène, honteux, et il se trouvait toujours une grenouille de bénitier ou un mangeux de balustres pour lui dire : « Le dernier mois, d'habetude, les femmes restent chez eux... » Et c'était vrai. Plutôt que de subir les reproches muets qu'elles pouvaient lire dans tous les regards qu'elles croisaient, les femmes restaient chez elles pendant les dernières semaines de leur grossesse. Elles-mêmes finissaient par ressentir une certaine gêne d'être déformées et bousculées par ce paquet d'énergies, cette vie si puissante qui se préparait à sortir d'elles. Écrasées par cette religion monstrueuse qui défendait toute sorte de moyen de contraception, cette religion fondée sur l'égoïsme des hommes, pour servir l'égoïsme des hommes, qui méprisait les femmes et en avait peur au point de faire de l'image de la Mère, la Vierge Marie, Mère de Dieu, une vierge intacte et pure, inhumaine créature sans volonté et surtout sans autonomie, qui s'était retrouvée un jour enceinte sans l'avoir désiré, par l'opération de l'Esprit-Saint (qu'on osait représenter sous la forme d'un oiseau ! enceinte d'un oiseau, la Mère de Dieu !) et qui avait enfanté sans avoir besoin de mettre au monde, insulte ultime faite au corps des femmes ; gavées par les prêtres de phrases creuses autant que cruelles où les mots « devoir » et « obligations » et « obéissance » prédominaient, ronflants, insultants, condescendants, les femmes canadiennes-françaises, surtout celles des villes, avaient fini par ressentir une honte maladive d'être enceintes, elles qui n'étaient pas dignes comme l'autre de mettre un enfant au monde sans qu'un homme, leur propriétaire et maître leur passe dessus et qui, surtout, n'avaient pas le droit de se dérober à leur «devoir», à leurs «obligations» parce qu'elle devaient «obéissance» à ce merveilleux outil du destin que leur avait fourni directement la Volonté de Dieu: leur mari. La religion catholique, en un mot, niait la beauté de l'enfantement et condamnait les femmes à n'être *jamais* dignes puisque la mère de leur Dieu, l'image consacrée de la Maternité, n'avait été qu'un entrepôt temporaire d'où l'Enfant n'était ni entré ni sorti. Albertine souleva le couvercle du chaudron où bouillait encore la soupe et se mit à brasser énergiquement le liquide fumant pour se donner une contenance. «Si ça continue de même, j'les achèterai pus, les journaux!» «Juste l'Oratoire?» «Même saint Joseph me déprime!» Elle remit le couvercle en faisant le plus de bruit possible. «Aide-moé à mettre la table chus tu-seule comme un coq-dinde!» Josaphat-le-Violon avait pris la main de sa nièce dans ses pattes calleuses de menuisier et il la regardait avec un bon sourire. «As-tu lu aujourd'hui?» «Non, mon oncle, j'arrive pas à me concentrer assez.» «Trop de va-et-vient dans'maison?» «Non, c'est pas ça, tout le monde est parti sauf Bartine... Mais... on dirait que j'ai moins le goût que j'avais. Le bebé grouille souvent, pis j'pars dans mes rêveries.» «Toujours le Mexique?» «Non. Des rêveries plus sérieuses.» «Faut pas. La baie d'Acapulco t'a toujours aidée à continuer...» «Mais j'la verrai jamais, mon oncle! Tant que j'ai réussi à me faire accroire que j'finirais par y aller un jour, même si au fond j'savais que c'tait pas vrai, ça allait, mais là...» La grosse femme retira sa main des pattes de son oncle et arrangea un peu ses cheveux qui lui tombaient sur le front. «Y sèchent mal... Si au moins mes rêves étaient moins fous ! Si au moins j'rêverais d'aller à la baie des Chaleurs ou ben donc à Percé, ça s'rait moins pire ! Mais non ! Acapulco ! » « Ton sang indien te donne le goût des voyages, c'est normal ! » « Mon sang indien, ça fait longtemps qu'y'a déviré en p'tite eau, mon oncle ! » « C'est la première fois que j'te vois déprimée de même depuis le mois de décembre. Y'est tu arrivé quelqu'chose avec Gabriel ? » « Ben non... J'arais juste envie de me lever, mon oncle, de me traîner jusqu'au balcon, de m'assir pis de r'garder le soleil du printemps en face au lieu de guetter ses reflets dans la vitre du châssis de madame Chagnon, au troisième étage ! Chus tannée de rêver d'Acapulco pis d'être même pas capable de me lever pour aller m'assir su'l'balcon ! » « Écoute... écoute... À soir, après le souper, Édouard, Gabriel pis moé, on va essayer de te transporter su'l'balcon... Y fait assez chaud... Une p'tite heure ou deux à'bonne air du printemps, ça va t'aérer les esprits ! » Cette fois ce fut la grosse femme qui prit une patte de Josaphat-le-Violon dans ses mains potelées. « Avec du Coke pis des chips ? » « Avec toute c'que tu voudras. » «Allez-vous jouer *La Méditation de Thaïs*, pour moé ? » « J'vas essayer. »

« J'ai jamais vu ça, moé, du monde manger vite de même ! Quand j'viens icitte, toute me reste bloqué dans l'estomac pis chus malade quasiment chaque fois ! » « Arrêtez donc de vous lamenter, moman, pis essuyez ! » Germaine Lauzon et sa mère, Rita Guérin, lavaient la vaisselle. À six heures et quart, le repas du soir était terminé et la vaisselle déjà à moitié faite. Au début de son mariage, Germaine Lauzon avait eu de la difficulté à s'habituer à cet homme qui mangeait tout ce qu'on lui donnait en cinq minutes et qui en redemandait entre deux rots bien sonores et deux gorgées de bière, mais elle avait fini par s'y faire et commençait même à prendre le rythme de son mari, enfournant viandes, légumes et pain dans sa bouche comme si chaque bouchée était la dernière de sa vie. La première fois que Rita Guérin était venue manger chez sa fille, elle lui avait dit: « T'as marié un vrai cochon, ma pauv'Germaine ! Tu devrais le nourrir à l'eau de vaisselle, y s'en apercevrait pas pis ça te coûterait moins cher ! » Mais, au fil des mois, elle voyait bien que sa fille se transformait peu à peu et commençait à ressembler à son mari, alors elle ne disait plus rien. Elle se contentait de les regarder manger, tous les deux, un léger dégoût au bord de la bouche. « Si y sont heureux de même, ça me r'garde pas... Y vont faire des p'tits verrats pis tout le monde va être content ! » C'était donc la première fois depuis longtemps que Rita se permettait une remarque en ce sens. Mais le repas auquel elle venait d'assister (elle ne pouvait pas dire qu'elle y avait participé, elle avait à peine vu les assiettes passer) avait battu tous les records de rapidité et de goinfrerie, et Rita Guérin croyait encore entendre son gendre demander, la bouche pleine de purée de patates et de ce qui avait semblé être des petits pois écrasés: « Que c'est qu'y'a, pour dessert ? » Elle avait failli lui répondre que le pudding chômeur était caché sous les patates mais Ernest l'aurait probablement crue alors elle s'était retenue. Germaine agita les mains dans son eau de vaisselle pour la faire mousser mais l'eau était trop grasse et trop froide, et la jeune femme soupira. « Vous exagérez, encore, moman ! J'vous ai jamais vue être malade, icitte ! » « J'me cache, ma p'tite fille ! Pour pas te faire honte ! Vous avez mangé tellement vite, à soir, là, que votre dessert devait goûter la soupe, certain ! » Elle rit de sa propre bêtise et déposa la pile d'assiettes qu'elle venait d'essuyer. « Chus rendue que j'exagère tellement, là, que j'me fais peur à moé-même, des fois ! » Germaine replongea les mains dans la cuvette qu'elle venait de remplir d'eau chaude et fit la grimace. « C'est déjà beau que vous le sachiez, que vous exagérez ! Si vous vous en rendiez pas compte, on serait toujours obligés de vous le rappeler pis ça serait ben fatiquant. » Rita Guérin échangea son linge à vaisselle mouillé contre un propre qu'elle prit dans un tiroir près de l'évier. «Aimerais-tu ça que j'arrête ? » « Arrêter quoi ? » « Ben d'exagérer, c't'affaire ! » « Faites jamais ça, moman, à c't'heure que chus-t'habituée de toute diviser c'que vous dites par dix j's'rais toute mêlée si vous arrêtiez ! » « Par dix ! T'exagères, Germaine ! » « J'exagère pas ! Quel âge que vous avez dit, à table, que vous vous sentiez, à soir ? » « Quatre cent soixante ans. » « Vous voyez... » « C'tait un hasard... » Pierrette, la plus jeune des filles Guérin, onze ans, trop grande pour son âge et complexée à cause de ses dents qui poussaient croche, fit irruption dans la cuisine, visiblement affolée. « Germaine, ton mari est encore dans le radio ! » Les trois femmes se précipitèrent dans le corridor qui menait au salon sans même prendre la peine de se regarder. « Non seulement y mange vite, ton mari, ma pauv'fille mais aussitôt qu'on a le dos tourné y retombe dans ses mauvaises habitudes ! » Lorsqu'elles arrivèrent dans le salon, il était trop tard : une odeur d'électricité flottait dans la pièce et un peu de fumée s'échappait du poste de radio. Ernest Lauzon, piteux, un tournevis à la main se gourma avant de parler. « C'est pas de ma faute ! J'ai pas touché aux fils ! J'ai juste cogné un peu sur les lampes pour vérifier si y'étaient correctes ! » Germaine Lauzon lui arracha le tournevis des mains. « Une chance que t'avais mis tes gants, parce que sans ça t'arais l'air d'une toast ! Maudit grand bébé ! On peut pas te laisser deux menutes tu-seul, y faut que tu fasses toute sauter ! J'gage qu'y'a pus d'étriceté dans'maison, là ! On va être obligés d'aller acheter d'autres fiouses chez Marie pis on va encore faire rire de nous autres ! Ça fait deux fois, cette semaine, que tu fais péter les fiouses, Arnest, penses-tu que ça a de l'allure ! » « J'te dis que c'est pas de ma faute... » « C'est jamais de ta faute ! J'tai surpris mercredi soir jouqué sur l'escabeau en train de fouiller dans les socquettes du plafonnier pis t'as eu le front de me dire que t'avais touché à rien pis que si y'avait pus d'étriceté dans'maison c'est parce que les fiouses étaient pas assez fortes ! » Elle se frotta le ventre. Le bébé venait de bouger et son cœur se serrait de joie. « Si ça continue de même, j'vas être obligée de demander au bebé de t'élever ! » Pierrette éclata de rire, suivie de sa mère qui mit ses mains devant sa bouche pour se cacher. Ernest sourit. Son plus beau sourire. Il savait que sa femme ne pouvait pas résister à son sourire et il en profitait très souvent, surtout dans les situations délicates comme celle-ci. Il tendit ses mains gantées vers sa femme. « J'aime tellement ça quand tu me chicanes ! T'es belle pis tu me fais filer comme un homme important ! » Il se leva et prit sa femme dans ses bras. Le rire de Rita Guérin s'arrêta aussitôt. « Pierrette, ma chouette, va acheter des fiouses pour ta sœur ! » Elle suivit sa fille jusque sur le balcon et s'installa dans la chaise berçante. « Si y font ça aussi vite qu'y mangent, leur'nuittes doivent être longues par boutte ! » Elle entonna une chanson de son village en tapant un peu du pied. Germaine s'était assise à côté du poste de radio. « C't'une vraie maladie, ça, t'sais, Arnest. J'sais pas comment c'est ça s'appelle mais si ça la un nom ça doit se guérir ! On va-tu passer le restant de not'vie à raser de passer au feu ! » Ernest s'accroupit aux pieds de sa femme, déposa sa tête sur ses genoux. « J'aime ça l'étriceté. » « Pour que c'est faire que tu travailles pas là-dedans, d'abord ? Y'est pas trop tard, t'as juste vingt-deux ans ! » « Chus ben oùsque chus ! Si ça serait ma job, l'étriceté, peut-être que j'aimerais moins ça... » La drôle de logique de son mari étonnait toujours Germaine. « As-tu envie d'me dire que tu pourrais pas passer ta vie dans quequ'chose que t'aimes ? » « Non, j'veux juste dire qu'un métier c'est pas drôle même quand t'aimes ça... » « Où c'est que t'as pêché ça, ces idées de fous là ? » « En as-tu un métier, toé ? Non, hein ? Ben farme-toé, tu sais pas de quoi tu parles ! » Il se leva d'un bond, vexé, et sortit de la pièce en claquant la porte derrière lui. Germaine resta plantée là, le tournevis à la main. « C'est encore moé qui va être obligée d'y faire des excuses, j'suppose ! »

Ce fut un repas mémorable. L'atmosphère en était une de veille d'apocalypse, comme si un malheur définitif, une catastrophe imminente se préparait dans l'ombre sans toutefois se décider à se produire. La période avant de se mettre à table avait cependant été un peu trop tranquille. En voyant Mercedes et Betty entrer dans la maison, Albertine avait cru rêver mais elle s'était retenue. Elle s'était appuyée contre le mur du corridor et avait posé une main sur son cœur. « C'est pas vrai ! Y m'ont pas faite ça ! » Elle avait dévisagé les deux femmes sans leur adresser la parole comme si elles avaient été dans une vitrine ou sur un étal. Elle avait bien vu qu'Édouard riait sous cape pendant les présentations et cela l'avait rendue furieuse. Victoire s'était enfermée dans sa chambre où Josaphat-le-Violon était venu la rejoindre, la calmer plutôt, puisqu'elle pleurait sans pouvoir en expliquer la cause. Alors Édouard, fanfaron, avait fait visiter la maison aux deux guidounes, ouvrant toutes les portes, décrivant tout à voix très haute (très maîtresse de maison) sous le regard assassin de sa sœur. Gabriel était allé traîner sa face longue dans sa chambre. La grosse femme, comme chaque samedi quand il rentrait plus ou moins soûl, avait attendu qu'il lui adresse la parole avant de parler. Philippe avait couru droit à la cuisine et s'était mis à tourner autour du poêle en faisant le fou. Richard et Thérèse s'étaient assis dans le sofa de la salle à manger et avaient lu *La Presse* du samedi, blottis l'un contre l'autre. Marcel, lui, peut-être pour la première fois de sa vie, était allé se réfugier dans les bras de sa mère qui en était restée abasourdie. Il s'était collé contre son épaule et sa respiration était devenue saccadée comme s'il avait voulu pleurer sans y parvenir. Sa mère lui avait demandé s'il était malade. Il lui avait répondu que non, que c'était Duplessis qui était malade et qu'il était bien inquiet. C'était un peu à cause de Marcel, d'ailleurs, si Albertine n'avait pas piqué de crise en voyant Édouard et les deux jeunes femmes passer de pièce en pièce, riant, s'exclamant ou s'excusant quand ils dérangeaient quelqu'un. Elle ne voulait pas savoir comment ni pourquoi ces deux créatures s'étaient retrouvées dans son domaine, tout ce qu'elle voulait c'était qu'elles disparaissent au plus vite. « Ça doit être une manigance d'Édouard pis de moman, ça, encore ! J'les connais ! Y feraient n'importe quoi pour me faire chier ! Moé, sarvir ces deux guidounes-là pour souper ? Jamais ! De toute façon, ces femmes-là, ça mange pas, ça boit ! » Elle s'était assise dans la chaise berçante de sa mère qui trônait dans la salle à manger à côté du poste de radio. Elle avait bercé Marcel sans grand espoir de l'endormir. Le petit garçon s'était mis à trembler, tout à coup, son front était devenu moite de sueurs. « Tu veux-tu aller faire un beau dodo dans le grand litte de moman, mon trésor ? » « Mon trésor ! » Elle l'avait appelé « mon trésor » ! Et sans même qu'elle s'en aperçoive sa voix était devenue douce et chantante ! Thérèse avait regardé sa mère en souriant. Albertine, qui s'en était rendu compte, avait baissé les yeux. Marcel s'était redressé un peu dans les bras de sa mère pour lui répondre. « Veux pas dormir. Veux manzer. Demain, Plessis va être mieux, pis Marcel veut être mieux aussi ! » « Thérèse, Richard, la table ! Pis vite ! » Albertine avait déposé Marcel dans le sofa. « Ça s'ra pas long, moman va te servir le premier ! » Édouard, Mercedes et Béatrice avaient abouti dans le salon. Édouard faisait ce qu'il pouvait, c'est-à-dire qu'il en mettait beaucoup, pour mettre les deux jeunes femmes à l'aise. Il avait l'air d'un gros Père Noël sans costume en vacances dans les pays chauds. « J'peux pas vous offrir de boisson, les filles, on a pas le droit d'en rentrer dans' maison ! Règlement numéro six mille vingt-deux. On peut même pas rentrer d'la bière ! Mais on a du Cream soda pis du Coke en masse, par exemple. À moins que vous préfériez un beau grand verre de Saint-Laurent bien frappé ? » Ces vieilles farces éculées avaient pour seul effet de gêner encore plus Mercedes et Béatrice qui commençaient à réaliser que personne d'autre qu'Édouard ne leur parlait et qu'elles n'étaient peut-être pas tout à fait à leur place dans cette maison qui sentait la soupe et la dinde rôtie. Béatrice trouvait même que ça sentait Noël et cela l'attristait. Mercedes avait fini par demander un Coke, Béatrice un Cream soda. Pendant qu'Édouard était parti à la cuisine, les deux amies avaient essayé de s'expliquer mais tout était trop compliqué : Béatrice ne savait pas encore que les trois soldats avaient saccagé l'appartement et Mercedes, dans sa hâte d'en dire beaucoup dans peu de temps, s'exprimait mal et s'impatientait. Aussi, lorsqu'il était revenu avec les deux bouteilles de liqueurs, Édouard avait-il trouvé les deux femmes en pleine discussion, Betty au bord des larmes et Mercedes au bord de la crise de nerfs. Il avait déposé les deux bouteilles sur la petite table à café. « Écoutez, les filles, si vous avez des affaires à régler, j'vas aller aider ma sœur à préparer le souper... J'vous appellerai quand ça s'ra prête... » Il s'était retiré en leur envoyant la main comme à deux enfants. Elles lui en avaient su gré de leur laisser la chance de démêler leur journée. Josaphat-le-Violon s'était assis à côté de sa sœur et avait attendu que Victoire cesse de pleurer, sans parler, patient comme toujours, réconfortant par sa seule présence et, surtout, apaisant. Après s'être mouchée trois ou quatre fois, Victoire avait raconté sa vision à Josaphat-le-Violon qui, à la grande surprise de la vieille femme, n'avait pas ri d'elle. Il n'avait même pas souri, continuant de la regarder droit dans les yeux pendant qu'elle essayait de décrire ce qu'elle appelait « le premier avartissement de la folie », hochant parfois la tête pour l'encourager à continuer, attentif au point d'en paraître hypnotisé. « Y'a parsonne dans c'te maison-là ! J'le sais qu'y'a parsonne ! J'devais-t'être fatiquée, j'sais pas trop... C'est peut-être aussi parce que Marcel s'imaginait qu'y parlait avec une femme... Mais je l'ai vue juste une seconde, t'sais... chus pas folle ! Marcel... Marcel, lui, y'est drôle, des fois... Y dit des affaires drôles pis y fait des affaires drôles... Sa mére, a's'en aperçoit pas, a's'occupe pas de lui... Mais j'le r'garde faire des grandes journées de temps, des fois, tu comprends, j'ai rien que ça à faire, pis j'te dis qu'y'est loin d'être comme tout le monde ! » Elle s'était arrêtée, comme frappée par une pensée qui l'étonnait. « À c't'heure que j'y pense, y me fait penser à toé quand t'étais p'tit... » Victoire avait huit ans de plus que Josaphat-le-Violon et c'était elle, en grande sœur dont la mère est trop occupée, qui l'avait élevé, l'entourant d'attentions et d'amour, changeant ses couches en chantant et le lavant trois fois par jour dans des bassines d'eau tiède qui étaient vite devenues la grande joie du petit Josaphat. Celui-ci avait été un enfant secret, exclusif autant dans ses jeux que dans ses affections, se construisant un monde imaginaire où régnait Victoire et où lui-même n'était qu'un jouet dans les mains de sa sœur. Pendant toute son enfance il avait vénéré Victoire qui lui rendait sa tendresse silencieusement, efficace petite mère qui vibre au moindre élan de son enfant. Leurs rapports étaient toujours restés très étroits et une passion bizarre s'était développée entre eux, d'où la sexualité était totalement absente mais où toutes ses autres composantes, la jalousie, la possession, le doute, les larmes, les déchirures, les joies secrètes, les ruptures, les réconciliations, étaient plus arrimées que dans une histoire d'amour ordinaire et plus exigeantes encore, les laissant toujours graviter entre les deux pôles des choses défendues : la culpabilité et le remords et les condamnant, à partir de la puberté, à s'aimer sans jamais se toucher, le péché, dans leur milieu rural, se trouvant beaucoup plus à la surface du corps (la peau !) que dans les méandres de l'esprit. (Confesser une mauvaise pensée, fût-elle criminelle, était une vétille mais avouer un mauvais toucher !) Victoire s'était mariée à vingt-cinq ans, le plus tard possible, et sa séparation d'avec Josaphat qui déjà, à dix-sept ans, commençait à porter le nom de « Violon » à cause du génie qu'il avait d'apprendre, sur l'instrument que lui avait fabriqué son père, les gigues les plus compliquées et les reels les plus rébarbatifs en un temps record et même de les interpréter en les transcendant et en leur imposant sa griffe personnelle, faisant de certains d'entre eux, comme *Le Reel des culottes à Frigon*, par exemple, des pièces musicales qui frisaient le chef-d'œuvre tout en gardant l'humilité de juste vouloir faire danser leur monde, avait été atroce autant pour elle qui partait pour Montréal (Montréal ! Ville damnée ! Ville perdue ! Ville !) au bras d'un homme qu'elle n'aimait pas et qu'elle respectait à peine, que pour son frère qui lui avait crié en apprenant son départ : « Si tu t'en vas, Victoire, j'accroche mon violon, j'décroche ma hache pis j'monte dans les chantiers pour le restant de mes jours ! » Josaphat-le-Violon avait effectivement accroché son violon après le départ de Victoire mais trois hivers à peine de Josaphat-la-Hache l'avaient écœuré et plutôt que de chercher refuge dans l'alcool comme le faisaient tant de bûcherons, en cachette, il était redescendu du chantier un lundi après-midi de janvier et s'était jeté sur son instrument comme sur une planche de salut, faisant frémir le cœur des filles du village avec des tounes de sa composition et frétiller les pieds des gigueux avec des danses plus démentielles que jamais. Josaphat-le-Violon ne s'était pas marié. Nul ne savait s'il avait connu des femmes et les femmes qu'il avait connues (Rosette Blanchette, par exemple, la femme du maire, ou mademoiselle Luce-Amanda Poitevin, la bibliothécaire qui avait régné pendant cinquante ans sur un lot de cent trente-deux livres jamais empruntés, don des Pères de Sainte-Croix, inutiles comme tous les dons, surtout qu'ils étaient en majorité incomplets, étant sortis de chez l'imprimeur à moitié finis, d'où la générosité des bons Pères, d'ailleurs) étaient restées d'une inébranlable discrétion, n'avouant jamais leur faute (même pas, surtout pas à leur curé en qui elles avaient cessé d'avoir confiance grâce à Josaphat-le-Violon pour qui les curés étaient une engeance sadique et dégénérée) et couvrant leur bonheur sous un perpétuel sourire. Cinq ou six femmes du village avaient ainsi gardé toute leur vie la marque du violoneux imprimée sur leur visage et les cinq ou six hommes avec qui elles étaient mariées avaient pendant toute leur vie, eux aussi, vanté, chanté et même paradé l'indicible joie, le criant bonheur dont ils croyaient être la cause mais dont ils n'étaient que les victimes, jars ridicules qui traînaient sans le savoir les plus grosses cornes, les cornes les plus pesantes et les plus drôles de toute la région des Laurentides. Même Imelda Beausoleil qui lui avait donné Laura au début des années vingt n'avait jamais rien dit à personne. Elle avait réussi à cacher sa grossesse jusqu'à la fin et était descendue mettre l'enfant au monde à Saint-Jérôme, chez une de ses sœurs qui avait juré sur l'Évangile d'élever la petite fille comme si elle avait été sienne sans jamais rien dire à quiconque. À son retour à Duhamel, Imelda Beausoleil était allée montrer une photo de Laura à Josaphat-le-Violon. « C'est ta fille. Si tu la veux, est chez ma sœur. Si tu la veux pas, t'es-t'un écœurant. » Josaphat-le-Violon avait immédiatement fait le voyage jusqu'à Saint-Jérôme pour embrasser sa fille. Il l'avait laissée chez la sœur d'Imelda où elle avait grandi. Quand Laura avait épousé Pit Cadieux, un gars de Saint-Jérôme qui s'en allait tenter sa chance à Montréal dans la cuisine d'un grand hôtel, Josaphat avait pris sa fille à part. « Moé-si j'veux aller à Montréal, Laura. Emmenez-moé, toé pis Pit, j'prendrai pas de place. Y me reste juste deux sœurs, pis sont là... » Imelda Beausoleil n'avait jamais revu sa fille. Elle n'en n'avait jamais reparlé. Elle avait peut-être même fini par l'oublier. Et quand elle était morte, Josaphat-le-Violon avait pleuré. En arrivant à Montréal, il avait retrouvé sa passion pour Victoire intacte, inviolée, dure comme le diamant mais tellement plus timide ! Et Victoire lui avait ouvert les bras en l'appelant « mon pitou d'amour », comme autrefois, ou bien « cher tit-gars ». « Oui, y me fait penser à toé quand tu rentrais dans'maison en disant que les femmes d'à côté faisaient leu'confeture pis que chaque fois, même si parsonne était jamais resté dans c'te maison-là, ça se mettait à sentir la confeture... » Josaphat-le-Violon avait posé une main sur le genou de sa sœur. « Si tu vois encore c'te femme-là... Si tu vois encore des affaires, Victoire, dis-moé-lé... » « Tu vas m'envoyer à l'asile ? » Elle avait souri, comme pour chasser ses inquiétudes, comme si elle venait de prendre conscience de l'absurdité de sa vision... « Non, si jamais ça recommence, y faudrait que j'te parle sérieusement. J'arais des affaires à te dire... Viens souper, à c't'heure, faut pas faire attendre la visite trop longtemps. » Quand Victoire et Josaphat-le-Violon étaient arrivés dans la salle à manger, tout le monde était à table (on avait placé Mercedes et Béatrice de chaque côté d'Édouard qui se gourmait de plaisir et gloussait comme une jeune fille) mais un étrange silence planait dans la pièce. Gabriel avait regardé sa mère avec des yeux suppliants. « Moman, Bartine veut pas sarvir les deux... les deux invitées. » Effectivement, Albertine se tenait raide dans l'encadrement de la porte de la cuisine, la louche à la main, et montrait une mine butée qui lui donnait un air porcin. « A'buckque ! Al'a juste sarvi Marcel... » Marcel mangeait sa soupe sans s'occuper de ce qui se passait autour de lui, concentré sur sa cuiller qu'il arrivait à tenir correctement depuis à peine quelques mois. Mercedes se leva à demi. « On veut pas faire de chicane... Si vot' fille veut pas nous donner à manger, c'est pas grave, on va aller manger ailleurs... » « Vous, assisez-vous ! J'vous ai invitées, tou'es deux, pis vous allez manger ! Quand Victoire invite du monde à manger, y mangent ! » Elle avait contourné la table et était venue se planter devant sa fille. « Tu veux pas sarvir la visite, à c't'heure ? » Albertine avait soutenu le regard de sa mère mais sa voix était rauque comme si une émotion trop forte était bloquée dans sa gorge. « Moman, vous allez pas m'obliger à donner à manger à ces deux créatures-là ! J'en ai assez enduré, aujourd'hui, y m'semble ! S'il vous plaît, faites-moé pas ça ! » Elle avait tendu la louche à sa mère. « Sarvez-les, vous ! » Victoire s'était emparée de la louche d'une main ferme et décidée. « Y'est temps qu'on m'demande quequ'chose, ici-dedans ! J'commençais à prendre racine dans ma chaise barçante ! Mais j't'avartis, si j'sers la visite, j'sers tout le monde ! » « Vous êtes pas capable, moman, vot' jambe ! » « Ma jambe m'a portée jusqu'au parc Lafontaine, est capable de me porter jusqu'au poêle, baptême ! Va t'assir, Bartine, pis essaye de prendre visage humain, pour l'amour du bon Dieu ! » Édouard avait applaudi et sa mère s'était tournée vers lui. « Va pas t'imaginer que t'as l'air d'une rose entre deux épines, Édouard ! T'arais plutôt l'air d'un craquias dans un banc de marguerites ! » Josaphat-le-Violon avait éclaté de rire, suivi de Gabriel et même de la grosse femme qui entendait tout de sa chambre. Édouard avait répondu à sa mère sur le même ton. « Imaginez-vous pas que vous allez être capable de nous servir comme faut, moman ! Une boiteuse qui sert la soupe, c'est pas ben ben efficace ! » Mais cette fois personne n'avait ri. Et la gifle de Josaphat-le-Violon avait atteint Édouard en plein triomphe. « Des fois j'te trouve drôle, gros sans dessein, mais ris jamais de ta mére devant moé ! » Édouard s'était levé, avait contourné la table à son tour et était venu prendre la louche des mains de sa mère. « X'cusez-moé, moman... Allez vous assir, j'vas sarvir... » Victoire avait repris la grosse cuiller. « Jamais d'la vie ! Si t'as jamais vu une boiteuse alerte, tchèque tes claques, mon p'tit gars ! J'te gage ta prochaine paire de caneçons que j'renvarse pas une goutte ! » Mercedes et Betty avaient applaudi la vieille femme qui leur avait fait un petit salut. « Mesdames, vous allez manger la meilleure soupe en ville ! C'est ma fille Albertine qui l'a faite mais la recette vient de sa vieille mére, moé-même ici présente, pis j'ai connu dans mon temps du monde qui faisaient le voyage de Duhamel à Montréal rien que pour y goûter ! » Josaphat-le-Violon avait levé la main. « Moé, par exemple ! » Victoire s'était approchée de son frère, avait posé les mains sur ses épaules. Sa voix, adoucie, s'était faite caressante. « Lui, par exemple. » Et leur ressemblance, tout à coup, avait frappé tout le monde, même les enfants qui étaient restés muets devant le superbe tableau qu'ils faisaient, tous les deux, couple uni par tant de subtile affection et tant de tragiques liens que leurs rides avaient fini par être les mêmes et leurs visages pareils. À partir de ce moment-là, l'atmosphère s'était quelque peu détendue. Victoire n'avait pas renversé une goutte de soupe (« Édouard, tu me dois une paire de caneçons ! ») et tous ils avaient mangé en silence, grattant le fond de leur assiette avec leur cuiller et mangeant jusqu'au dernier grain de barley. En posant sa cuiller dans son assiette vide, Béatrice avait regardé Victoire. « C'est la meilleure soupe que j'ai jamais mangée ! » Victoire avait souri. « C'est à ma fille qu'y faut dire ça, c'est elle qui l'a faite. » Béatrice avait pris son courage à deux mains pour s'adresser à Albertine. « C'est la meilleure... » « Okay, j'ai compris ! Vous l'avez déjà dit ! » Et Albertine avait sapé sa dernière cuillerée de soupe.

Dans les derniers feux du soleil couchant, Ti-Lou se mourait. Quand elle avait senti les battements de son cœur accélérer et sa vue commencer à se brouiller, elle s'était dressée dans son lit et avait tendu un bras vers la fenêtre.

« Une darniére fois ! Une darniére fois, voir le soleil se coucher en arriére des cheminées ! » Mais un brusque étourdissement l'avait reclouée dans ses oreillers. « J'en ai trop pris ! J'vas partir trop vite ! » La bouteille de gouttes du docteur Sanregret gisait, vide, dans un coin de la chambre. Après en avoir vidé le contenu dans très peu d'eau, Ti-Lou l'avait lancée de toutes ses forces contre le mur qui faisait face à la fenêtre mais la bouteille ne s'était pas brisée (par dérision, avait cru la vieille infirme). « J'veux pas partir si vite ! J'veux pas mourir le châssis farmé ! » Et pendant près de dix minutes elle avait peiné, se tenant d'abord sur un coude et poussant de toutes ses forces avec son bras libre, puis dépliant petit à petit le bras sur lequel elle s'appuyait et réussissant enfin à s'asseoir dans le lit, son unique jambe à moitié sortie des couvertures. Le lit tanguait, la chambre penchait dangereusement vers la droite. « Si la maison penche sur le côté de même, j'vas passer par le châssis pis j'vas aller m'écraser su'a clôture de bois ! » Elle imagina son corps épinglé sur la clôture qui longeait la ruelle et cela la fit rire. « Y vont penser que j'me sus cassé une jambe, y vont la charcher partout, pis y'a trouveront pas ! » Elle était pliée en deux de rire, des larmes coulaient sur ses joues. « Faut que j'garde mes forces... » Elle prit de longues respirations mais son cœur continuait de battre follement et sa chambre penchait toujours, de plus en plus, même, à tel point qu'elle se mit à chercher un point d'appui. Elle se retourna dans son lit, sortit sa jambe complètement, la déposa par terre. « Mes béquilles... » Rose Ouimet laissait habituellement les béquilles appuyées contre la chaise droite qui se trouvait entre le lit et la fenêtre mais cette fois elles n'y étaient pas. La panique s'empara de Ti-Lou qui se pencha hors de son lit. « Sont pas là non plus ! J'pourrai pas m'lever ! J'vas mourir dans mon litte, comme tout le monde ! » C'est à ce moment-là que les bruits commencèrent. La maison se remplit tout à coup de cliquetis, de chuchotements, de coups de sifflets stridents et de rires déments. C'était comme si on avait traîné des cadavres dans le corridor ou maltraité des prisonniers enchaînés dans la cave. « C'est juste mon imagination ! Y'a parsonne dans'maison ! C'est mon cœur qui bat trop fort pis mon sang qui circule trop vite... Mon cerveau manque d'air... Y m'faut de l'air ! » Elle s'appuya contre la table de chevet avec sa main droite et, avec la gauche, réussit à tirer vers elle la chaise droite et même à la tourner de façon à ce qu'elle fasse face à la fenêtre. Se servant du dossier comme point d'appui, Ti-Lou se dressa sur sa jambe. Un vertige la prit, sa tête tourna mais elle concentra toutes les forces qui lui restaient dans ses bras et réussit à se tenir debout. Quand le vertige fut passé, elle se rendit compte que les voix et les bruits avaient cessé. Elle soupira. « J'ai réussi à les contrôler ! » Elle poussa la chaise vers la fenêtre, sautilla sur sa jambe, recommença jusqu'à ce que la chaise soit appuyée contre le calorifère. « Faut que j'fasse le tour d'la chaise... » Mais elle se rendit compte qu'elle n'arriverait jamais à contourner la chaise en sautillant, alors elle la poussa rageusement vers la droite et la chaise bascula sur le côté, s'écrasant d'abord sur la table de chevet puis, après avoir rebondi, renversant la lampe torchère qui ne servait plus depuis des années et que Ti-Lou s'était mise à haïr parce qu'elle était trop haute et qu'elle n'arrivait plus à l'allumer. La lampe s'écrasa à son tour contre le mur, le globe de verre explosa en mille morceaux et une pluie d'étincelles se mit à parcourir le fil électrique. Ti-Lou resta en équilibre sur sa jambe pendant quelques secondes, puis tomba par en avant. Elle tendit les bras devant elle et réussit à s'appuyer contre le rebord de la fenêtre. « Faut pas que j'tombe, c'est ma darniére chance ! » Elle était à moitié assise sur le calorifère. Elle appuya son front contre la vitre, ferma les yeux, respira lentement. « Tout ça pour un maudit coucher de soleil ! » Elle rouvrit les yeux. Du sang coulait dans le ciel en longs fuseaux brillants. « Dans cinq menutes, y va-t'être trop tard... » Ramassant tout ce qui lui restait d'énergie, Ti-Lou se leva, se pencha et ouvrit la fenêtre d'un seul coup. Les rideaux frémirent sous la poussée de l'air tiède qui s'engouffrait dans la chambre. Ti-Lou resta debout appuyée contre les moulures de la fenêtre, les bras en croix. « Ah ! Partir comme j'ai vécu ! Deboutte malgré toute ! » Dans la dernière agonie des orangés et des rouges, alors que toutes les fenêtres est de la ville flambaient, Ti-Lou revit toutes les nuits de sa vie : les superbes, celles qu'elle racontait volontiers parce qu'elles étaient flatteuses, où s'étaient pressées autour d'elle l'élite d'Ottawa et celle, en visite officielle, de pays qu'elle n'avait jamais vus mais qu'elle s'était imaginés dans les bras noirs, ou jaunes, ou bruns, ou trop blancs de leurs représentants qu'elle devait appeler « Votre Grâce » ou « Your Highness » ou « monsieur le Président » ou tout simplement « Camarade », ces hommes toujours intelligents et galants qui la couvraient de cadeaux en lui disant qu'elle était le plus beau joyau du Canada, seule perle jamais engendrée dans le froid ; et celles, beaucoup moins glorieuses, passées dans des chambres d'hôtel étouffantes, entre les bras de gros officiels soûls à l'haleine fétide et aux exigences aussi brusques que courtes, qui l'oubliaient aussitôt leur faim apaisée, allant même parfois jusqu'à la mettre à la porte en la traitant de ce qu'ils avaient fait d'elle, toutes ces nuits terminées en lavements humiliants, tous ces petits matins pâles, l'heure du loup, mais pas de la louve, passés à effacer de son corps les traces séchées de l'amour (l'amour?), les odeurs de vomi des têtes couronnées et même la merde des grands de ce monde; mais ces nuits-là, ces matins-là, Ti-Lou croyait sincèrement les avoir rêvés, cauchemars issus de son imagination, alors que les autres (pignon sur rue et cailles aux raisins) restaient pour elle la vérité, la seule vérité, la seule vérité acceptable, supportable. Crucifiée à sa fenêtre, Ti-Lou revit des rois, des cardinaux, des présidents, des généraux, des amiraux, mais elle les revit habillés. Et pendant que le dernier rai de lumière touchait son front, elle se mit à hurler, louve solitaire et infirme qui rappelle à elle avant de mourir toute sa progéniture dispersée aux quatre coins de la forêt en sachant très bien que cette progéniture l'ignore et la renie parce qu'elle est devenue inutile et qu'elle mourra sans que personne n'en sache rien, carcasse pourrissante qu'on se dépêchera de manger avant qu'elle ne pollue trop l'air ambiant. Le hurlement de la louve d'Ottawa sortit de la maison comme un coup de carabine, grimpa le long de l'érable qui poussait dans la cour et se répercuta partout sur le Plateau Mont-Royal, faisant exploser le désespoir de Ti-Lou jusque dans les maisons, jusque dans les églises, jusque dans les presbytères où des prêtres, servis par de grosses servantes en amour avec eux, mangeaient benoîtement des bouillis de légumes ou des poules-au-pot, la tête dans leur assiette comme des chevaux dans leurs mangeoires; il escalada même le clocher de l'église Saint-Stanislas et fit résonner une fois, une seule fois, le gros bourdon, dong! un petit coup pour la louve qui meurt et qu'on ne laissera jamais entrer à l'église à son dernier voyage ni enterrer en terre consacrée, la chienne! Le petit Marcel avait levé la tête de son assiette pendant que Josaphat-le-Violon se levait de sa chaise et se dirigeait vers lui. « Plessis est parti! » Josaphat-le-Violon l'avait pris dans ses bras. « Non, c'est pas Duplessis. C'est un autre animal. Viens Marcel, viens, c'est l'heure oùsque mon oncle Josaphat allume la lune! » Et Josaphat-le-Violon était sorti sur la galerie d'en arrière, tenant Marcel dans ses bras. Rose, Violette, Mauve et Florence, leur mère, avaient elles aussi cessé de manger. Florence avait sorti la boule de laine de sa poche, puis regardé Violette. « C'tait pas pour Duplessis, Violette. T'as tricoté la mort de quelqu'un d'autre. » Ti-Lou mourut debout comme elle l'avait souhaité.

Quand Josaphat-le-Violon eut terminé *La Gigue aux sept fausses notes*, il déposa son instrument sur la chaise de la galerie et prit Marcel dans ses bras. « R'garde, r'garde comme c'est beau. A'va monter, monter, monter dans le ciel pis a'va redescendre de l'aut'bord pis là j'vas pouvoir l'éteindre. Faut que j'attende qu'a'soye redescendue sans ça est trop haute pis al'entend mal la musique. » « Tu fais ça tous les zours? » « Ouan, tou'es jours. Depuis... wof, ben ben longtemps. C'est moé qui a décroché la job. L'autre, celui avant moé, y'est parti en canot volant pis on l'a jamais revu... » « En canot volant ? » « J't'ai jamais conté ça ? » « Non. » « Ah ! ben, t'avais rien qu'à me le dire... Tu veux-tu que j'te le conte, là, tu-suite ? » « Ah ! oui... » « Bon. Écoute ben ça... Ah ! ça fait longtemps de t'ça... Ça fait ben longtemps... Ça fait ben ben longtemps... C'est ben avant que tu viennes au monde... J'tais p'tit gars dans c'temps-là. J'avais à peu près l'âge de Richard, j'pense. J'restais à'campagne. T'sais, là, la campagne... J't'en ai déjà parlé... Là ousqu'y'a pas gros de maisons pis ben ben des arbres... » « Oui, Duhamel. » « C'est ça. Ben dans ce temps-là, y'avait pas de machines comme aujourd'hui pis pour venir de Duhamel à Montréal ça prenait deux jours. Fallait passer la nuitte à Saint-Jérôme pis j'te dis que pour nous autres, Saint-Jérôme c'tait déjà pas mal gros ! Aïe, on passait la nuitte à l'hôtel Lapointe, c'tait toute une traite ! En tout cas, tout ça pour te dire que Duhamel c'tait ben loin pis que Montréal on connaissait pas ça. Pis on s'en ennuyait pas, non plus. Toujours ben qu'un bon soir j'tais allé porter une cheyère de framboises chez ma tante Marguerite, la sœur de mon pére, qui était tellement pauvre qu'a'sarvait à manger à ses enfants direct su'a table, sans vaisselle en dessours ! Ça fait que parle, parle, jase, jase, le temps avait fini par passer sans qu'on s'en aparçoive pis la noirceur avait pogné avant que j'décide de rentrer chez nous. C'tait au mois d'aoûtte pis y faisait beau ! J'avais pas de cârrosse, rien, j'tais v'nu avec mon oncle Arthur, le mari de ma tante Marguerite, pis y fallait que j'rentre chez nous à pied. Aïe, j'avais trois milles à marcher en pleine noirceur ! Ça fait que j'sors su'a galerie d'en avant avec ma tante Marguerite qui aurait ben voulu que j'reste à coucher mais j'ai jamais trouvé que ça sentait ben ben bon dans c'te maison-là pis j'avais refusé de rester. On voyait pas à six pieds en avant de nous autres. C'est vrai! J'tais deboutte sur le pas d'la porte pis ma tante Marguerite tenait un fanal qui éclairait un peu le bois du plancher pis les poteaux qui tenaient le toit de la galerie... Mais à partir d'en bas des marches... rien! J'voulais pas le dire à ma tante, mais j'avais un peu les shakes... J'ai jamais aimé ça, la noirceur... Ah, chus pas peureux de nature, j'ai jamais été peureux, mais... Comme j'te disais t'à l'heure, j'avais trois bons milles à faire en plein bois sur une p'tite route oùsque c'tait pas rare que tu rencontres un ours face à face, même en plein jour... Pis j'vas te dire ben franchement, tu-seul, à'noirceur, j'tais jamais allé plus loin que les bécosses! Ma tante Marguerite me dit: "J'te prêterais ben un fanal, mon Josaphat, mais ton oncle pis ton cousin Manuel sont partis avec les deux autres, pis j'vas avoir de besoin de celui-là pour aller j'ter un darnier coup d'œil dans le poulailler..." "J'en veux pas de vot'fanal", que j'y réponds, "j'connais mon ch'min!" Pis pour montrer que j'avais pas peur j'descends l'escalier du perron en courant pis j'me jette dans'noirceur... On arait dit que j'rentrais dans l'eau... Aussitôt que j'ai eu laissé la lumiére du fanal de ma tante, y s'est mis à faire frette... mais pas comme en hiver, là, non, on crevait de chaleur... C'tait comme... si j'arais eu frette en dedans... J'voyais rien en avant de moé, le cœur me débattait comme une montre cassée... Quand j'me r'tournais, j'voyais ma tante Marguerite qui m'envoyait la main... Le fanal faisait des grandes ombres qui revolaient partout... Al'avait l'air d'un fantôme, verrat! J'te dis que j'me sentais pas gros dans mes bottines! D'un coup, est rentrée dans'maison pis j'me sus retrouvé tu-seul. T'sais, le silence... Le silence d'la campagne... Comment j't'expliquerais ça... Quand t'es tu-seul dans ta chambre, couché su'l'dos, pis que tout est éteint... c'est le silence lui-même qui te fait peur... t'as peur du silence lui-même... Mais quand t'es dehors, à'campagne, *dans* le silence, c'est pus le silence qui est effrayant, c'est les milliers, les millions de p'tits bruits qui l'habitent... C'est là que tu te rends compte que ça l'existe pas, le silence... qu'y'a toujours quequ'chose à entendre dans le silence... J'tais comme paralysé su'l'bord d'la route. Rien en avant de moé, rien en arriére de moé, rien à côté... Pis, au-dessus de ma tête, le ciel sans lune, vide. Vide ! Mais au milieu du vide, des bruits... partout... des bruits... Des vieilles feuilles qui craquent... des p'tites branches qui cassent... des... des affaires qui rampent sur les aiguilles de pin sèches, des pattes rembourrées de bêtes hypocrites qu'on entend pareil parce qu'y fait noir... un cri de guibou que tu prends pour un fantôme, une chauve-souris folle qui vole dans toutes les directions au lieu d'aller en ligne droite, la maudite folle ! Ah ! une p'tite lumiére... deux, cinq, vingt, cent p'tites lumiéres ! Une procession de mouches à feu qui s'en vont charcher l'âme damnée d'un pécheur pour l'emmener dans son darnier voyage ! J'arais donc voulu être ailleurs ! À la longue mes yeux ont fini par s'habituer à'noirceur pis j'ai commencé à voir la route comme un gros ruban jaune un peu plus pâle que le reste... J'ai pris tout le courage qui me restait (ça arait pas rempli un dé à coudre, j'pense) pis j'ai commencé à avancer su'a route, la tête rentrée dans les épaules, les yeux grands comme des assiettes à soupe, le cœur qui changeait de place à tous les deux ou trois battements... Que c'est ça ! Un rat ?

Un lapin ? Un racoon ? Un chien ? Un mouton ? Un loup ? Un ours ? Que c'est ça, encore ! j'me sus mis à courir... Une autre procession de mouches à feu... Mon Dieu, c'tait-tu un rire, ça ? Hein ? Chus-tu encore loin d'la maison ? Niaiseux, tù viens de partir ! J't'étouffé... Tant pire, j'arrête ! Si y veulent me pogner, y me pogneront, au moins, j'saurai à qui j'ai affaire... Hein, que c'est ça, encore ! J'entendais comme un bruit en arriére de moé, un bruit plus fort que les autres... je r'garde pis j'vois une espèce de lumière blanche qui avançait su'a route... Des chevaux ! On dirait que c'est des chevaux qui s'en viennent ! Oui, c'est des chevaux ! Chus sauvé ! C'est peut-être quelqu'un que j'connais ! J'vas pouvoir aller me coucher plus vite ! Ah ! Que c'est ça ? Là-bas ! Des chevaux... blancs ! Lousses ! Tu me croiras pas, Marcel, mais c'est vrai comme chus là : j'ai vu deux, quatre, six, huit chevaux blancs qui couraient tu-seuls su'a route ! Huit grands chevaux blancs avec des crignières tellement longues qu'y'avaient l'air des ailes ! Les chevaux avaient l'air de courir comme si y'allaient dans une place ben ben importante... y'hennissaient pis y galopaient comme des fous... Y se rapprochaient de plus en plus, leu'sabots faisaient trembler la route. J'les voyais comme si y'avaient été éclairés par la lune. Mais y'avait pas de lune. Faut que j'me cache ! Mais j'avais trop peur de descendre dans le fossette ! Y'approchent ! Y s'en viennent ! Sont... tellement... beaux ! Haaaaa ! Y sont passés à côté de moé comme des éclairs en galopant pis en hennissant, les oreilles dans le vent, les naseaux écumants, les yeux fous... On arait presque dit qu'y'avaient passé à travers de moé ! J'avais les cheveux raides su'a tête, la chair de poule... J'avais envie de pisser, pis j'tais pas loin d'avoir envie de d'autre chose, aussi... Les chevaux ont suivi la route qui faisait un croche en avant de moi pis y'ont disparu comme si après le croche y'existait pus rien. J'tais paralysé au milieu du chemin, j'pouvais pus avancer, j'avais trop peur de c'que j'pourrais trouver après le croche... J'pouvais pus reculer non plus. J'me sus-t'as-sis au milieu du chemin pis j'me sus mis à brailler comme un enfant. (J'tais un enfant, mais j'braillais jamais comme un enfant, j'tais trop ordilleux !) Tu comprends, voir des affaires de même en pleine nuitte, tu-seul au milieu des montagnes, c'est pas mal épeurant... Tu commences à penser sérieusement que t'es sur la mauvaise pente pis qu'au bas d'la pente c'est l'asile qui t'attend... Surtout que ma mére me disait toujours que j'rêvais trop pis que ça finirait par me jouer des mauvais tours... Ben ça y'était, tornon ! Si j'arais eu mon violon avec moé, au moins... T'sais, la musique, des fois... Mais ça, tu comprendras ça plus tard... Ça fait que moé, mon bon, j'me r'lève pis j'continue mon chemin... Y'avait rien en arriére du croche. Marche, marche, marche... pas de nouvelles des chevaux. J'ai fini par penser que j'avais vraiment rêvé pis j'me sus mis à siffler pour oublier toute ça. Tout d'un coup j'entends-tu pas une bardasse terrible en arriére d'la montagne... Ça brassait là-dedans, mon p'tit gars, on arait dit qu'une bonne demi-douzaine de tonnerres se battaient à grands coups de marteau... Pis j'ai entendu comme un hennissement, ben loin, d'l'aut'bord d'la montagne... Plus qu'un hennissement... plusieurs... comme si les chevaux s'étaient plaints quequ'part d'l'aut'bord du pays... Pis, en levant la tête, j'ai vu comme une lumiére gris-jaune qui éclairait les arbres su'a montagne... "Y'a-tu un feu par che nous ?" Pis... j'ai vu... les huit grands chevaux sortir d'en arriére d'la montagne... pis grimper dans le ciel en hennissant pis en piaffant ! Y tiraient sur des chaînes pis y'avaient l'air de forcer comme j'avais jamais vu forcer des animaux dans ma vie ! Comme si y'avaient tiré la chose la plus pésante du monde. Les chaînes leu'rentraient dans'peau pis y'avait des grandes coulées de sang qui se répandaient sur leu'robe... J'pouvais voir leurs blessures qui saignaient pis leurs yeux fous d'animaux fous qui comprennent pas pourquoi c'qu'on leu'fait mal ! Pis... au bout d'la darniére chaîne... une boule rouge est apparue. La lune ! Y tiraient la lune d'en arriére d'la montagne ! È-tait grosse, presque aussi grosse que la montagne, j'te dis, pis rouge ! T'sais, la pleine lune du mois d'aoûtte qui est tellement épeurante, là... Le sang des chevaux coulait su'a lune qui dégouttait comme une orange... Aussitôt qu'al' a été toute ronde au-dessus d'la montagne, les chaînes ont cassé pis les huit chevaux se sont disparsés en courant dans huit directions différentes, comme une rose des vents. La pleine lune avait jamais eu tant l'air d'un gros œil méchant. J'me sus mis à pleurer en criant que j'voulais pas, que c'tait ben beau, la pleine lune, mais que c'tait pas une raison pour faire souffrir des pauvres animaux de même... Y faisait pus noir, y faisait presque aussi clair que pendant les nuittes d'hiver quand la neige diffuse sa propre lumiére... J'ai repris mon chemin... J'tais comme assommé. J'avais l'impression que la lune me regardait. È-tait juste là, à ma gauche, pendant que j'marchais, pis a'me regardait... On arait dit que quelqu'un avait tiré un coup de canon dans le ciel pis que ç'avait faite un gros trou rouge... Mais... j'avais un peu moins peur parce que j'voyais en avant de moé... J'tais presque arrivé che nous quand j'ai entendu comme une chanson, au loin, comme une complainte chantée par une gang de gars soûls... J'ai regardé su'a route, darriére moé... rien. Pourtant, la chanson approchait. Quand al'a été proche au point que normalement j'arais dû voir les chanteurs, la peur m'a gagné encore une fois... T'à l'heure des chevaux blancs, là des hommes invisibles... J'sais pas pourquoi, j'ai levé la tête... peut-être pour vérifier si la lune était encore là... (j'tais pas loin de commencer à penser que c'tait elle qui chantait) pis... j'ai vu un canot d'écorce déboucher d'en arriére d'la montagne avec huit gars qui ramaient dans le ciel en chantant... Un canot d'écorce rouge feu avec des coutures qui ressemblaient à des étoiles... Ça chantait à tue-tête, là-dedans, pis ça levait des bouteilles de caribou, pis ça buvait... Tout d'un coup le canot s'est arrêté juste au-dessus de moé, pis j'ai reconnu les huit rameurs qui chantaient *Envoyons d'l'avant nos gens* en s'époumonant comme des bons: y'avait Willy, le fils à Tit-Pet Turgeon; y'avait Gaspar Petit que j'avais vu au litte la veille avec une numonie double pis qui avait le front de se trimbaler dans le ciel en pydjama; y'avait le grand Laurent Doyon, le frère sans-cœur du curé qui faisait le bedeau de temps en temps, quand ça y tentait; y'avait Georges-Albert Pratte, le barbier du village qui servait aussi de dentiste pis qui se paquetait à l'eau de Cologne au dire de ma mére, mais ça, c'tait peut-être juste des commérages; y'avait Rosaire Rouleau, aussi, le quêteux qu'on avait pas vu depuis un bon bout de temps pis qu'on pensait mort; les jumeaux Twin pis Twin Patenaude, Twin avec son œil borgne pis Twin avec son p'tit bras; pis, surtout, y'avait Teddy Bear Brown, le seul Anglais qu'on avait jamais vu dans le village pis qui avait toujours prétendu être l'allumeur de lune... Tou'es jours y disparaissait en fin d'après-midi pis quand y r'venait la lune était là, allumée, pâle ou ben donc brillante, pleine ou ben donc comme une tranche de citron, selon le jour du mois qu'on était... Tou'es huit étaient paquetés aux as pis 'y avaient tellement de fun dans le canot qu'y manquaient tout le temps de tomber. Georges-Albert Pratte, qui était un peu mon parent parce qu'y'avait marié la sœur du beau-frère de ma mére, s'est penché sus moé par-dessus le bord du canot pis y m'a crié : " Aïe, Josaphat, on s'en va à Saint-Jérôme, chez la grosse Minoune, viens-tu avec nous autres ? " Là, y'a ri comme un bon... Tu comprends, la grosse Minoune... j'tais ben que trop jeune pour aller chez eux... Mais tu comprendras ça plus tard... En tout cas, y'avaient du fun, toute la gang, j'te prie de m'croire ! Là, Teddy Bear Brown s'est penché lui itou par-dessus le bord du canot pis y m'a crié avec son accent de tête carrée : " Aïe, Josaphat, tu veux-tu mon job, mon chum ? Moé, y'est tanné d'allumer le lune... À c't'heure, si tu veux, ça va être toé... Avec ton violon... Ça va être plus beau parce que moé y fallait que j'jappe, pis à mon âge c'est un peu ridiculous, you know... Tu veux-tu ? Oui ? Okay. Tu commences demain. Moé, j'm'en vas chez la grosse Minoune, à Saint-Jérôme, pis si tu me r'vois pas, pense à moé en jouant tes tounes pour allumer mon vieille chum... " Ça l'a pas pris trente secondes que *Envoyons d'l'avant nos gens* pis les gros rires gras ont repris pis le canot est reparti en flèche dans la direction de la lune en manquant de chavirer prèque à chaque coup d'aviron. Pis j'ai compris que si les chevaux avaient tant souffert c'te nuitte-là, c'est parce que Teddy Bear Brown, l'écœurant, avait failli à sa tâche ! Pis j'me sus dit que moé, Josaphat-le-Violon, j'y s'rais fidèle jusqu'à la fin de mes jours pis que jamais pus, tant que j'vivrais, les chevaux auraient à extraire la lune des flancs d'la montagne... Pis depuis ce temps-là, tou'es jours, mon violon grimpe dans le ciel pis la lune peut v'nir au monde en paix. » Marcel s'était endormi, pâmé de bonheur et de crainte, la tête pleine de chevaux, de lunes, de canots d'écorce et de fanaux en forme de violon. Quand il fut bien certain que le petit garçon ne l'entendrait pas, Josaphat-le-Violon acheva son histoire. « Pis quand j's'rai trop vieux, j'viendrai te voir, une bonne après-midi, pis j'te dirai : "Marcel, chus fatiqué." J'espère que tu vas comprendre pis que tu vas respecter la lune toute ta vie. Pas de chasse-galerie. Parce que la lune est la seule chose dans le monde dont tu peux être sûr. » De la fenêtre de sa salle à manger, au rez-de-chaussée, Florence avait écouté Josaphat-le-Violon raconter son histoire. Quand il eut fini, il lui fit un galant salut auquel elle répondit par un sourire complice.

Laura avait pris son repas avec la grosse femme. Lorsqu'elle avait vu la maison se remplir tout d'un coup elle s'était réfugiée auprès de sa cousine, prétextant un étourdissement. « J'peux-tu rester un p'tit peu avec vous, ma tante ? Quand y'a trop de monde, ça me donne mal au cœur... Êtes-vous de même, vous aussi ? » La grosse femme avait esquissé un sourire plutôt froid. « Y'a jamais ben du monde qui viennent me voir en même temps, t'sais... » « Excusez-moé, c'est vrai, vous pouvez pas vous déplacer pis la chambre est pas ben grande... » « Assis-toé, Laura, t'es supposée d'être étourdie... » Laura s'était assise sur le lit, jambes serrées et bras croisés sur la poitrine. « Pis détends-toé, un peu... Tu peux ben avoir mal au cœur, t'as l'air plus tendue que les cordes du violon de ton pére ! » Laura avait décroisé les bras mais ses jambes étaient restées fermement collées l'une contre l'autre. « Laura, franchement ! Laisse-toé aller, là, étends-toé su'l'lit... » « Voyons donc, ma tante, chus pas si mal que ça... » « Veux-tu ben m'écouter, Laura Cadieux ! Si tu veux manger comme du monde, t'à l'heure, y faut que tu te reposes un peu... » Laura s'était donc étendue sur le lit mais elle avait semblé encore plus mal à l'aise. « Êtes-vous venus à pied, toé pis ton pére ? » « Oui. » « Tu devrais pas trop marcher dans ta condition... » « Non, c'est pas ça qui va pas. J'aime ça, marcher. Pis ça me fait du bien... Non, j'le sais pourquoi chus pas ben... J'mange trop. C'est ça, l'affaire. Chus pas grosse pour rien ! Si vous voyiez tout c'que j'mange, dans ma journée, ma tante, vous le croireriez pas ! » La grosse femme avait éclaté de rire. « Sais-tu ben à qui tu parles ? J'ai pas la réputation de gruger d'la salade à'journée longue moé non plus, t'sais... » Laura avait levé un peu la tête pour répondre à sa cousine. « Vous, c'est pas pareil. J'ai vu des portraits de vous quand vous aviez mon âge... Vous étiez pas grosse à vingt-deux ans, vous, au moins... Moé, r'gardez-moé... Si j'continue tout le temps à engraisser de même de quoi j'vas avoir l'air à quarante ans, voulez-vous ben me dire ? » La voix de Laura s'était brisée et ses yeux avaient commencé à s'embuer. Elle avait redéposé sa tête sur l'oreiller. « C'est ça quand on est mariée avec un cuisinier maniaque, aussi ! » La grosse femme avait longuement regardé Laura avant de lui répondre. « T'es pas obligée de toute manger c'qu'y te fait, t'sais... » « Ma tante, j'aime ça, manger ! Pis c'que Pit fait c'est tellement bon ! » Pit Cadieux, le mari de Laura, travaillait comme aide-cuisinier à l'hôtel Windsor, un des grands hôtels de Montréal, et ses talents culinaires, surtout pour les sauces qu'il ne ratait jamais et qu'il confectionnait avec une dextérité peu commune, commençaient à le faire remarquer, autant par le grand chef pour qui il était une véritable bénédiction que par la haute direction de l'hôtel qui voyait avec grande joie la réputation de la salle à manger grandir de semaine en semaine. On commençait même à venir manger à l'hôtel Windsor pour les sauces du chef Vaillancourt qui se gardait bien, d'ailleurs, d'avouer que sa grande spécialité était en fait l'œuvre d'un quelconque troisième marmiton qu'il avait découvert par hasard un jour où tout allait mal et où il s'était vu obligé de demander à la cantonade, sans grand espoir de recevoir une réponse affirmative : « Y'a-tu quequ'un qui est capable de faire une sauce béarnaise ? J'ai pas le temps, là, pis y'a des hosties de Français qui veulent rien avoir d'autre avec leur hostie de steak ! » Pit Cadieux avait timidement levé la main. « Chus bon dans les sauces, moé. J'aime ça, faire ça. » Sans trop savoir pourquoi, le chef Vaillancourt avait fait confiance à ce jeune homme déjà obèse et presque chauve qui, il l'avait remarqué depuis quelque temps, faisait tout ce qu'on lui demandait avec un évident amour du travail. La sauce béarnaise de Pit s'était révélée de beaucoup supérieure à celle du chef Vaillancourt. Les Français avaient été comblés et avaient insisté pour serrer la main du chef. Celui-ci s'était prêté de bonne grâce à cette cérémonie et était revenu à la cuisine ravi. « Tes sauces sont-tu toutes bonnes de même ? » « Oui. Toutes. » « Okay. Quand j'vas en avoir une à faire, j'te d'manderai. D'où c'est que tu viens, toé ? » « De Saint-Jérôme. » « Où c'est que tu travaillais, avant ? » « À l'hôtel Lapointe. » Le chef Vaillancourt avait failli s'étouffer. « T'as appris à faire la sauce béarnaise à l'hôtel Lapointe de Saint-Jérôme ! » « Ben non, à l'hôtel Lapointe on mange mal que l'yable ! J'ai appris dans les livres. Pis j'les essaye chez nous. » En fait, Laura servait de cobaye aux expériences de Pit depuis qu'ils se connaissaient. Déjà avant de se marier, tous les samedis, au lieu d'amener sa blonde manger au restaurant et de gaspiller le peu d'argent dont il disposait en horribles hot chickens ou en club sandwiches confectionnés avec les restes de la semaine, Pit se plongeait dans ses livres de cuisine pendant de longues heures et partait ensuite faire ses courses, Laura à son bras. Il achetait tout lui-même. Il ne faisait confiance à personne, surtout pas à Laura qu'il savait un peu trop économe et qui aurait eu tendance à ne pas toujours acheter des ingrédients de premier choix. Il passait ensuite l'après-midi dans la cuisine, heureux et claironnant à pleine voix des chansons de Fernandel, pendant que Laura allait au cinéma avec des amies ou que, plus simplement, elle le regardait travailler, fascinée. Et quand l'heure du repas arrivait... Le bonheur. Laura et Pit se regardaient en mangeant, se souriaient, s'envoyaient des baisers. Laura disait : « C'est tellement bon ! » et Pit lui répondait : « Tais-toé pis mange ! » Après le souper ils faisaient de longues marches dans Saint-Jérôme et tous ceux qui les croisaient se poussaient du coude. « Pour moé y viennent de commettre un péché, ces deux-là... Ou ben y se préparent... » Mais les seuls péchés que Pit et Laura avaient commis à cette époque étaient d'un genre qui aurait bien déçu les curieux. Et depuis qu'ils étaient mariés, c'était encore pire. Leur fringale avait décuplé et ils mangeaient à toute heure du jour, avant et après avoir fait l'amour et même au lit, parfois. Aussitôt qu'il était devenu en quelque sorte le maître saucier de l'hôtel Windsor, une sorte de frénésie s'était emparée de Pit Cadieux et il s'était mis à essayer à la maison toutes les sortes de sauces imaginables, des plus simples aux plus compliquées, rêvant de voir celles qu'il réussissait le mieux faire leur apparition au menu de l'hôtel. Et Laura, déjà grassette, s'était mise à engraisser dangereusement. Quand elle s'en plaignait à son mari, celui-ci haussait les épaules ou l'embrassait dans le cou. « J't'aime grosse. Ça m'en fait plus à aimer. Pis j'espère que le bebé que t'es-t'après me cuisiner aura pas l'air d'un esquelette ! » Parfois, tard le soir, Pit rapportait des cuisines de l'hôtel des gâteaux à la pâte d'amande, les préférés de Laura, et ils s'installaient cérémonieusement tous les deux dans la salle à manger pour les déguster. Un petit morceau de gâteau pour finir le petit verre de lait... Un petit verre de lait pour finir le petit morceau de gâteau... Ensuite, évidemment, ils dormaient mal, mais comme le disait si bien Pit Cadieux, maître saucier incognito des cuisines de l'hôtel Windsor, à Montréal : « Une nuit manquée ça peut toujours se reprendre mais un repas manqué c'est du gaspillage ! » La grosse femme avait passé une débarbouillette mouillée sur le visage en sueur de Laura. « Si t'aimes ça tant que ça, manger, plains-toé pas... » Quand Gabriel était entré dans sa chambre sans dire bonjour à sa femme ni à Laura qu'il n'avait pourtant pas vue depuis des mois, cette dernière, sentant qu'elle était de trop, s'était péniblement levée du lit mais la grosse femme lui avait fait signe de ne pas quitter la pièce. Laura était donc restée assise à côté de sa cousine pendant que Gabriel s'étendait derrière elle, lui tournant le dos. Les deux femmes avaient gardé le silence pendant de longues minutes. Laura sentait que sa cousine n'ouvrirait pas la bouche tant que son mari ne se serait pas décidé à lui parler ou tant qu'il ne se mettrait pas à ronfler. Mais au bout de quelque temps Gabriel avait soupiré et quand il avait parlé, sa voix avait semblé affaiblie, fatiguée. « X'cuse-moé si j'te parle pas tu-suite... Mais chus-t'un peu paqueté. Pis ben déprimé. » Laura et la grosse femme s'étaient regardées en plissant le front. « J'vas dormir une p'tite demi-heure, pis j'vas aller mieux, après. Bonjour, Laura ! Ça va-tu ben ? Pis Pit aussi ? » Et il s'était endormi presque aussitôt. Tout le temps qu'elle avait été couchée dans le lit de sa cousine, Laura avait senti le besoin de se confier, des mots lui étaient montés à la gorge, des confidences qu'elle retenait depuis trop longtemps, des doutes qu'elle ne comprenait pas et qui la frappaient de plus en plus souvent au beau milieu des repas, au sujet de Pit, à son propre sujet et des questions, aussi, qui se formulaient dans sa tête depuis quelque temps et auxquelles elle ne pouvait pas répondre avaient failli sortir en vrac comme une supplication, mais l'arrivée de Gabriel avait désarmé la jeune femme qui s'était aussitôt réfugiée dans un inutile babillage, ces riens qui tissent les conversations stériles entre gens qui n'ont rien à se dire. Elle n'avait plus eu envie de se confier parce qu'un homme dormait derrière elle et que les hommes étaient d'incorrigibles éteignoirs au niveau des confidences. Une seule fois elle avait essayé de parler à Pit de ses doutes mais son mari l'avait arrêtée d'un geste et avait tué ses questions d'un mot. « Si tu commences à te poser des questions, on est pas sortis du bois ! Fais comme moé, penche-toé sus ton ouvrage pis pense pas ! » Pourtant, elle aimait son Pit, elle en était sûre mais l'importance de plus en plus grande que prenait la cuisine dans la vie de son mari la mettait mal à l'aise. Elle était en quelque sorte jalouse du métier de son mari et elle ne savait absolument pas comment lutter contre cet état de fait dont elle n'arrivait pas à saisir les causes. En voulait-elle à Pit parce que c'était à cause de lui si elle engraissait tant et aussi rapidement ? Ou, plutôt, n'en voulait-elle pas uniquement à son métier ? Mais si Pit avait été cordonnier n'aurait-elle pas autant mangé parce qu'elle avait de toute façon un penchant naturel pour la bonne chère ? La grosse femme n'aurait peut-être pas pu répondre à toutes ces questions mais le seul fait d'en parler à quelqu'un aurait été pour Laura un immense soulagement. Au lieu de quoi elle s'entendait demander à sa cousine si elle avait besoin de quelque chose ou si cela la dérangerait qu'elle fume une cigarette avant le souper et elle entendait la grosse femme lui répondre : « Non, j'ai pas de besoin de rien » et « Oui, ça me dérangerait si tu fumerais parce que c'est pas bon pour ta santé ni celle du p'tit... » La grosse femme de son côté, avait bien senti tout ce temps que Laura avait envie de parler mais elle n'avait pas osé la questionner se disant que si le besoin était assez puissant tout sortirait tout seul. En attendant, elle meublait la conversation en jetant parfois à sa cousine un regard qu'elle voulait interrogateur mais que Laura prenait pour un simple encouragement au commérage. Et quand Édouard, hurlant à pleins poumons: «Mesdames sont servies!» avait traversé la maison en se dandinant et en esquissant de ridicules pas de danse, Gabriel s'était réveillé en sursaut, s'était étiré comme un chat engourdi de sommeil et était sorti de la chambre en se frottant les yeux. La grosse femme ne lui avait pas adressé la parole. Et Laura avait été encore plus gênée d'être là, témoin involontaire de cette silencieuse scène de ménage. Sa cousine lui avait tapoté la main. «Aie pas peur, Laura, on finira ben par se parler, mon mari pis moé...» «Vous êtes ben chanceuse. Moé y'a pas moyen, avec Pit. Tout ce qui est important dans sa vie est dans son assiette.» Mais Laura n'en avait pas dit plus, croyant que ce n'était pas le moment, pendant le repas, de déranger sa cousine avec des problèmes qui ne la concernaient pas. Les deux femmes avaient mangé en silence, riant parfois lorsque quelque chose de drôle se passait à la salle à manger, ne se regardant jamais parce que des obèses qui mangent ne se regardent pas. Après le repas elles avaient entendu, par la fenêtre ouverte, Josaphat-le-Violon raconter l'histoire de l'allumeur de lune au petit Marcel. La grosse femme avait pleuré sans retenue. Gabriel lui avait souvent raconté qu'il avait grandi sous le charme des légendes de son oncle Josaphat et chaque fois qu'elle entendait le vieil homme raconter une de ces histoires où se mêlaient si intimement le vrai et le faux, la vie tellement quotidienne de la campagne et son fantastique besoin d'illusions et de merveilleux, son cœur se mettait à battre plus rapidement et elle se laissait transporter avec joie dans le canot de la chasse-galerie ou au pays des pets-de-sœurs qui donnent le fou rire et font perdre la mémoire. Laura, de son côté, avait envié Marcel, son innocence, sa grande naïveté et sa touchante crédulité. « J'y ai tellement cru, moé aussi ! J'voulais tellement que ça soye vrai ! Si tout ça était vrai, ça nous donnerait toutes une raison de continuer ! » Après le récit de Josaphat-le-Violon, la grosse femme avait posé son assiette sur le lit à côté de Laura. « Parles-tu à ton pére, des fois ? Y comprend ben des affaires, t'sais... » « Mon pére ? C't'un poète, mon pére... Y'a pas les pieds su'a terre pantoute. Y dit qu'y est capable d'allumer la lune mais y se promène en pleine rue la fly baissée ! De quoi vous voulez parler avec un homme de même ! Y s'invente des légendes, j'm'invente des problèmes. » Et tout à coup, tellement facilement que cela lui avait paru presque ridicule, Laura s'était mise à parler. Tout était sorti en vrac comme elle l'avait senti plus tôt, et à mesure qu'elle parlait elle voyait ses problèmes s'envoler hors d'elle comme des oiseaux qui s'échappent d'une cage. « Ça fait tellement de bien de parler, ma tante ! Ça fait tellement de bien ! » « Ça doit. »

*

« On arait encore le temps de se rendre pour le commencement du show... » « J'ai dit non, parlons-en pus, Mastaï ! La prochaine fois, tu y penseras à deux fois avant de parler ! C'est ben beau d'étriver ma sœur, mais la faire souffrir de même, jamais ! » « Gaby, c'tait juste une farce... » « J'le sais que c'tait juste une farce ! C'est ben ça qui est effrayant ! Tu veux jamais faire de mal mais tu vas toujours trop loin, ça fait que c'te fois-là j'ai décidé de te donner une bonne leçon... » « En me privant, tu te prives toé-si en même temps ! » « C'est justement, j'espère que tu vas te sentir deux fois plus coupable... » Mastaï

Jodoin sortit les deux billets de théâtre de sa poche, les déposa sur la table. « Aïe, deux piasses et demie su'l'yable ! On pourrait peut-être les donner à quelqu'un... » « À qui ? Le show va commencer dans une demi-heure... Y faudrait que le monde se dépêchent sans bon sens... Non, non, non, jette-les... » Gabrielle Jodoin sortit de la salle de bains où elle venait de se refaire une beauté. Mastaï et elle s'étaient parlé à travers la porte fermée pendant que Gabrielle se donnait un dernier coup de brosse. Elle toisa son mari et fit une moue de dégoût. « Tu t'es même pas changé ! » Gabrielle était vraiment ravissante dans sa robe fleurie et Mastaï sentit son agressivité fondre comme neige au soleil. « On s'en va juste sus ta sœur, Gaby... Pis de toute façon, chus pas sale ! » Sa voix s'était adoucie et Gabrielle s'en rendit compte. Elle retint le sourire qui commençait déjà à s'esquisser sur ses lèvres. « Mets-toé au moins une chemise... J'ai pas envie de te voir traverser la rue en camisole... » Mastaï Jodoin avait la mauvaise habitude de se promener en sous-vêtements aussitôt qu'il mettait les pieds à la maison et Gabrielle n'avait pas encore réussi à le guérir de ce défaut qu'elle et ses sœurs trouvaient énorme mais que leur mère, Rita Guérin, trouvait amusant. Cette dernière disait souvent de son gendre qu'il avait l'air d'un gros bébé qui cherche sa mère partout sans jamais la trouver. Personne ne comprenait au juste le sens de cette image mais Rita Guérin semblait la trouver très drôle. Quand Mastaï eut enfilé sa chemise neuve, Gabrielle entreprit de le peigner avec sa brosse à elle, chose que son mari adorait particulièrement. Il était assis sur une chaise de cuisine et serrait les cuisses de sa femme entre ses jambes en grognant de plaisir. Il entoura le gros ventre de sa femme de ses deux bras et prit sa voix de petit garçon qui faisait tant rire Gabrielle et grâce à laquelle il pouvait tout obtenir d'elle. « Comme ça, ton gros pitou d'amour est pardonné ? » « T'es trop beau, Mastaï, y faudrait que j'devienne complètement aveugle pour réussir à être en maudit pour de bon contre toé ! » Mastaï leva la tête, déposa son menton sur le ventre de Gaby. « Tu veux-tu que j'appelle un taxi ? On s'rait là dans au plus quinze menutes... » Gabrielle lui donna un bon coup de brosse sur la tête et Mastaï hurla plus de surprise que de douleur. « Me prends-tu pour une dinde, Mastaï Jodoin ? J'ai dit que t'étais pardonné mais j'ai jamais dit que tout était oublié ! Pense pus à la Poune ni à Juliette Petrie, mon chéri, ça sert à rien ! » Tout arriva si brusquement que Gabrielle n'eut pas le temps de réagir. Mastaï bondit littéralement sur le téléphone et composa un numéro. « Que c'est que tu fais là, pour l'amour du bon Dieu ! » « J'appelle un taxi, ciboire ! Si tu veux pas y aller, au théâtre, moé j'veux y aller ! » Après avoir donné l'adresse il raccrocha, s'empara des deux billets de théâtre qui étaient toujours sur la table de la cuisine et se dirigea vers la porte. « Joue aux cartes avec tes sœurs pis ta mére si tu veux, moé j'vas demander au mari de Germaine de venir avec moé voir la Poune ! » Gabrielle le suivit en courant. Ils traversèrent la rue l'un derrière l'autre, Gabrielle se tenant le ventre à deux mains, Mastaï agitant les deux billets au bout de son bras droit. « Fais ça, mon p'tit gars, pis tu vas le regretter ! » Mastaï s'arrêta au pied de l'escalier extérieur qui menait à l'appartement de Germaine et fit face à sa femme. « Vas-tu arrêter de me traiter comme un enfant, tabarnac ? Vas-tu arrêter de me punir comme un bébé quand j'fais quequ'chose qui fait pas ton affaire ! Chus pas un enfant, Gabrielle Jodoin, pis c'est pas en me privant de candy que tu vas arriver à faire quequ'chose avec moé ! Ma mére a déjà toute essayé ça quand j'tais p'tit pis tu vois c'que ça l'a donné ! J'ai acheté ces deux billets-là parce que j'savais que ça nous f'rait plaisir à tou'es deux, cibole ! Pis j'vois pas pourquoi c'que j'me priverais de c'te plaisir-là ! Okay, j'ai pas été ben fin avec la p'tite sensibilité de ta sœur, mais c'est pas une raison pour en faire un drame, calvaire ! J'vas y faire des excuses pis on va toute oublier ça ! J'gage même qu'a's'en rappelle déjà pus ! Ta sœur, l'Actrice, est ben moins dramatique que toé, des fois, t'sais... » Gabrielle s'assit dans les marches de l'escalier, tête basse. Son mari s'installa à côté d'elle « Le taxi s'en vient là. Viens-tu avec moé ou ben donc si j'emmène Ernest ? » Gabrielle posa une main sur le genou de son mari. « Vas-y avec Ernest. J'comprends c'que tu veux dire mais j'ai pus le goût de sortir... » Mastaï se leva d'un bond, furieux, et grimpa l'escalier quatre à quatre. Il entra chez sa belle-sœur sans sonner. Gabrielle croisa ses bras sur ses genoux, y déposa sa tête. « Comment c'que tu veux que j'aye du fun après des énarvements pareils ! » Rose Ouimet et son mari, Roland, descendaient lentement la rue en direction de la maison de Germaine Lauzon. Malgré la chaleur Rose Ouimet avait enfilé un ample manteau de drap par-dessus sa robe, probablement pour dissimuler sa grossesse. Lorsqu'elle aperçut sa sœur Gabrielle assise dans l'escalier, elle eut un sursaut. « Mon Dieu, y'est-tu arrivé quequ'chose ! » Roland Ouimet leva les yeux au ciel. Il trouvait la famille de sa femme un peu trop dramatique à son goût et la perspective d'une nouvelle tragédie ne lui souriait guère.

Tout était motif à pleurs et à grincements de dents dans cette famille, Roland Ouimet était bien placé pour le savoir, il avait épousé la fille la plus dramatique de la famille, Rose, qui voyait des tragédies partout et s'en repaissait à l'année longue, les arrosant copieusement de larmes et ne faisant jamais rien pour les régler. Il parla si bas quc sa femme ne l'entendit pas. « Jésus-Christ, encore un drame ! Tu vas être fière là ! » Au même moment un taxi vint se ranger devant la maison de Germaine. Mastaï et Ernest sortirent sur le balcon du deuxième en gesticulant. Rose hâta le pas, laissant son mari derrière elle. « Que c'est qui se passe, donc... » Comme elle arrivait à la hauteur de l'escalier où sa sœur était prostrée, ses deux beaux-frères commençaient à en descendre les marches. Mastaï contourna Gabrielle sans lui adresser la parole et s'engouffra dans le taxi, suivi d'Ernest Lauzon qui ne semblait pas du tout comprendre ce qui lui arrivait. Germaine Lauzon, Rita Guérin et Pierrette étaient sorties sur le balcon à leur tour. Après avoir fait claquer la porte du taxi, Mastaï Jodoin lança un sonore « Salut, tout le monde, bonne soirée ! » et le taxi démarra. Gabrielle se leva lentement et grimpa quelques marches. Rose Ouimet la suivit, pleurant presque. « Mon Dieu, que c'est qu'y t'a faite, encore ! Sont toutes pareils, les écœurants, sont donc toutes pareils ! » Roland Ouimet était resté au pied de l'escalier et regardait les deux femmes monter. Il s'adressa à sa belle-mère qui attendait ses deux filles sur le balcon. « Y sont-tu partis pour la soirée ? » Rita Guérin haussa les épaules. « Ben c't'affaire ! Y'avaient-tu l'air de s'en aller acheter d'la crème à'glace, maudit épais ! » Roland recula de quelques pas. « Ah, ben j'veux pas être le seul homme icitte à soir, moé ! Jouer aux cartes avec des femmes, j'haïs ça ! Jouez entre vous, moé j'vas plutôt continuer à'taverne... » Il s'éloigna vers la rue Mont-Royal sous le regard méprisant de sa femme. Lorsque ses deux filles atteignirent le balcon, Rita Guérin prit Gabrielle dans ses bras. « Au lieu de jouer aux cartes, on va rester entre nous autres, pis on va s'assir su'l' balcon... Y fait assez chaud, à soir... Pierrette, sors les chaises, tes sœurs peuvent pas forcer... » Gabrielle se moucha bruyamment dans le mouchoir que lui avait tendu sa mère. Lorsqu'elle eut terminé de se tamponner les yeux, elle soupira profondément. « Le pire, c'est qu'y'a raison, le maudit ! »

Léopold Brassard entra dans le salon sans faire de bruit. La pièce était plongée dans l'obscurité. Devinant plus la silhouette de sa femme qu'il ne la voyait, Léopold s'approcha de la fenêtre, mains dans les poches, gêné. Tout de suite après le souper, Marie-Louise, sans mot dire, était revenue au salon, son royaume, son refuge, et s'était accrochée à sa fenêtre sans même penser à allumer les lampes. Marie-Louise n'avait pas entendu venir son mari et elle sursauta un peu quand il parla. « Pourquoi tu restes dans le noir, de même ? » « Que c'est qu'y'a de si beau à voir, ici-dedans ? » « Que c'est qu'y'a de si beau à voir, dehors ? » Elle enfouit sa tête un peu plus dans le rideau de dentelle. « Dehors, ça me concerne pas. C'est plus intéressant. » Léopold posa une main sur l'épaule de sa femme. « Le bebé a-tu grouillé, aujourd'hui ? » Marie-Louise se dégagea comme si elle avait été touchée par un animal dégoûtant. « S'il vous plaît, touche-moé pas, Léopold ! Tu sens l'imprimerie... » Elle porta sa main à sa bouche. « Dis donc franchement que j'te donne mal au cœur ! » « Oui, Léopold tu me donnes mal au cœur. » « Tu vois comme t'es bête... J'm'en venais te charcher pour qu'on aille s'assir tou'es deux su'l'balcon... Tout le monde sur la rue Fabre sont sortis sur le balcon pour fêter le printemps... Y'a rien que nous autres de renfermés, encore une fois... » « Y'ont peut-être des raisons de fêter. Nous autres, on n'a pas. » « Marie-Louise, s'il vous plaît... Y fait aussi noir su'l'balcon pis c'est plus frais... Dans ta condition... » « Que c'est que tu connais de ma condition... » « J'connais peut-être pas grand-chose mais j'sais qu'une femme qui s'enfarme à'noirceur dans son salon doit avoir quequ' chose à cacher ! » Marie-Louise tourna brusquement la tête vers son mari. « Oui. Justement. J'ai quequ'chose à cacher. » Elle se leva lentement en s'appuyant contre le dossier de la chaise. « Ça ! » Des rires éclatèrent sur un des balcons d'en face. Mais Marie-Louise et Léopold ne tournèrent pas la tête vers la fenêtre, perdus dans leur haine mutuelle, yeux dans les yeux, presque hypnotisés. Mercedes et Béatrice descendaient l'escalier suivies d'Édouard qui chantait à tue-tête *Un jour, mon prince viendra* en envoyant des baisers à gauche et à droite. Sur le balcon, Thérèse, Richard et Philippe riaient comme des petits fous. Très lentement, Léopold détacha son regard du visage de sa femme pour regarder par la fenêtre. Il réussit à sourire. « Y'a du monde qui ont le tour d'avoir du fun. » Marie-Louise fit claquer sa langue quatre ou cinq fois. « C'est ça, va descendre l'escalier en chantant *Un jour, mon prince viendra*, pis j'vas rire... » Léopold sortit du salon en faisant claquer ses talons sur le linoléum. Il prit une chaise pliante derrière la porte du corridor et l'installa sur le balcon sous l'œil amusé d'Édouard qui avait arrêté de chanter aussitôt qu'il l'avait vu sortir de sa maison. Le gros homme se pencha sur ses deux nouvelles amies. « Doux Jésus, les filles, les rats sortent de leu'trous, la peste est pas loin ! » Mercedes et Béatrice se cachèrent derrière leurs mains pour rire. Léopold, souriant de voir ses voisins d'en face si gais, sortit sa blague à tabac et sa pipe. « J'me d'mande dans le monde que c'est qu'y peuvent ben se dire pour rire de même ! » Mercedes, Béatrice et Édouard étaient maintenant assis dans les marches de l'escalier, comme des enfants. Béatrice semblait impatiente. « Y'est ben long à arriver, c'te taxi-là, donc... » « Arrête de t'énarver de même, Betty, la soirée est jeune... » Édouard prit les deux filles par les épaules. « Betty, est comme moé, a'les aime jeunes ! » Thérèse et ses deux cousins étaient venus rejoindre leurs aînés dans les marches du bas. Thérèse s'assit entre Mercedes et Béatrice après avoir délogé son oncle. « J'aimerais ça savoir pourquoi vous riez fort, de même. » Édouard lui donna une légère tape sur l'épaule. « T'es trop jeune, Thérèse, tu comprendrais pas... » Visiblement furieuse, Thérèse se leva d'un bond et mit ses poings sur ses hanches. « J'comprends ben plus d'affaires que vous pensez, ma tante Édouard ! » Édouard s'écroula de rire dans l'escalier pendant que les deux jeunes femmes se poussaient du coude en pouffant. Thérèse, qui avait cru sa réplique insultante même si elle n'en comprenait pas toutes les implications, resta interdite. « Sont tellement épais, eux autres, à soir, qu'y riraient à n'importe quoi, j'cré ben ! » Avant de se rasseoir, elle mit ses mains en cornet autour de sa bouche pour s'en faire un porte-voix. « Après-midi, j'ai embrassé un homme sur la bouche ! »

L'effet escompté ne se produisit pas. Béatrice venait de bondir sur ses pieds, tout énervée. « Le v'là ! Le v'là ! » Elle pointait en direction du taxi qui descendait la rue Fabre. « J'espère qu'on s'ra pas trop en r'tard... » Édouard fit de grands gestes pour attirer l'attention du chauffeur de taxi qui vérifiait les adresses à l'aide d'une lampe de poche. « De toute façon, les filles, la Poune pis Juliette Petrie arrivent jamais avant le milieu du show... C'est eux autres, les vedettes, vous comprenez, ça fait qu'y s'arrangent pour se faire attendre ! » Lorsque le taxi repartit quelques secondes plus tard, Thérèse entendit Mercedes parler à Édouard. « Ça va être une belle fille vrai, ta nièce ! » Thérèse sourit de satisfaction. Elle n'entendit pas la réponse de son oncle, toutefois. Elle en aurait été moins heureuse. « Oui, ça va être une belle fille. Mais m'est avis que ça va être une moyenne bebitte, aussi ! » Le taxi tourna dans la rue Gilford vers l'ouest et disparut dans un bruit de mauvais pneus. Édouard emmenait Mercedes et Béatrice vers un destin que nul d'entre eux ne pouvait soupçonner : vingt ans de règne, de faste et de fêtes pour Béatrice qui allait devenir jusqu'au début des années soixante la coqueluche des noctambules de Montréal, la prostituée la plus couverte de compliments et de bijoux dans l'histoire de la métropole, exigeante toujours et parfois perverse, enveloppée juste ce qu'il fallait quand la mode le demandait et le reste du temps mince comme un fil, une seconde Ti-Lou mais sans l'accent et surtout sans la prétention (Béatrice comprit vite que s'ils payent mieux, les grands de ce monde baisent souvent moins bien et se spécialisa rapidement dans les hommes d'affaires moins glamour mais plus chauds lapins), parfois riche au point de donner ses robes après les avoir portées une seule fois (elle était un jour tombée sur une biographie de Marie-Antoinette et avait décidé de faire comme cette dernière plutôt que de regarder ses toilettes se faner dans sa garde-robe), parfois aussi pauvre que les hobos du carré Dominion qu'elle affectionnait tant et qui le lui rendaient bien, mais le cachant adroitement en attendant la prochaine manne qui, toujours, même si elle se faisait attendre, finissait par lui tomber dessus ; et pour Mercedes, une éphémère mais fulgurante carrière de chanteuse, malheureusement écourtée par un fatal accident de voiture qui lui coûta la vie quelque part vers le milieu des années cinquante. En effet, dans les coulisses du Théâtre National où Édouard avait ses entrées grâce à un danseur à claquettes récemment engagé par la Poune, les attendait Fine Dumas, soi-disant impresario pour danseuses de tournée mais en fait entremetteuse sans scrupule et fournisseuse en chair fraîche de tous les bordels du Québec, des plus cheap aux plus chic, des plus discrets aux plus criards. Fine Dumas allait tout de suite comprendre la valeur inestimable de la marchandise qu'Édouard lui emmenait innocemment et elle allait s'emparer des deux amies pour en faire les têtes couronnées des nuits de Montréal. C'est ainsi que trois soldats dévalisés et une marche au parc Lafontaine allaient fournir à Montréal dix ans de chansons d'amour et vingt ans d'amours furtives mais éblouissantes. Léopold avait regardé la scène en tirant voluptueusement sur sa pipe. Cette bonne odeur de tabac qu'il trouvait si sécurisante l'enveloppait peu à peu et il se sentait devenir léger. Mais au bout de quelques minutes la porte s'ouvrit discrètement derrière lui. Il l'entendit mais ne se tourna pas. Marie-Louise lui parla très bas comme si ce qu'elle lui disait avait été un secret. Ou un aveu. « Va charcher la chaise barçante, Léopold. Y fait trop chaud dans le salon. » De l'autre côté de la rue, Philippe, qui se décrottait passionnément le nez, posa une question à Thérèse qui fit rougir la fillette. « C'est-tu vrai, Thérèse, que t'as embrassé un homme sur la bouche, après-midi ? »

Albertine, Josaphat-le-Violon et Laura lavaient la vaisselle pendant que Victoire écoutait les nouvelles à la radio. Albertine avait l'air épuisée et de grosses gouttes de sueur lui coulaient sur le visage. « T'arais pu attendre à demain pour faire ta vaisselle, Bartine... » « Demain... Vous êtes drôle, vous ! Demain, faut tout recommencer, mon oncle ! Si j'lave pas la vaisselle à soir, j'vas être obligée de me lever plus de bonne heure, demain matin, pour la faire... » « Pour que c'est faire que tu te fais pas aider par les enfants ? Thérèse est assez grande... » « Thérèse est assez grande mais ça y tente pas, imaginez-vous donc ! En tout cas, pas souvent. Pis j'ai toujours l'impression qu'a'me juge, ça fait que des fois j'aime autant qu'a soye pas là... » « Faudrait que t'arrêtes de penser que tout le monde te juge, Bartine... » « J'y penserais pas si ça serait pas vrai ! Pensez-vous que j'vous voyais pas, toute la gang, à soir, pendant le souper ? Hein ? J'voulais pas sarvir ces deux guidounes-là par principe, par principe, mon oncle, pis tout c'que j'ai reçu en retour c'est des sarcasses pis des bêtises ! J'ai faite rire de moé parce que j'ai des principes ! Ça fait que laissez-moé vous dire que j'commence à me poser des maudites questions ! Si v'là rendu qu'y faut inviter des guidounes à sa table pour se faire respecter dans sa propre maison, où c'est qu'on s'en va, voulez-vous ben me dire ? » Albertine vida rageusement une bouilloire d'eau chaude dans l'eau de vaisselle déjà tiède. « Ébouillante-toé pas, là, c'est pas nécessaire ! » « Pis toutes ces idées de fou-là que vous mettez dans la tête de Marcel, aussi... J'vous ai entendu y conter vot'histoire d'allumeur de lune, t'à l'heure... Pensez-vous que ça l'a du bon sens ? Y'a rien que quatre ans, ce p'tit gars-là, oubliez-lé pas, pis y cré toute c'qu'on y dit ! Samedi passé vous y'avez conté vot'histoire de pets-de-sœurs qui font pardre la mémoire, là, pis dimanche matin y s'est mis à me dire qu'y savait pas oùsqu'étaient ses suyers parce qu'un pet-de-sœur l'avait frappé pendant la nuitte ! Aïe, y'a quatre ans pis y rit déjà de moé ! » « Si t'arais un peu plus le sens de l'humour, Bartine... » « Le sens de l'humour ! Des niaiseries qui tiennent pas deboutte pis qui rendent nos enfants menteurs ! La vie est assez plate de même, y m'semble, sans qu'on se mette à en inventer des bouttes par-dessus le marché ! » Josaphat-le-Violon décida de ne plus discuter avec sa nièce. Albertine tourna la tête vers Laura qui n'avait pas dit un mot depuis le début de la conversation. « Pis toé, Laura, comment c'est que tu fais pour savoir quand c'est que ton père te conte des contes pis quand c'est qu'y te dit la vérité ? » Laura arrêta pendant quelques secondes d'essuyer les assiettes. Elle semblait réfléchir profondément. Lorsqu'elle parla ce fut avec conviction et sa réplique n'appelait aucune réponse. « Ça m'intéresse pas de le savoir, ma tante. J'dirais même que des fois ça m'aide à vivre qu'y me fasse voyager comme y fait. » Albertine replongea les mains dans l'eau bouillante. « Bon, okay, j'ai compris. C'est moé qui est folle. Rêvez, toute la gang, rêvez, vous saurez ben me dire un bon jour que vous auriez été mieux de rester les deux pieds su'a terre comme moé ! » Josaphat-le-Violon et Laura se regardèrent en haussant les épaules. Dans la salle à manger, Victoire avait l'oreille collée au poste de radio comme tous les soirs mais elle n'écoutait pas. Sa longue marche de l'après-midi l'avait beaucoup plus fatiguée qu'elle ne voulait se l'avouer et son cœur battait un peu trop rapidement à son goût. « Maudite pétate ! A'va finir pas buster ! » Elle prit le châle qu'elle gardait toujours sur le dossier de sa chaise berçante et s'enveloppa frileusement les épaules. « J'arais pas dû sarvir le souper, aussi... Maudit orgueil ! » La présence des deux guidounes dans la maison avait eu l'effet escompté, Albertine était enragée, mais Victoire n'arrivait pas à en tirer quelque joie que ce soit. Faire fâcher sa fille était habituellement une de ses grandes jouissances (c'était sa façon de rappeler à Albertine qu'elle existait encore même si elle était tenue à part de tout ce qui se passait dans la maison, à cause de sa vieillesse et de son infirmité) mais ce soir, pendant le souper, peut-être pour la première fois, Victoire avait ressenti de la pitié pour la pauvre Albertine qui avait contemplé Mercedes et Béatrice avec une telle horreur et un tel dégoût qu'on aurait dit qu'elle allait tomber malade dans son assiette à tout moment. « J'vieillis trop vite. J'mollis. Bartine fait pas pitié, a'court après le malheur ! » Marcel, qui dormait dans son sofa depuis une bonne demi-heure, bougea dans son sommeil et prononça quelques mots incompréhensibles mais parmi lesquels Victoire crut reconnaître « lune » et « ceval ». Sa vision de l'après-midi lui revint en mémoire. Elle ne voulait plus y penser. Jamais. Josaphat-le-Violon l'avait à demi réconfortée en lui faisant sentir qu'elle n'était pas folle... mais la vieille femme sur le balcon avait semblé tellement douce... et elle avait regardé Marcel avec une telle tendresse... Et cet air de famille... « J'tais trop fatiquée ! C'est ça ! Plutôt que de voir des affaires de même, j'sortirai pus ! Jamais ! » Et soudain toute l'horreur de cette pensée l'envahit et la submergea, à tel point qu'elle porta la main à son cœur, croyant qu'elle allait mourir. « Non ! Non ! J'veux pas rester enfarmée icitte ! J'veux pas ! » Gabriel s'était assis aux pieds de sa femme. Il lui avait raconté son après-midi : l'incident avec Willy Ouellette, les trop nombreuses bières, ses doutes en ce qui concernait la guerre, sa fuite et enfin sa rencontre avec Béatrice. La grosse femme avait tout écouté en lui caressant la tête. Lorsqu'il eut terminé, elle lui parla doucement, presque comme à un enfant, soulignant certains mots avec une pression de ses doigts sur les tempes de son mari ou dans son cou, chassant tous les doutes avec ses mains autant qu'avec sa voix, réconfortant lentement cette âme qu'elle savait faible mais qu'elle aimait tant, dissimulant ses propres problèmes, ses propres peurs pour guérir ceux de Gabriel. Celui-ci finit par s'endormir, la tête sur les genoux de la grosse femme. Alors la grosse femme se tut et tourna le visage vers la lune qui passait maintenant dans son coin de ciel. Sa respiration était saccadée comme si des sanglots avaient essayé de sortir de sa gorge. Elle appuya la tête contre le dossier de son fauteuil. « Acapulco ! » L'enfant dans son ventre lui donna un tel coup de pied qu'elle ne put s'empêcher de pousser un cri de douleur. Gabriel s'éveilla en sursaut.

Pierrette Guérin était encore tout essoufflée. Elle avait couru annoncer la bonne nouvelle à sa grande amie, Thérèse, mais, à sa grande surprise, celle-ci ne semblait pas du tout excitée. Au contraire, elle avait froncé les sourcils et esquissé une grimace de dégoût. « Pourquoi tu fais c't'air-là, donc, Thérèse ? J't'annonce une bonne nouvelle pis on dirait que j'viens de te donner une claque en pleine face ! » « Chus pas sûre que ça soye une si bonne nouvelle que ça, Pierrette... » « On sait ben, toé, tes dents sont droites pis tout le monde te trouve belle ! Si tu serais pognée comme moé avec les dents toutes écartillées, tu dirais pas la même chose ! » Thérèse et Pierrette étaient assises au pied de l'escalier. Pierrette jouait nerveusement avec le bord de sa robe. Richard et Philippe, qui n'aimaient pas beaucoup Pierrette Guérin, avaient disparu à son approche et étaient montés s'installer dans les grosses chaises du balcon avant que les adultes ne sortent. « Écoute, Pierrette, un dentier, moé, j'trouve ça écœurant. Te vois-tu pognée pour le restant de tes jours avec une affaire trop grosse dans'bouche ? Une affaire que t'es-t'obligée de sortir de ta bouche pour la nettoyer, pis... ouache... rien qu'à y penser j'ai des frissons... » Pierrette avait arrêté de jouer avec le bord de sa robe et regardait son amie avec des yeux suppliants. Elle aurait voulu une parole d'encouragement, un hochement de tête affirmatif, une tape amicale, au lieu de quoi Thérèse essayait par tous les moyens de la décourager. « Mais au moins, Thérèse, j'vas avoir les dents droites ! » Thérèse se leva, tourna le dos à son amie et monta quelques marches avant de lui répondre. « En tout cas, tu f'ras ben c'que tu voudras, mais moé ça m'intéresse pas d'avoir comme amie une fille avec des fausses dents qui peuvent tomber n'importe quand pis qu'a'met dans un verre d'eau à côté de son lit quand a'va se coucher ! » Thérèse avait souvent vu les fausses dents de sa grand-mère dans un verre d'eau que Victoire gardait sur sa table de chevet et elle s'imaginait que tous ceux qui portaient des prothèses dentaires étaient obligés de les enlever pour dormir. Abandonnant son amie sans aucun remords, elle alla rejoindre ses deux cousins sur le balcon. Philippe se berçait un peu trop fort dans la chaise de son père et parfois le dossier venait frapper la brique avec un son mat. Richard, lui, commençait à s'endormir dans la chaise pliante de sa grand-mère. « Que c'est qu'a't'a faite, ta grande chum Pierrette ? A't'a-tu mordue avec ses dents croches ? » « Fais-toé-z'en pas, Flip, ben vite a'mordra pus ! » Pierrette retournait chez elle la tête basse lorsqu'elle croisa le chien. C'était une énorme bête jaune, poussive et laide, qui suivait une piste avec détermination, reniflant le trottoir avec convoitise comme si elle allait le manger, chassant rageusement l'air de ses narines lorsqu'elle tombait sur une odeur différente de celle qu'elle suivait, puis poussant un petit grognement de satisfaction quand elle la retrouvait. Pierrette, les mains dans le dos, s'approcha prudemment du chien jaune. « T'es ben gros, chien-chien ! Pis t'es ben laid ! Charches-tu quequ'chose à manger ? Y'a une p'tite fille, là-bas, au deuxième étage... J'haïrais pas ça que tu y prennes une ou deux mordées... Est pas mal maigre mais ça me rendrait service... » Pierrette s'était un peu trop approchée du chien qui se mit soudain à japper comme un forcené. Cinq secondes plus tard Pierrette grimpait l'escalier de la maison de sa sœur Germaine et se jetait dans les bras de sa mère en sanglotant. Rita Guérin déposa son Coke sur le plancher du balcon. « Bon, un autre drame... C'était-tu après toé que le chien jappait ? Oui ? Ben tant pire pour toé, on te l'a assez répété de pas t'approcher de chiens que tu connais pas... Pis mouche-toé pas dans ma robe de même, j'viens d'la laver ! » Rita Guérin tendit son mouchoir à Pierrette qui se moucha généreusement. « J'te voyais jaser avec ta grande amie Thérèse, t'à l'heure, là... J'espère que t'es pas allée y conter que j't'avais promis de te faire poser des dentiers, hein ? Si j't'ai dit ça, t'à l'heure, c'tait juste pour me débarrasser de toé parce que tu commences à être pas mal fatiquante avec tes maudites dents ! T'as rien qu'onze ans, Pierrette, tes dents ont encore en masse le temps de se redresser... J'te f'rai pas arracher les dents, certain, à l'âge que t'as là, ça s'rait un vrai crime ! Répète pas à parsonne que j't'ai dit ça, j'passerais pour une folle ! Attends d'avoir dix-sept ans, comme tout le monde ! » Le chien avait continué sa route aussitôt Pierrette disparue. La piste qu'il suivait s'arrêtait brusquement devant une clôture en fer forgé qui sentait encore la peinture fraîche. Le chien longea la clôture trois ou quatre fois pour s'assurer qu'il n'y avait pas de trous par où il pourrait se glisser, puis vint s'écraser devant la porte, la tête appuyée sur ses pattes de devant comme dans un geste de supplication. Il se mit à geindre par petits coups comme un chiot qui a perdu sa mère. Mais c'était là pure hypocrisie. Alors qu'il se donnait extérieurement un air suppliant et pitoyable, des idées de carnage et d'assassinat bouillonnaient dans sa tête. « Sors, maudit chat, sors, si t'es pas peureux ! Au lieu de rester enfarmé à te faire dorloter comme un maudit pissous, viens essayer de me montrer que t'es brave, que j'te crève le deuxième œil pis que j'te saute à'gorge pour t'achever! Y faut que j't'achève, y faut que j'soye sûr que t'es mort, sans ça, j'te connais, tu s'rais capable de guérir dans le temps d'le dire pis de venir me chier dans le dos! J'ai abandonné mon territoire, à soir, pour venir te régler ton compte une fois pour toutes, mais ça vaut la peine! J's'rai en sécurité juste quand j's'rai ben sûr que t'es-t'en quequ'part dans le paradis des chats ou plutôt dans l'enfer des chats, oùsque les souris pis les chiens ont le droit de vous chasser, de vous tuer, de vous dévorer, pis de recommencer pendant toute l'éternité! » Philippe s'était penché par-dessus la rampe du balcon. « Gard, Thérèse, le maudit chien d'après-midi nous a suivis jusqu'icitte... » Mais Thérèse ne l'écoutait pas. Depuis quelques minutes elle observait une ombre tassée dans un des escaliers, de l'autre côté de la rue. Au début elle avait cru que c'était monsieur Brassard ou monsieur Poitevin mais monsieur Brassard fumait sa pipe sur son balcon et monsieur Poitevin était à l'hôpital depuis quelques semaines... Et un geste qu'avait esquissé l'ombre, cette façon que l'homme avait eue de se passer la main dans les cheveux, avait fait bondir le cœur de Thérèse. « C'est lui! Y m'a suivie jusqu'icitte...! » Un mélange de jouissance et de peur lui avait parcouru le corps et elle s'était mise à trembler. « Mon Dieu, que c'est que j'vas faire! Faudrait que j'le dise à quelqu'un... Mais non... mais non... c'est pas dangereux... pis c'est excitant... Y'a aimé ça quand je l'ai embrassé pis y'en veut encore... Y'en veut encore! Ben y va attendre, le maudit, si y pense que j'vas y sauter au cou de même... Y'est ben beau, mais j'peux être ben indépendante quand j'veux! » Thérèse se mit doucement à rire et Philippe la regarda, étonné.

« Tu trouves ça drôle, toé, qu'y nous aye suivis jusqu'icitte ? » Le rire de Thérèse s'étouffa. « Tu l'as vu, toé-si ? » « Ben, tu l'entends pas brailler? Mais j'sais c'qu'y veut, moé... Y'attend sa victime pour la tuer... » Thérèse, affolée, rentra précipitamment dans la maison. Dans l'escalier, en face, Gérard Bleau pleurait.

Vers neuf heures, ce soir-là, Josaphat-le-Violon et Gabriel aidèrent la grosse femme à sortir sur le balcon. Ce fut beaucoup moins compliqué qu'ils ne l'avaient d'abord pensé. La grosse femme réussit à se lever toute seule de son fauteuil et après avoir passé ses bras autour des épaules des deux hommes elle traversa lentement la chambre, à petits pas, plus soutenue, peut-être, par sa volonté que par ses jambes. Elle s'arrêta quelques secondes dans la salle à manger, devant le sofa de Marcel, qui dormait à poings fermés, puis fit un sourire à sa belle-mère qui commençait à cogner des clous dans sa chaise berçante. « J'm'en vas m'assir su'l'balcon, chus-t'assez contente ! » Victoire éructa, toussa, se gourma. « J'cré ben que j'tais en train de passer... Chus mieux d'aller me coucher, j'pense... Tu devrais passer la nuitte su'l' balcon, si y fait pas trop frette... Couvre-toé ben pis respire fort, ça va te faire du bien ! » Josaphat-le-Violon, Gabriel et la grosse femme commencèrent alors leur lente traversée du corridor. La grosse femme avait l'impression de rêver. Souvent dans son sommeil elle s'était vue se lever et marcher, flotter, plutôt, à travers la maison, entrant dans toutes les pièces pour vérifier si rien n'avait changé et embrassant tous les membres de la famille comme s'ils avaient été ses enfants. Mais cette fois elle ne rêvait pas et pourtant la même impression de légèreté la soutenait dans sa longue marche vers le balcon. Mais tout dans la maison était plus petit que dans sa mémoire. Les pièces, les meubles et même l'énorme fournaise qui trônait dans le corridor entre la chambre de Victoire et celle d'Édouard. Les plafonds étaient plus bas, aussi. « Mais c'est peut-être moé qui a trop grossi... » Philippe et Thérèse étaient venus à sa rencontre et l'encourageaient du mieux qu'ils pouvaient. « Envoyez, ma tante, ça vaut la peine, y fait tellement beau, dehors... » « Veux-tu que j't'aide, moman ? J'peux-tu faire quequ'chose pour toé ? » Albertine, elle, suivait en bougonnant. « Vous avez pas envie de sortir de même ! Vous êtes en jaquette ! Pis dans votre condition ! De quoi on va avoir l'air ! On va encore passer pour des gypsies ! » Victoire la talonnait en lui donnant des poussées dans le dos. « Bartine, viarge, laisse-la tranquille ! J'aime mieux passer pour une gypsy que de la trouver morte d'ennuyance dans le fond de sa chambre demain matin ! » Laura Cadieux fermait la marche en se tenant le ventre à deux mains. Lorsqu'ils arrivèrent enfin dans le portique, la grosse femme demanda quelques instants de répit. « Laissez-moé souffler, un peu, ça fait tellement longtemps que j'ai pas marché... » Elle resta accrochée au cou de son mari et de son oncle mais étira la tête pour regarder dehors. La hâte faisait bondir son cœur. « C'est beau... Les feuilles ont pas encore commencé à pousser mais ça s'ra pas long, j'cré ben... Ça sent le mois d'avri'pis le mois de mai en même temps ! » Le bébé bougea encore dans son ventre. « Ça s'ra pas long, mon chien, ça s'ra pas long, moman a fini sa promenade pis tu vas voir comment c'qu'on va ben respirer ! » Elle avança de quelques pas, posa le pied sur le balcon. Richard se réveilla en sursaut et poussa un cri de joie en apercevant sa mère. Il se leva et se blottit contre son ventre. « V'nez vous assir, moman... Viens t'assir... Vous sentez-vous ben ? Te sens-tu ben ? » Il hésitait en parlant, bégayait presque. Sa mère riait doucement. « Décide-toé, Coco ! Dis-moé tu ou ben donc dis-moé vous mais arrête de tout répéter deux fois de même ! » Ils l'installèrent dans l'énorme chaise berçante de Gabriel. « Êtes-vous correcte ? » « Êtes-vous ben, là ? » « As-tu de besoin de quequ'chose ? » « J'vas aller te charcher un oreiller... » « Une bonne p'tite liqueur ça te ferait du bien, hein ? » Même Albertine s'était penchée sur elle. « J'ai acheté d'la p'tite bière d'épinette Larose, après-midi... » Quand le silence fut revenu et que la grosse femme put à loisir contempler la rue, s'imprégner d'images et de sensations de ce soir de printemps hâtif, scrutant les moindres recoins d'ombres et reconnaissant malgré la noirceur les visages de tous les voisins qui l'observaient de leurs balcons, respirant à pleins poumons les promesses de mai et les restes d'avril, le temps se suspendit et rien ne bougea plus. Puis, tout bas, comme s'il avait peur de briser un charme, Josaphat-le-Violon offrit de jouer une toune. Tous les visages s'allumèrent en même temps autour de lui. « Que c'est que tu veux que j'te joue ? *Humoresque* ou ben donc *La Méditation de Thaïs* ? Ou ben donc une gigue ou un reel... » «J'vous avais demandé *La Méditation de Thaïs*, après-midi, mon oncle, c'est ça que j'veux...» Philippe courut chercher le violon de son oncle. Et *La Méditation de Thaïs* s'éleva au-dessus de la rue Fabre, peut-être un peu poussive mais d'une telle sincérité que même les fausses notes transportaient l'âme et charroyaient la tristesse en vagues concentriques. Après, ce fut *Humoresque* que Josaphat-le-Violon connaissait et interprétait mieux, puis *Le Reel du pendu* et *La Gigue à Giguère* et tout son répertoire de sorcier de campagne, enfin, qui arrive à faire oublier dans une seule veillée toutes les misères de la terre et tous les malheurs du monde. Victoire s'était même mise à taper du pied comme dans sa jeunesse et Gabriel turlutait comme le lui avait montré son père. Albertine était allée réveiller Marcel qui croyait rêver et s'attendait d'un moment à l'autre à ce que Duplessis saute sur ses genoux en lui disant dans son langage de chat: « Chus r'venu ! Chus r'venu ! Pis chus plus fin que jamais ! » Thérèse, Richard et Philippe, première vraie génération de la ville, pour qui la musique était quelque chose qui sortait du poste de radio et non pas des mains, des pieds et de la bouche des gens qu'ils connaissaient, étaient fascinés, éblouis, transportés par cette découverte de leur grand-mère tapeuse de pied et de leur grand-oncle magicien de balcon. La grosse femme elle-même y alla du *Temps des cerises* comme au temps où toute la rue Fabre l'écoutait chanter quand elle préparait le ketchup rouge ou le chow chow vert, à l'automne. De l'autre côté de la rue, sans s'en rendre compte, Marie-Louise Brassard avait posé la main sur celle de son mari. « Ça me rappelle chez nous ! J'ai pus l'impression d'être en cage ! » Rita Guérin et ses trois filles enceintes étaient descendues de leur balcon, suivies de Pierrette, et étaient venues s'asseoir dans les marches de l'escalier. Claire Lemieux, abandonnant sa grosse baleine blanche de mari à sa bière et à ses chips, était venue les rejoindre. Marie-Sylvia avait collé son petit papier disant « Fermé jusqu'à 7 heures, demain matin » dans sa vitrine et avait traversé la rue dans sa robe du samedi maintenant défraîchie. Et tout à coup, après *Heure exquise* que tout le monde avait chanté en chœur en se balançant de gauche et de droite, la grosse femme se pencha par-dessus la rampe du balcon. « Montez ! Montez ! V'nez jaser ! » Elle regarda tour à tour Germaine Lauzon, Rose Ouimet, Gabrielle Jodoin, Claire Lemieux et même Marie-Louise Brassard qui n'avait pas quitté son balcon. « Moé aussi j'attends un bebé comme vous autres... V'nez, on va en parler... » Les trois sœurs Guérin se décidèrent les premières, suivies de près par Claire Lemieux. La dernière à bouger fut Marie-Louise Brassard qui avait commencé par faire signe qu'elle ne voulait pas quitter son balcon, allant même jusqu'à se lever pour entrer dans sa maison. Mais lorsque la grosse femme s'adressa directement à elle (« V'nez, vous aussi, madame Brassard, on se connaît pas encore... »), elle fut bien obligée d'obéir. Mais elle traversa quand même la rue en essayant de dissimuler sa grossesse sous une veste de laine qu'elle portait sur son bras. Discrètement, le balcon se vida pour laisser la place aux femmes enceintes. La famille de la grosse femme disparut dans la maison et on entendit bientôt le violon de Josaphat, dans la salle à manger. *Le Reel d' la pleine lune d' été*. Marie-Sylvia descendit la rue Fabre en murmurant : « Duplessis ! Duplessis ! », cherchant sous les balcons et derrière les clôtures la silhouette de son chat et Rita Guérin retourna à son balcon en traînant Pierrette derrière elle. Godbout et Gérard Bleau n'avaient pas bougé. Alors s'élevèrent du balcon des rires, des chuchotements, des éclats de voix réprimés par des mains sur des bouches. Elles étaient sept. Six d'entre elles étaient dans le début de la vingtaine et ne savaient pas ce qui les attendait et la septième, qui aurait pu être leur mère, le leur expliquait.

Rose, Violette et Mauve tricotaient. Leur balcon était plongé dans le noir mais leurs mains retrouvaient automatiquement les gestes justes et le bon rythme. Florence, leur mère, tenait sur ses genoux un chat malade qu'elle avait réussi à endormir. Elle écoutait en souriant les voix des sept femmes enceintes au-dessus d'elle. Godbout se doutait bien de quelque chose mais il avait beau scruter l'obscurité, il ne voyait rien. Le balcon restait vide malgré la maudite odeur de chat qui traînait dans l'air du soir comme une moquerie.

Outremont, novembre 1977 – août 1978.

Achevé d'imprimer en août 2018
sur les presses de
Marquis imprimeur

Éd. 01 / Imp. 04
Dépôt légal : août 2015